A Mariette,

si loin mais

tout près de mon cœur

Chantal

Le domaine hongrois, aux éditions Viviane Hamy

Traduit du hongrois

Du même auteur
Le Jardin de Diogène
La Forteresse

Magda Szabó
La Porte
Prix Femina étranger 2003
La Ballade d'Iza
Rue Katalin

Dezső Kosztolányi
Alouette
Anna la douce
Le Cerf-volant d'or
Le Traducteur cleptomane

Frigyes Karinthy
Voyage autour de mon crâne
Je dénonce l'humanité

Cécile de Tormay
Fille des pierres
La Vieille Maison

Kálmán Mikszáth
Le Parapluie de Saint-Pierre

Écrit directement en français

André Lorant
Le Perroquet de Budapest

RÓBERT HÁSZ

LE PRINCE
ET LE MOINE

Traduit du hongrois par Chantal Philippe
Présentation de Georges Castellan

Ouvrage traduit et publié
avec le concours du Centre national du Livre

VIVIANE HAMY

Titre original : *A künde*

D'après une conception graphique de Pierre Dusser

ISBN 978-2-87858-250-5

PARTICULARISMES HONGROIS
(Extrait)

Les Hongrois se distinguent de leurs voisins par leur origine et leur langue : cependant, de par la situation géographique de la région où ils se fixèrent, et le brassage ethnique qui s'y opéra, ils eurent souvent bien des difficultés pour se soustraire à l'influence de puissances telles que le Saint Empire, l'Empire ottoman puis l'Union soviétique.

Des pasteurs nomades aux sujets d'un roi catholique

Dans une Europe centrale peuplée par les Slaves – Polonais, Tchèques, Slovaques, Slovènes, Ukrainiens –, un îlot d'origine différente : les Hongrois – qui se désignent sous le nom de Magyars – sont un peuple ouralien ou finno-ougrien originaire de la région de l'Oural. Par leur langue, ils sont apparentés aux Samoyèdes de Sibérie, aux Finnois, aux Lapons et aux Estoniens de l'Europe du Nord. Formant une branche des Ouraliens, un groupe proto-ougrien s'en distingua au premier millénaire avant notre ère. Ils formèrent au nord de la mer Noire un peuple de pasteurs nomades, les Magyars, organisés en clans et en tribus qui furent attaqués par les Turcs Petchenègues vers 890 et se mirent en route vers l'Ouest, s'établissant entre les fleuves Dniestr et Danube, région qu'ils désignèrent comme Etelköz, « entre les fleuves ». Là, ils furent sollicités par des princes chrétiens voisins dans leurs querelles et apprirent les routes vers l'Europe centrale qu'ils empruntèrent, à la date factice et traditionnelle de 896, pour s'établir dans la plaine de Pannonie sous la direction du prince Árpád. Ils soumirent rapidement les faibles populations slaves puis, pendant cinquante ans, se livrèrent à des raids de cavalerie, pillant la Lombardie, la Bavière, la Gaule. Tout l'Occident retentit de la prière *De sagittis Hungarorum libera nos Domine !* – « De la fureur des Hongrois, délivrez-nous Seigneur ! » – jusqu'à ce qu'en 955 le raid conduit par le roi Bulcsú (qui avait été baptisé à Byzance) fût écrasé par l'empereur Othon Ier à la bataille de Lechfeld près d'Augsbourg, et Bulcsú pendu comme relaps. Ce fait marqua la fin des campagnes en Occident.

Les Hongrois, qui pratiquaient déjà une agriculture temporaire, se sédentarisèrent vite sous l'influence de leur conversion au christianisme. Le clergé allemand qui dominait la Bohême envoya de nombreux missionnaires qui conférèrent le baptême au prince magyar Géza. Celui-ci fit baptiser son fils Vajk qui devint István – Étienne – et confia son éducation à l'évêque de Prague Adalbert, dont les disciples mirent sur pied l'Église hongroise. Ayant épousé la fille du duc de Bavière, Étienne reçut du pape, et avec le consentement de l'empereur Othon III, une couronne royale le jour de Noël de l'an 1000. Il organisa son royaume en comitats – héritiers des clans de la période nomade – mais se réserva les deux tiers des terres qu'il distribua largement aux monastères et aux églises. Il mourut en 1038 sans héritier.

Les luttes pour sa succession durèrent un demi-siècle puis, en 1095, le roi Koloman reçut par héritage la couronne de Croatie dont le statut, précisé par les Pacta Conventa de 1102, resta en vigueur jusqu'en 1918. Les XIIe et XIIIe siècles furent marqués en Hongrie par les guerres du souverain contre les nobles qui avaient accaparé les terres : le pouvoir en fut affaibli et permit à un peuple d'origine turque, les Koumans, de s'établir dans l'est du pays. En revanche, des relations intellectuelles se nouèrent avec la Sorbonne. En 1301, la dynastie arpadienne s'éteignit et le pape désigna pour régner en Hongrie Charles Ier d'Anjou : il sut restaurer son royaume qui connut une poussée démographique importante. À la fin du XIIIe siècle, on peut dire que les Hongrois avaient oublié leurs origines nomades et constitué une société semblable à celles de l'Occident.

Avec l'aimable autorisation de Georges Castellan
Professeur honoraire à l'Institut national
des langues et civilisations orientales

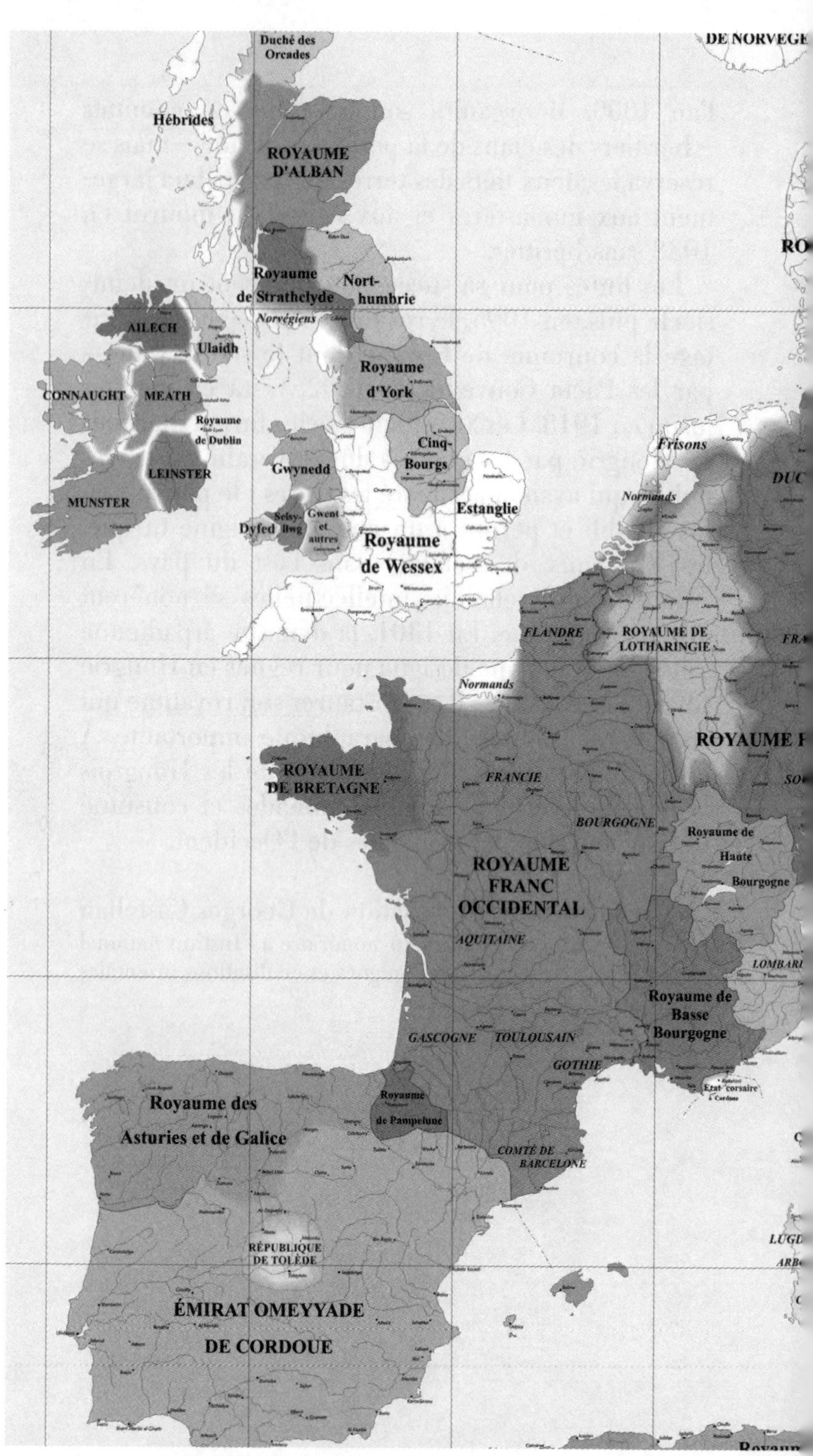
Duché des Orcades
DE NORVEGE
Hébrides
ROYAUME D'ALBAN
Royaume de Strathclyde
North-humbrie
Norvégiens
AILECH
Ulaidh
Royaume d'York
CONNAUGHT
MEATH
Royaume de Dublin
Cinq-Bourgs
Frisons
Gwynedd
LEINSTER
MUNSTER
Normands
Estanglie
Seisyllwg
Gwent et autres
Dyfed
Royaume de Wessex
FLANDRE
ROYAUME DE LOTHARINGIE
Normands
ROYAUME DE BRETAGNE
FRANCIE
BOURGOGNE
Royaume de Haute Bourgogne
ROYAUME FRANC OCCIDENTAL
AQUITAINE
Royaume de Basse Bourgogne
GASCOGNE
TOULOUSAIN
GOTHIE
État corsaire à Cordoue
Royaume des Asturies et de Galice
Royaume de Pampelune
COMTÉ DE BARCELONE
RÉPUBLIQUE DE TOLÈDE
ÉMIRAT OMEYYADE DE CORDOUE

L'Eur

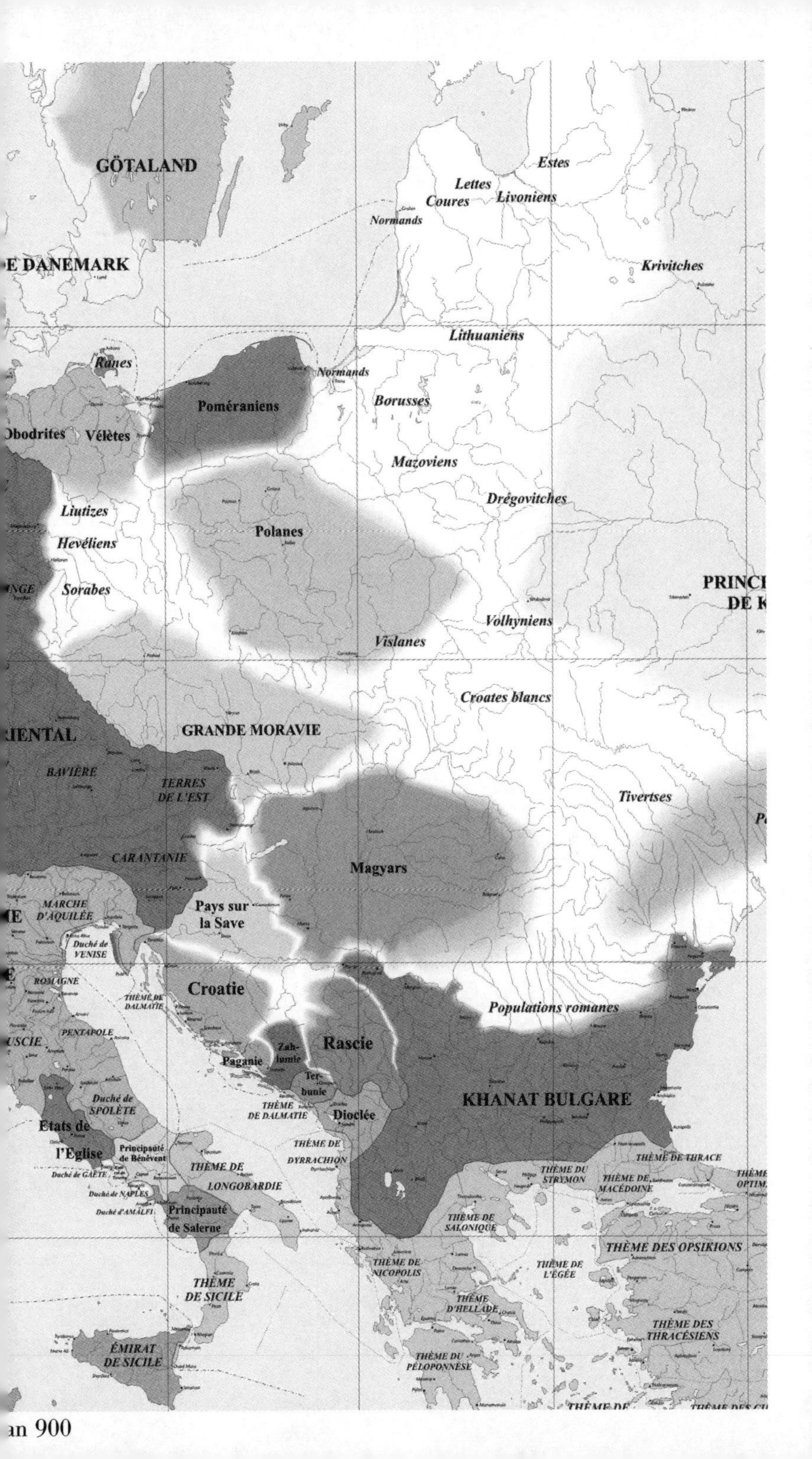
GÖTALAND
Estes
Lettes
Coures
Livoniens
Normands
E DANEMARK
Krivitches
Lithuaniens
Ranes
Normands
Poméraniens
Borusses
Obodrites
Vélètes
Mazoviens
Drégovitches
Liutizes
Polanes
Hevéliens
Sorabes
PRINC
DE K
Volhyniens
Vislanes
Croates blancs
IENTAL
GRANDE MORAVIE
BAVIÈRE
TERRES
DE L'EST
Tivertses
CARANTANIE
Magyars
MARCHE
D'AQUILÉE
Pays sur
la Save
Duché de
VENISE
ROMAGNE
Croatie
THÈME DE
DALMATIE
Populations romanes
PENTAPOLE
USCIE
Zah-
lumie
Rascie
Paganie
Ter-
bunie
Duché de
SPOLÈTE
THÈME
DE DALMATIE
KHANAT BULGARE
Dioclée
Etats de
l'Eglise
THÈME DE
DYRRACHION
Principauté
de Bénévent
THÈME DE THRACE
THÈME DE
LONGOBARDIE
Duché de GAÈTE
THÈME DU
STRYMON
THÈME DE
MACÉDOINE
Duché de NAPLES
Duché d'AMALFI
Principauté
de Salerne
THÈME DE
SALONIQUE
THÈME DES OPSIKIONS
THÈME DE
NICOPOLIS
THÈME DE
L'ÉGÉE
THÈME
DE SICILE
THÈME
D'HELLADE
THÈME DES
THRACÉSIENS
ÉMIRAT
DE SICILE
THÈME DU
PÉLOPONNÈSE

an 900

REPÈRES CHRONOLOGIQUES

autour de 830	Les Magyars, établis entre le Don et le cours inférieur du Danube, dans la région nommée Etelköz (« entre-fleuves »), se détachent des Khazars et deviennent indépendants.
837-838	Première mention dans des chroniques byzantines des Hongrois établis près du cours inférieur du Danube.
862	Première incursion en Occident dans l'empire des Francs orientaux.
881	Luttes des armées kabare et magyare dans la région de Vienne.
895	Guerres byzantino-bulgare et bulgaro-magyare. Les Petchenègues, alliés des Bulgares, attaquent les campements magyars de l'Est.
895-896	Conquête du territoire de la future Hongrie.
902-904	Campagnes en Bavière. Assassinat du chef magyar Kurszán au cours des négociations de paix avec les Bavarois. Árpád devient l'unique prince des Magyars.
907	Mort du grand prince Árpád. Défaite sanglante à Braslawaspurc (Presbourg) des armées bavaroises envoyées pour reconquérir la Pannonie.
908-912	Incursions atteignant le Rhin en Saxe, Thuringe, Bavière, Franconie et Souabe.
915-919	Incursions dans les provinces allemandes.

921	Incursions magyares jusque dans le sud de l'Italie.
924	Mise à sac de Padoue. Incursions atteignant l'océan Atlantique. Un prince hongrois est capturé par les Saxons.
934	Incursions jusqu'à Byzance.
937	Incursions en France à travers l'Allemagne du Sud, et retour par la Lombardie.
942-943	Incursions dans les environs de Rome, en Allemagne, en Espagne et en Thrace. Conclusion d'une paix de cinq ans avec Byzance.
948	Les chefs Tormás et Bulcsú sont reçus par l'empereur Constantin Porphyrogénète à Byzance. Baptême de Bulcsú.
951	Campagne en Lombardie et en France.
954	Campagne en Bourgogne et en Belgique.
955	Bataille de Lechfeld. Othon Ier inflige aux armées hongroises une défaite près d'Augsbourg, ce qui marque la fin des incursions vers l'Ouest.
972	Le prince Géza accède au trône. Arrivée de missionnaires allemands en Hongrie.
997	Mort du prince Géza ; le trône est occupé par son fils István (Étienne), le dernier grand prince magyar.
1000	L'abbé Astrik (Anastase) rapporte de Rome une couronne et une lance royales que le pape Sylvestre II lui a remises pour István (Étienne), avec le consentement de l'empereur Othon III.
1er janv. 1001	Sacre du roi Étienne Ier.

D'après György Györffy

LE PRINCE ET LE MOINE

Ungares in dolo ad Convivium a Baugauriis vocati,
Chusdal dux eorum suique sequaces occisi sunt.

(Annales Alamannici, A.D. 904)

En février de l'an de grâce 973, moi, Alberich de Langres, moine de l'abbaye de Saint-Gall, dépositaire des clés du scriptorium et futur armarius, j'ai reçu du père supérieur, l'abbé Virgile d'Aquilée, la mission d'enregistrer dans les pages des Annales Sanctgallenses Maiores l'histoire véridique de mon ancien maître, Stephanus de Pannonie, et ce de sa venue à notre monastère jusqu'à son départ vers les terres païennes où, répandant avec bravoure la parole d'Évangile, il s'est glorifié dans le Seigneur pour le salut de nos âmes. En immortalisant l'œuvre de sa vie dans les Annales, j'ai avant tout l'intention de démentir l'ensemble des allégations malveillantes, reposant souvent sur des rumeurs fallacieuses, selon lesquelles mon maître bien-aimé aurait connu la déchéance en terre païenne, ou serait revenu couvert de déshonneur, ou encore, horribile dictu, aurait été banni jusqu'à la fin de sa vie. Dans l'accomplissement de cette tâche, l'aide de notre révérend abbé Virgile d'Aquilée, blanchi au service de Dieu et à la conduite de son troupeau, mais disposant encore de toutes les forces de son âme, s'est révélée indispensable et infiniment salutaire. Grâce à l'assistance et aux indications qu'il m'a prodiguées, j'ai pu rassembler les éléments de la vie de Stephanus de

Pannonie dispersés dans le temps et l'espace. Cependant mon ouvrage est loin d'être parfait. Nul doute que certains aspects de sa vie resteront à jamais dans l'ombre, car la plupart de ceux qui auraient pu éclaircir ces points obscurs ne sont plus au nombre des vivants depuis bien des années. Tout en m'efforçant de ne rien négliger tant dans ma quête d'informations qu'au cours de la rédaction, j'ai fait en sorte d'achever ma tâche avant que ne commence le procès en canonisation de frère Stephanus, laquelle ne peut que rehausser le renom de notre monastère au passé déjà éminent. J'ai en cela été grandement aidé par ma qualité d'ancien disciple de Stephanus de Pannonie, ce qui non seulement m'emplit de fierté, mais m'a aussi permis de puiser souvent dans mes souvenirs personnels en écrivant son histoire…

… Le chroniqueur est bien désemparé pour relater avec véracité la venue de Stephanus dans notre monastère. La raison en est que le père Hilarius, le dernier des nôtres qui eût assisté à l'arrivée de Stephanus encore enfant, et même veillé à son éducation durant de nombreuses années, a été rappelé auprès de Dieu en l'an 955 après la naissance de Notre-Seigneur Jésus-Christ. Il n'est resté que des on-dit et des anecdotes qu'il est fort malaisé de vérifier a posteriori. Il y a bien des années, alors qu'il séjournait encore parmi nous et que j'étais son disciple, le frère Stephanus lui-même, qui nous a toujours surpassés en sagesse et en piété, respectant avec la plus grande fidélité la règle de Benoît, le fondateur de notre ordre, avait révélé à Alberich de Langres, c'est-à-dire à moi-même, qu'il était en fait issu d'une famille noble de Bavière et que pour cette raison, il souhaitait que son véritable nom restât secret. Pour qui connaît son caractère, cette affirmation ne saurait être mise en doute. À l'occasion des cinq missions chrétiennes que Virgile d'Aquilée, le sage abbé de notre

monastère, suivant en tout la règle du fondateur de notre ordre, lui confia jusqu'en 936, Stephanus de Pannonie enrichit de nombreux et précieux ouvrages notre librarium au fonds déjà considérable. Soit il copia avec soin des volumes empruntés, soit il se procura des copies dans les maisons et évêchés appartenant à notre ordre qu'il visita au titre d'émissaire de notre monastère. (L'auteur de ces lignes l'accompagna au cours d'un de ces voyages qui le conduisit dans la noble ville d'Aix-la-Chapelle.) Sa vue s'affaiblissant au fil des années, Stephanus de Pannonie ne fut plus capable de distinguer les lettres, et il s'occupa alors de notre vigne. Il le fit de bon cœur, car il aimait beaucoup le raisin, et non le vin pour lequel, tout comme l'auteur de ces lignes, il professait un profond mépris, car l'un comme l'autre donnaient la préférence à une vie saine et vertueuse…

… Il y a tout juste dix ans, en l'an de grâce 963, à la fin de l'été l'abbé Virgile fit venir Alberich de Langres, c'est-à-dire moi-même, alors que j'œuvrais avec zèle à mon pupitre du scriptorium. Il me pria d'aller trouver mon maître, Stephanus de Pannonie, et de lui dire qu'il voulait lui parler de toute urgence. Je savais où chercher Stephanus, aussi ne tardai-je point à le découvrir en haut du coteau de vigne, plongé dans ses prières sous le grand cerisier. Ayant entendu mon message, il se rendit aussitôt auprès de notre abbé. Virgile d'Aquilée l'attendait dans sa cellule, laquelle était plus pauvre, plus austère et plus inconfortable que celle de n'importe lequel de nos frères. Il nous donnait ainsi l'exemple de la pauvreté, afin de nous montrer que le premier n'est point différent du dernier. Quand Stephanus entra, Virgile était abîmé dans sa prière, à genoux au pied du crucifix. En reconnaissant l'arrivant, il lui donna sa bénédiction.

– Sois béni, frère Stephanus.

Ils s'agenouillèrent tous deux, puis Virgile exposa les pensées que Dieu lui avait inspirées.

– Notre foi ne peut se renforcer que grâce aux incroyants, mon frère. Il importe de glorifier le Seigneur avant tout là où nous avons le moins de chances d'être entendus. Tu devras aller parmi les païens, en terre tyrque, afin que ce peuple barbare reçoive lui aussi la sainte parole de l'Évangile. Va, et répands la gloire de notre Rédempteur !

Stephanus fut effrayé par cette mission sacrée. Il protesta, supplia Virgile de ne point l'envoyer accomplir cette tâche, il se trouvait bien au monastère, il s'était accoutumé aux travaux quotidiens, il n'avait plus la force de changer. Écoutant son cœur compatissant, l'abbé Virgile prit Stephanus en pitié :

– Je comprends tes craintes, mon frère. Va dans ta cellule, enferme-toi et récite le Pater noster jusqu'à l'aube. Tu reviendras demain avant le coucher du soleil me faire part de ta décision. Si tu ne te sens toujours pas capable d'accomplir cette mission, je la confierai à un autre.

Stephanus suivit son conseil. Il se reclut dans sa cellule et passa la nuit à dire des Pater noster. Mais comme un signe du ciel, au milieu des prières qu'il récitait, il voyait malgré lui apparaître le visage du sage et pieux père Virgile d'Aquilée, les traits déformés par la souffrance, car il ne pouvait s'empêcher de penser nuit et jour que des milliers de païens continueraient de vivre dans le péché, sans espoir de rédemption. Alors, miracle : avant que le soleil fût couché, le Seigneur avait empli de courage le cœur de Stephanus de Pannonie.

– J'irai porter la parole de Dieu, dit-il le lendemain à Virgile d'Aquilée.

– J'ai toujours eu foi en toi, répondit le père Virgile.

… je me suis levé en pleine nuit, tandis que les âmes du monastère sont profondément endormies, et abusant coupablement, je l'avoue, de ce qu'on m'eut confié depuis quelque temps la clé du scriptorium, je suis entré dans la salle obscure, puis, d'une cachette ménagée en secret, j'ai sorti les feuillets vierges que j'y amassais depuis plusieurs semaines, ainsi que de l'encre et quelques plumes bien taillées. Accroupi dans un angle de la pièce, afin que la lueur de ma lampe ne puisse être aperçue de la cour, j'écris ces lignes. Ces pages ne figureront pas dans les Annales, cependant, à mon humble avis, elles ne méritent pas de tomber dans l'oubli, car j'y consigne les paroles de mon cher maître Stephanus, ne fût-ce que pour moi-même, en l'honneur de sa mémoire. Pour des raisons évidentes, comme il l'a exposé lui-même, son récit n'a pas sa place dans ma chronique, et ne serait sans doute pas propre à servir la cause de sa canonisation. Je note donc ici ce que mon bien-aimé maître m'a raconté jour après jour dans sa misérable cabane, et ce que j'ai découvert à son sujet dans la mémoire des moines de Saint-Gall. Cela, je ne pourrais pas l'enregistrer dans les Annales, il conviendrait de le garder pour moi dans l'intérêt de mon avenir, mais je ne puis m'empêcher de l'écrire, et je suis lié par ma promesse, alors je noircis ces feuillets, nuitamment, à la lueur tremblante de ma veilleuse… J'en ai d'abord terriblement voulu à Elsi de m'avoir caché pendant tant d'années que mon maître Stephanus vivait en proscrit, j'en fus si indigné que les mots m'ont manqué, mais ensuite je dus la consoler car elle se mit à pleurer. Elle ne savait pas, se lamentait-elle, à qui elle devait demander pardon : à moi, pour ne m'avoir rien dit, ou plutôt à mon maître, auquel elle avait fait serment de ne jamais parler de lui à personne au monastère, surtout pas à moi. Elle sanglotait si fort que je tentai de la rassurer, de l'apaiser, au nom du Ciel, qu'elle se taise, elle allait réveiller tout le monastère, et si on découvrait que nous nous rencontrions ici en secret, nous nous retrouverions sur-le-champ hors des murs du couvent, elle ne pouvait vouloir cela. Tout en lui parlant, allons, Elsi, cela suffit, calme-toi, ce n'est pas grave… je pensais que les femelles sont des créatures bien rouées, capables en un tournemain de muer la colère en compassion. Je ne comprenais pas comment elle avait pu garder ce secret durant de si longues années, même à mon égard, alors qu'elle partageait littéralement tout avec moi, et tandis que je considérais avec étonnement cette incarnation de la rouerie féminine, l'indignation le disputait en moi à l'admiration. Alors elle me dit, car elle était encore assez rusée pour cela, que mon maître l'avait menacée de ne plus l'entendre en confession et de ne plus l'absoudre du péché qu'elle commettait avec moi si elle me révélait son secret – un jour qu'Elsi lui avait parlé de moi, mon maître avait en effet compris que notre relation était plus qu'amicale. Et alors que des années durant, croyant qu'il avait péri parmi les païens, je sentais jour après jour une plaie douloureuse béer dans mon cœur, lui, dans sa cachette de la forêt voisine, demandait compte à Elsi de nos galipettes… le vieux renard ! Et c'est seulement lorsque j'annonçai à Elsi, fièrement et non sans suffisance, de quelle mission notre abbé m'avait chargé, à savoir de consigner dans les Annales de Saint-Gall la vie de feu (c'est du moins ce que je croyais) Stephanus de Pannonie, c'est seulement ce jour-là que, ne pouvant retenir le secret renfermé dans son âme depuis des années, elle me révéla ce qu'elle savait de la vie cachée de mon maître : mais non, il n'était pas mort, balbutia-t-elle en larmes, il vivait depuis des années dans la forêt, les gens du village prenaient soin de lui, elle-même allait parfois le voir, elle lui ramassait du bois, lui apportait à manger. J'en eus le souffle coupé, mais ensuite, passablement calmé, je fus également saisi de colère envers Stephanus pour m'avoir si longtemps berné, moi qui le révérais plus que tout autre… Le moyen d'obtenir réparation était d'aller le voir à la première occasion, en un lieu de la forêt qu'Elsi me décrivit avec minutie. Quelle satisfaction de voir s'allonger la mine de mon ancien maître, quand il me vit pénétrer dans son misérable logis ! Mais je fus bien vite empli de pitié en découvrant dans quel dénuement ses jours s'écoulaient depuis des années. La masure délabrée où il vivotait était humide et traversée de courants d'air, et mon pauvre maître avait bien piètre allure, on eût dit un vagabond, son visage était envahi d'une barbe grise, ses cheveux blancs tombaient sur ses épaules, et son corps, jadis de haute stature, était aussi ratatiné qu'une grappe oubliée sur le cep. Seuls ses yeux flamboyaient, comme naguère, avant qu'il ne partît pour les terres païennes. Il me regarda avec lassitude, mais fermeté, comme s'il avait déjoué les tours du temps et du monde éphémère, bien que j'eusse découvert son secret... Ma colère s'évanouit en un instant, et tout attendri, j'étais près de fondre en larmes sur son épaule, mais il me repoussa, ne fais pas l'enfant, tu es un homme à présent, ne pleure pas comme une femelle. Assieds-toi plutôt, et raconte-moi... Au lieu de cela, je l'exhortai de me révéler ce qui lui était arrivé, pourquoi il se cachait depuis tant d'années dans les bois comme un sauvage, puisqu'il était manifestement revenu sain et sauf du pays des Türks, pourquoi il évitait ses frères, et surtout moi, ce qui me causait si grande peine, et avec douceur, mais non sans reproche, je lui demandai raison de son attitude, car si Elsi avait tenu sa langue, je n'aurais jamais appris qu'il était en vie et se trouvait non loin de moi. Il protesta tout d'abord, à quoi bon remuer le passé, il avait à présent l'âme en paix, sa vie était désormais celle-ci. Il se fit prier jusqu'à ma troisième visite, où je lui apportai du vin nouveau et des vêtements propres, et lui révélai quelle tâche le père Virgile m'avait confiée, à savoir de consigner sa vie dans les Annales en vue de sa canonisation, puisqu'au monastère tous le croyaient mort en martyr en terre païenne. Or, sachant à présent qu'il n'avait pas péri chez les incroyants, je me trouvais dans l'embarras : comment raconter dans ma chronique qu'il avait subi le martyre ? C'est ainsi que je parvins à le faire parler, mais en échange il posa pour condition que je couche sur le parchemin, sans y rien changer, tout ce que j'entendrais de sa bouche, car s'il prenait la peine de revivre le passé, ses paroles ne devaient pas s'envoler, mais être conservées dans leur stricte vérité. Je lui fis avec joie la promesse qu'il en serait ainsi. Il m'avertit sévèrement de ne pas noter son récit dans les Annales : « Mon histoire n'a pas sa place dans un

Codex. Écris-la à part, en secret, et même si ton manuscrit reste sous forme de feuillets, que personne hormis toi, Alberich, n'en connaisse l'existence. En revanche, rédige la chronique officielle comme Virgile le souhaite. » Puis il me fit promettre de ne jamais révéler au père Virgile que je connaissais son secret, à savoir que la légende de son martyre était pure invention, il était en effet dans mon intérêt de garder cela pour moi. De même, je ne devais pas parler de sa cabane, il fallait que l'on continuât de le croire mort, je comprendrais en entendant son récit, mais au monastère, je devrais toujours faire comme si je ne savais rien de lui. Je le lui promis également, et pendant des jours, des semaines, je revins le voir en secret. Assis à ses pieds, je l'écoutais raconter, et il était de plus en plus évident que ce récit trouverait difficilement sa place dans les Annales Sanctgallenses, il en irait de mon sort si j'y consignais tout ce que me narrait Stephanus. Cependant le récit de mon cher maître mérite de ne pas s'envoler en même temps que les paroles, aussi force m'est d'écrire deux histoires, l'une dans les Annales de Saint-Gall, au gré de notre abbé Virgile d'Aquilée, l'autre pour moi, en secret, telle que Stephanus me l'a révélée... Dès le début, mon maître m'a bien surpris, je n'ai jamais compris comment il avait eu vent de la cruche de vin que j'emportais en cachette au scriptorium et que je dissimulais dans une brèche du mur près de mon pupitre, car que je sache, je n'en ai jamais parlé à personne, pas même à Elsi ; j'avais découvert cette cachette bien après le départ de Stephanus, c'était incompréhensible. Il avait par ailleurs une mémoire sans faille, je fus étonné de l'entendre évoquer le jour où, dix ans auparavant, par un après-midi de la fin de l'été, Virgile d'Aquilée m'avait envoyé le chercher dans les vignes, et son récit se déroulait dans un si bel ordre, en phrases si claires et si bien formées, que si cela ne m'avait pas semblé impossible, j'eusse pu croire qu'il les répétait depuis des années et qu'il savait le tout par cœur avant que je ne l'eusse retrouvé dans la forêt. Tandis qu'il racontait, mes souvenirs se faisaient de plus en plus nets. Stephanus de Pannonie avoua que j'étais son disciple préféré.

… les corneilles tournoient au-dessus de moi dans le ciel gris. Une nuée croassante d'oiseaux de malheur. Elles semblent vouloir m'avertir, mais j'ai beau regarder le ciel et tendre l'oreille à leurs cris aigus, je ne comprends pas ce qu'elles disent. C'est l'automne, un matin brumeux, au bord de la rivière. Après les corneilles viennent des chevaux. Ils secouent la tête avec impatience, font cliqueter leur mors et, les naseaux fumants, s'ébrouent nerveusement en regardant la rive. Ils piaffent dans la boue, impatients de partir. Les cavaliers leur tiennent la bride courte, ils peinent à les retenir. Moi, je suis blotti au fond du chariot, tel un animal captif, mais je n'ai rien à voir avec tout cela, je ne pense qu'à m'enfuir, seulement j'ai les mains doublement attachées : l'une à l'autre dans mon dos, et au dossier du siège par une autre lanière. Quelqu'un crie, les chevaux se mettent en route, le chariot s'ébranle…

Ce n'était pas la première fois que j'avais cette vision à la vigne. Comme je me redressais au milieu des ceps, le monde s'obscurcit devant moi un instant. C'est alors que j'entendis les corneilles. Le soleil se couchait, c'était la fin de l'été. Il me semblait rêver, cela ne m'était jamais arrivé de rêver éveillé. Puis j'ai entendu ta voix, tu criais mon nom. Tu gravissais la colline en courant presque, ce qui devait représenter un effort considérable pour toi, mon cher Alberich, ne m'en veuilles pas d'évoquer cela, mais notre cuisinier frère Jeromos, ton oncle, prenait vraiment soin de toi, et il ne se passait pas un jour de jeûne où il n'eût adouci tes souffrances par quelques cuisses d'oie fumées. Tu n'étais guère à ton aise, ne le nie pas, et lorsque tu m'as rejoint tout en haut de la vigne auprès du cerisier, tu étais hors d'haleine. Il t'a fallu plusieurs minutes pour me dire dans un gémissement que le père supérieur voulait me voir d'urgence. Je n'avais nulle raison de me douter de quoi que ce fût, mais je ne te cache pas que, dès ce moment-là, j'ai eu un mauvais pressentiment. Je t'ai fait asseoir au pied de l'arbre et t'ai tendu l'outre de vin que mon bon ami le cellérier emplissait à mon intention chaque matin, et tandis que tu te régalais à grandes goulées, j'ai tenté de te faire dire ce que Virgile me voulait, mais tu ne m'écoutais pas, tu avais la tête ailleurs, t'en souviens-tu, Alberich ? C'est à cette époque que la servante Elsi était apparue dans notre cuisine, elle montait du village dès l'aube pour allumer les fourneaux de Jeromos. Pourquoi le nier, c'était une créature fort avenante, les regards que tu jetais sur sa personne ne m'avaient d'ailleurs pas échappé, et pris au piège par ses cheveux de lin et son charme de jouvencelle, tu ne manquais pas une occasion de rôder autour d'elle. Jeromos et moi nous amusions dans ton dos, nous pensions que cela te ferait du bien de pâtir un peu, cela te renforcerait l'âme, nous te jugions par ailleurs trop timide pour l'entreprendre. Tu engloutissais mon vin à l'ombre du cerisier, les yeux dans le vague, comme un baudet enamouré. Mais tu étais mon disciple favori, comment aurais-je pu t'en vouloir ? Je n'aurais jamais cru que tu finisses par te nicher sous les jupes d'Elsi ! Honte à toi, Alberich, tu n'oses te confesser à personne, n'est-ce pas ? Au fait, as-tu toujours une cruche de vin dans la cachette près de ton pupitre ? Allons, ne fais pas cette tête !

Je n'ai jamais aimé le porche du monastère. Il y avait trop de va-et-vient, l'armée bruyante des domestiques y circulait sans relâche. Je préférais la porte des cochons dans le mur nord. Matin et soir, des hordes de porcs passaient par là, mais point d'homme, hormis le porcher et moi. Je devais, il est vrai, faire un détour pour aller à la vigne, mais j'étais plus vite hors de vue. Au retour, je longeais la venelle entre les étables et l'atelier pour éviter le réfectoire, et me glissais vivement dans la cuisine. Jeromos de Mantoue et moi avions l'habitude, avant le repas du soir, de boire une coupe de vin auprès des marmites bouillonnantes, en échangeant quelques mots sur ce qui cuisait dans les fours, parfois je l'aidais à touiller la soupe, ou je jetais de temps en temps une bûche dans le feu. Il m'apprenait tout ce qui s'était passé au monastère dans la journée. Ce jour-là, j'ai fait de même, je voulais savoir s'il avait entendu dire pour quelle raison Virgile était si pressé de me voir. Mais cette fois Jeromos ne put me venir en aide. Tout ce qu'il savait, c'est qu'un cavalier était venu à l'aube, sans doute un messager, il l'avait vu passer au galop devant la fenêtre. Cela ne peut me concerner, lui dis-je, depuis que je ne peux plus lire, je ne m'occupe plus de missives, et d'ailleurs, l'abbé sait lire, lui aussi. J'ai bu mon vin et me suis rendu chez Virgile.

Cette entrevue ne me disait rien qui vaille. Jamais Virgile ne m'avait accueilli avec une bonne nouvelle. La dernière fois qu'il m'avait fait venir, sept ou huit ans auparavant, je ne sais plus exactement, il m'avait fait savoir qu'il me fallait quitter le scriptorium et céder ma place à un frère plus jeune dont les yeux distingueraient mieux les lettres. Il avait décidé que je m'occuperais de la vigne, point besoin d'un œil d'aigle pour voir les grappes de raisin. Au début, j'étais furieux, je me sentais lésé, mais le temps passant, j'ai appris à aimer la vigne, j'ai pris plaisir à veiller sur elle, à la soigner, j'ai apprécié la solitude que je ne trouvais que sur les coteaux. *Ora et labora* n'est-il pas le principal commandement de notre ordre ? Par la suite, je fus même reconnaissant à Virgile d'avoir sorti mes braies du scriptorium. Car, dis-moi, y a-t-il dans toute la Création plus beau que la vigne ? C'est comme une promesse tenue alors qu'elle paraît sans espoir, le sol le plus ingrat produit le fruit le plus doux. En gravissant l'escalier vers la chambre de l'abbé, je pensais que s'il voulait à présent me priver de la vigne, j'en concevrais une grande amertume. Je cherchai l'apaisement en disant le *Pater noster*, et ne cessai point tout le long du couloir obscur, dans l'espoir que la prière m'aiderait à conserver la vigne, à conserver ma paix.

Quand j'entrai dans la chambre de Virgile, le petit homme se leva pour venir à ma rencontre.

Alors je sus aussitôt que les choses étaient encore plus graves que je ne l'avais redouté. Comme à l'accoutumée, son bras droit soutenait l'autre, infirme, comme s'il berçait un enfançon. Les prières que j'avais récitées dehors semblèrent prendre vie indépendamment de moi, se répétant sans relâche. *Pater noster qui es in cœlis,* je vis le père Virgile, avec une amabilité inhabituelle et de mauvais augure, me faire signe de prendre place dans le fauteuil capitonné, le seul siège de sa cellule, mais peut-être le plus confortable de toute l'abbaye. *Fiat voluntas tua,* j'entendis son préambule qui, à en juger par son aménité, ne promettait rien de bon. *Et dimitte nobis debita nostra,* après une demi-heure d'introduction, le père Virgile en vint au fait, dépeignit la nécessité, la gloire d'une tâche qui agrée à Dieu, sans oublier le passage relatif au vœu d'obéissance ; il cita les Psaumes, où le Seigneur dit : il m'a obéi dès que son oreille l'entendit ; et avant que j'eusse pu prendre la parole, il ajouta : saint Luc : celui qui vous écoute m'écoute aussi. *Sicut et nos dimittimus debitoribus nostris,* je me souviens encore du bouleversement et de l'amertume que je ressentis dans ce fauteuil honteusement confortable : on avait décidé pour moi que je devais servir non le Seigneur Dieu – car je L'avais servi jusque-là, tant par mes prières qu'en copiant des livres pendant de longues années, puis en élevant Sa vigne –, mais des seigneurs qu'il me faudrait assister dans leurs petits jeux. En vain avais-je vécu des décennies de vie chrétienne, en vain abandonné la barbarie, ici personne n'oubliait, les origines étaient bien enregistrées… *Et ne nos inducas in tentationem,* j'aurais voulu bondir de mon siège, sortir en courant de l'aile abbatiale, chercher la sécurité dans la douce solitude des coteaux. Mais je restai, comme il se devait, docile et dévoué, tête baissée devant l'abbé. Même assis je le dépassais, mais je sentis alors qu'il se dressait au-dessus de moi, grandissant soudain comme une ombre noire sur le mur. Je n'ai pas cherché à le contredire, qu'aurais-je pu opposer à un argument selon lequel le Seigneur m'appelait à de hautes actions, qu'étais-je pour disputer sur la volonté de Dieu ? Ma parole contre la sienne ? *Sed libera nos a malo.* Virgile s'immobilisa devant moi et joignit les mains.

– Tu vois bien toi-même l'importance de cette affaire, non seulement pour notre ordre, mais pour toute notre Église. Il y a toujours eu des moments où nous devions nous garder non seulement du Malin, mais aussi des puissances de ce monde. Mais qui sait, peut-être s'agit-il de la même chose. Que l'empereur s'appelle Néron ou Othon, notre place est dans notre sainte Mère l'Église, aux côtés de son saint apôtre, le pape. Ce n'est plus une question d'amour, mais d'obligation, mon frère. Le couronnement de l'empereur Othon a placé notre Église dans une situation difficile, car si l'armée impériale peut assurer la sécurité de Rome dans un pays troublé, elle ne peut garantir la liberté du Saint-Siège hors des frontières d'Italie. Afin de restaurer l'autorité de son trône à Rome, le pape Jean a décidé de proposer au prince des Türks de s'allier avec lui contre l'empereur, en lui promettant de l'argent, la couronne et le christianisme. Avec l'aide de Dieu, Othon a administré il y a quelques années une très sévère leçon aux hordes païennes devant Augsbourg, on peut lui en être reconnaissant, et grâce à Dieu, ils nous laissent en paix depuis. Mais le triomphe lui est monté à la tête, et par ailleurs les Türks n'attendent que l'occasion de se venger de leur cuisante défaite.

– Alors c'est la guerre, dis-je en gémissant.

– Pas nécessairement, répondit Virgile en hochant la tête. Si le pape trouve un solide appui contre Othon dans un nouvel empire türk désormais chrétien, l'aigle alaman verra d'autant plus vite ses ailes rognées. Le saint-père a dépêché une ambassade auprès du prince türk sous la conduite de l'évêque Zachée, porteur d'une missive invitant ce chef païen à se convertir et à rejoindre les rangs des souverains consacrés. Mais les espions d'Othon ont hélas été plus habiles, l'empereur a fait arrêter le légat à Capoue et s'est emparé de la missive. Par chance, du moins à ce qu'on m'a rapporté, il n'y était pas expressément question de conjuration. Mais Othon n'est pas un simple d'esprit, il a certainement compris ce que signifie le couronnement hâtif du chef païen, et il ne tardera pas à agir. Or il peut le faire de deux manières : se rendre à Rome et trouver un nouveau pape plus docile, ou se tourner vers les Türks, soit l'épée à la main, soit en leur proposant une alliance. Il se peut éventuellement qu'il fasse les deux. C'est pourquoi nous ne devons pas tarder. Plus vite le chef païen se présentera à Rome pour y être couronné, plus vite nous serons rassurés quant à notre avenir. Avec un empire chrétien derrière son dos, allié de Rome par surcroît, Othon y réfléchira à deux fois avant de s'attaquer au Saint-Siège.

– Rome ferait alliance avec les païens ? demandai-je, ébahi.

– N'oublie pas que Rome était autrefois païenne. Le paganisme est une sorte d'enfance, on en sort en grandissant. Cependant, il est vrai que les vents nous apportent aujourd'hui des nouvelles contradictoires du pays türk. Personne ne sait exactement quels sont les rapports entre les diverses tribus, aussi, pour être certain du succès de ta mission, tu devras délivrer le message au prince en personne. Comme je l'ai déjà dit, les Türks savent qu'une délégation doit venir, il y aura sans doute un millier de leurs hommes pour t'escorter à son campement. Attends sa réponse et reviens aussitôt.

– Et s'il ne donne pas de réponse ?

– C'est peu probable. Pour lui aussi, il est urgent que son message parvienne à Rome avant l'hiver. Il doit savoir au printemps à quoi s'en tenir avec l'empereur.

Virgile me regarda en penchant la tête, comme s'il ressentait tous les tourments qu'il pouvait visiblement lire sur mon visage.

– Voilà où en sont les choses, mon bien cher frère. Crois-moi, je sais quelle douleur et quelle amertume tu éprouves en ce moment. La copie ou le travail de la vigne sont assurément des tâches qui agréent au Seigneur. Les livres nous permettent de faire connaître à d'autres la parole de Dieu, et en consacrant le vin, nous glorifions le sacrifice de Notre-Seigneur Jésus. Mais notre foi, Stephanus, note bien cela, notre foi ne peut se renforcer qu'au milieu des incroyants. Et c'est toi qui seras à présent notre foi. Tu sais sans doute pourquoi je t'ai choisi. Tu es l'un d'eux, même si ton cœur est chrétien puisque tu vis dans ce monastère depuis ta plus tendre enfance, et si dans notre ordre ce n'est pas l'origine qui compte, mais ce que l'on devient, nous ferons une exception dans ton cas. Pour finir, laisse-moi te remettre quelque chose.

Mon siège faisait face à la fenêtre. En écoutant les derniers mots de Virgile, je regardai sans le vouloir le monde extérieur. Vers le soir, le temps évoquait davantage le début de l'automne que la fin de l'été. La lumière dorée du soleil semblait mate, comme lasse, elle effleurait les murs de l'abbaye d'une caresse sans force. J'entendis la voix du porcher qui rentrait ses bêtes, les poules s'enfuyaient avec des caquètements aigus. D'où j'étais, je ne voyais qu'une partie de l'aile du réfectoire, mais je savais que les novices commençaient à dresser le couvert. Dans la paneterie au toit pointu juste en face de la fenêtre, on allait bientôt allumer les fours, les talmelliers pétrissaient le pain du lendemain. Jeromos de Mantoue est peut-être en train d'éteindre ses fourneaux, le repas du soir est prêt. Et toi, Alberich de Langres, derrière les hautes fenêtres du scriptorium, tu trempes une dernière fois ta plume, tu as encore le temps d'écrire quatre mots, il ne fera plus assez jour pour le cinquième.

Je me rendis compte que mon univers tenait dans l'encadrement d'une seule fenêtre.

– … Nous conservons cet insigne païen depuis de longues années, il s'est transmis d'abbé en abbé. Emporte-le, il peut t'être utile, on ne sait jamais avec les barbares.

Il déposa dans ma paume un médaillon enveloppé d'un linge, on y voyait un rapace aux ailes déployées, et moi, sot que j'étais, j'y jetai à peine un regard, je ne demandai pas à l'abbé pourquoi il me le donnait, ni quel besoin un légat du pape peut avoir d'une telle babiole païenne, je l'empochai sans réfléchir.

Quand je refermai la porte en sortant, je tremblais de tous mes membres, les gouttes de sueur qui perlaient à la racine de mes cheveux tandis que j'étais assis coulaient à présent sur mon front. J'avais chaud, je me sentais brûlant de fièvre. Je m'adossai au mur, yeux fermés, j'avais honte. Honte d'avoir gardé le silence, de n'avoir pas eu le courage de protester. J'avais aussi l'impression d'avoir été trahi. L'impression qu'on ne m'avait en fait jamais véritablement accepté au monastère, attendant l'occasion de se débarrasser de moi. Après avoir vécu parmi eux cinquante et quelques années, dans la plus grande affection et compréhension. Des heures durant, je parcourus les couloirs de l'abbaye, empli de colère et de crainte, évitant mes frères, car j'étais offensé au point de croire que tous ceux qui vivaient autour de moi étaient responsables de ma douleur. À l'idée de devoir bientôt franchir le portail sans savoir quand je reviendrais, j'eus envie de pleurer.

Virgile d'Aquilée m'avait prié, ou plutôt intimé l'ordre de ne révéler à personne avant mon départ la véritable raison de ma mission. Il trouverait par la suite, dit-il, un motif susceptible de justifier mon absence auprès des autres moines, il dirait par exemple que j'étais parti chercher des manuscrits à Fulda ou à Echternach. Il y avait déjà plus de dix ans que j'avais participé pour la dernière fois à un échange d'ouvrages, mais c'était quand même plus plausible que de prétendre que je n'étais parti nulle part, que j'étais simplement devenu invisible. Te souviens-tu de notre voyage à Aix-la-Chapelle ? Tu étais encore très jeune, tu connaissais à peine l'écriture, et je ne t'avais emmené que pour avoir quelqu'un qui porte les livres. Tu suais et soufflais à mes côtés en chemin, car nous voyagions à pied, et tu m'as dit que tu n'avais nulle envie de devenir copiste si cela impliquait un travail si épuisant. Mais il y a bien longtemps de cela…

Il était d'emblée évident que je serais incapable d'obéir à Virgile. Comment disparaître brusquement du monastère sans dire adieu à mon cher ami Jeromos de Mantoue ? Ou comment ne pas dire un mot ou deux à mon jeune disciple, Alberich de Langres, à qui j'enseignais l'art de tracer les lettres ? Nulle mission secrète n'eût valu cela. Il est vrai que je renonçai de bon cœur au repas commun du réfectoire. Tous ces visages, dont la plupart m'étaient familiers depuis mon enfance, c'eût été un peu trop, juste avant mon départ. J'aurais pu ne pas maîtriser mes larmes et me trouver dans l'embarras.

Te souviens-tu de notre dernière soirée avec Jeromos, au fin fond de la cuisine ? J'avais envoyé un novice au scriptorium te dire que nous t'attendions. Avant que tu n'arrives nous avions vidé quelques coupes de vin. Tu t'es joint à nous mais je n'oublierai jamais ta stupeur, tu n'avais pas la moindre idée de la raison de cette invitation inhabituelle. Tu devais craindre que le père abbé n'eût eu vent de ce que ces temps derniers tu arrivais de plus en plus souvent éméché au scriptorium, et ne m'eût chargé de te punir, n'est-ce pas ? Tu tenais beaucoup à ta fonction de copiste et tremblais constamment à l'idée de devoir un jour quitter ton confortable atelier pour la cuisine graisseuse de Jeromos ! Tandis que je révélais la raison de notre réunion, je te vis changer d'expression. Tout d'abord soulagé qu'il ne fût pas question de toi, tu passas ensuite à la stupéfaction. T'en souvient-il ? Tu ne voulais pas le croire. Alors tu m'as supplié de t'emmener avec moi. Que deviendrais-tu sans moi, on te chasserait sans plus attendre du scriptorium si je n'étais plus là pour te protéger, je ne pouvais pas t'abandonner… En fin de compte, nos adieux se résumèrent à te consoler. Si ton oncle Jeromos ne t'avait pas signifié qu'en voilà assez de ces jérémiades, tu aurais pleurniché jusqu'au matin. Cependant, tes plaintes n'étaient pas pour me déplaire, il faisait bon voir que mes efforts d'éducation n'avaient pas été vains, qu'il y avait quelqu'un qui m'aimait et comptait sur moi.

En entendant parler des Türks, Jeromos se rappela un épisode distrayant que notre défunt frère Heribald avait vécu avec les païens bien avant ta naissance, et le raconta, sans doute pour dissiper ton humeur morose.

– On répandait déjà des choses épouvantables à leur sujet. On disait qu'avant de marcher au combat, ils buvaient du sang humain afin d'exacerber leurs penchants meurtriers. Je me souviens qu'ils sévissaient dans les parages, pillaient, incendiaient, quand un jour, nous avons entendu dire qu'ils approchaient du monastère. Nous avons jeté sur des chariots tout ce que nous pouvions emballer, et toute la communauté s'est réfugiée dans la forêt. À l'exception du pauvre Heribald que le cellérier avait enfermé par mégarde dans la cave. C'est là que les Türks l'ont trouvé, mais Heribald, qui était un peu simplet, n'a pas songé un seul instant à avoir peur, et les païens, voyant peut-être qu'il n'avait pas toute sa tête, l'ont tout bonnement traité en invité. Il s'est régalé en compagnie de la horde, et au bout de quelques jours, après avoir tout vidé, les Türks sont repartis chez eux. Quand nous avons regagné le monastère, Heribald a joué le héros qui avait tenu tête tout seul aux maraudeurs. Il est même allé jusqu'à affirmer qu'il n'avait jamais rencontré d'hommes plus affables, et que le plus misérable d'entre eux valait mieux que notre frère cellérier, car celui-ci lui octroyait rarement un petit verre de piquette, tandis que les Türks lui avaient offert les breuvages les plus fins et les plus vénérables.

Jeromos parla ensuite des étranges rumeurs qui couraient au sujet des Türks. En descendant au village chercher de l'argile, Engelhart, le frère potier, y avait rencontré un marchand maure. Les incroyants circulaient paraît-il librement avec la permission du prince, et faisaient commerce le long des rivières. Ce noiraud, sur le chemin du retour vers son pays, le califat d'Hispanie, se plaignit que la situation était invivable au pays des Türks. Depuis qu'Othon les avait si impitoyablement vaincus au Lechfeld, ils semblaient frappés de malédiction. Ils étaient si peu résignés à la défaite que la moindre escarmouche perdue les laissait totalement désemparés. Il est vrai que leurs plus braves guerriers avaient péri dans la bataille, ainsi que la plupart de leurs chefs, si bien que le peuple avait sombré dans le désespoir. Leurs précédents rois, encore qu'Engelhart mît en doute que les barbares puissent avoir des rois, disons les chefs à qui ils obéissaient et qui assuraient la cohésion des clans, avaient été destitués et mis à mort, mais le nouveau chef n'avait pas apporté d'amélioration. Reclus dans son campement, il tremblait tant de peur qu'il n'osait même pas paraître devant son peuple. Leur pays regorgeait de trésors, car depuis qu'ils avaient quitté les déserts scythes pour envahir les paisibles contrées de Pannonie, ils avaient pillé tous les royaumes et duchés de Constantinople à Rome et de Brême à Tolède. Mais ces immenses richesses ne leur servaient à rien, sinon à leur rappeler leurs crimes passés, dont la malédiction retombait à présent sur leurs têtes. Des montagnes de Moravie aux lointaines Carpates à l'est, ils pleuraient et se lamentaient chaque soir autour de leurs feux de camp. Certains se résignaient à devoir disparaître, à l'instar de leurs ancêtres, les hommes d'Attila, pour qui cette région marécageuse au sol mouvant avait également signifié la fin. D'autres, surtout les plus jeunes, songeaient sérieusement à lever le camp et à regagner la terre de leurs pères dans les déserts infinis d'Orient. Selon le Maure, ce pays était le désespoir même, les marchands l'abandonnaient peu à peu, il n'intéressait plus personne, on n'y faisait plus de commerce, les artisans ne travaillaient plus ni l'argent ni l'or, les drapiers n'avaient que faire de soie précieuse et, les guerriers ne combattant plus, ils ne faisaient plus de dépenses. L'air même lui semblait différent de l'autre côté du fleuve. Plus dense et plus sombre. Sépulcral, oppressant, comme si les ténèbres avaient envahi l'autre rive. Il s'était hâté de quitter cette contrée, et nul argent ni profit ne l'y ferait retourner. Au temps pour les Türks, fit Jeromos avec un geste dédaigneux. Personne n'a jamais pu rester en Pannonie. Pas plus les Huns d'Attila que les farouches Avars.

Jeromos ajouta, presque en demandant pardon, qu'il eût peut-être mieux fait de ne point me raconter cette histoire. Je lui donnai raison par-devers moi, car son récit n'avait fait qu'accroître l'inquiétude que je m'efforçais de dissimuler.

Le louable projet de dépêcher un missionnaire en terre païenne était venu soudainement à l'esprit de notre saint abbé Virgile, pour ainsi dire sur une inspiration divine, aussi n'avait-il point été en mesure de préparer le chemin qui devait mener Stephanus de Pannonie auprès des incroyants. Frère Stephanus, mon ancien maître, se vit donc contraint de se mettre seul en route et de faire face à tous les périls qui pouvaient menacer un voyageur solitaire. Mais son entreprise agréait à Dieu, si bien que le Seigneur Lui-même veilla sur lui. Les hauts sapins montaient la garde autour de lui, les oiseaux des bois lui parlaient. Lorsqu'il passait aux abords d'un monastère, Stephanus arrêtait son chariot, s'agenouillait et, tourné vers le lointain clocher, rendait grâce à Dieu pour Sa protection. La divine Providence est sans limites, et quand notre frère traversa l'Inn, un chasseur qui passait par là lui offrit son aide et lui proposa de l'accompagner jusqu'à la frontière et même dans le pays des païens. Il fit tout cela sans contrepartie et, s'inclinant devant l'habit monacal de Stephanus, mit son épée à son service : « Cette épée te protégera sur ta route car elle a déjà vu le sang des païens. » En effet, ce chasseur n'était autre que l'un des preux chevaliers qui avaient pris part à la bataille victorieuse devant les remparts d'Augsbourg où notre roi (et futur empereur) Othon avait infligé une sanglante défaite aux hordes d'incroyants, préservant ainsi le monde chrétien de l'anéantissement. Ce héros, qui avait nom Gulbert, témoigna en personne de la véracité de ce que plusieurs Chroniques rapportèrent par la suite, à savoir que notre évêque Udalrik à la vie prodigieuse, s'employant tout au long du siège à encourager les défenseurs, parcourait les remparts vêtu de sa seule robe, sans armure, bravant les fameuses flèches païennes qui sifflaient de toutes parts telles des guêpes affolées, et ce, sans recevoir même une égratignure. C'est par le récit véridique de ce même Gulbert que nous eûmes connaissance des grandes pertes que subit l'armée des incroyants, car quand tout fut accompli, dix mille d'entre eux gisaient sur le champ de bataille. Ayant narré tout cela à Stephanus, le preux chevalier vit avec joie qu'il était parvenu à emplir de courage le cœur de notre frère, car celui-ci avait pu entendre que les païens n'étaient point des démons invincibles, mais des hommes de chair et de sang, contre lesquels une épée chrétienne, surtout si elle était à double tranchant, pouvait constituer une arme efficace entre deux mains vigoureuses. Toutefois, si efficace qu'elle fût, elle ne pouvait rien contre la multitude. Après avoir franchi le fleuve qui représentait la frontière, Stephanus et son fidèle protecteur le chevalier Gulbert furent assaillis par une horde de païens. Ceux-ci étaient aux aguets et se jetèrent sur eux avec la fourberie qui les caractérise notoirement. Le preux Gulbert leva la face vers le ciel et adressa ces mots au Seigneur : « Cot almahtico, du himil enti erda gauuorahtos enti du mannun so manac coot forgapi, forgip mir in dina ganada rehta galaupa dinan uuilleon za gaurchanne ! » Puis il tira son épée, laquelle par sa taille et son poids eût pu être celle de Charlemagne, et, ignorant la peur, fit face aux assaillants. Mais ceux-ci surgirent par centaines des taillis où, comme chacun sait, ils se plaisent à vivre en sauvages. Le chevalier se battit comme un lion, pourfendit les incroyants par douzaines, en abattit parfois plusieurs d'un seul coup d'épée, et bien que son corps fût percé de treize flèches, le Seigneur multiplia ses forces et il poursuivit le combat. Enfin, couvert de sang, il tomba de cheval et rendit son âme à Dieu. Quant à Stephanus de Pannonie, il fut capturé par les païens.

… en vérité, Alberich, je suis bien oisif ces derniers temps. J'ai de plus en plus de peine à me lever matin, surtout cet hiver, le froid s'est incrusté dans mes os. Lorsque Elsi monte jusqu'ici, elle me prépare du bois, mais le fait est que je me sens souvent trop las pour prendre la pierre à briquet. Et depuis qu'il neige si fort, Elsi ne peut pas venir souvent. Je voudrais pourtant bien revoir l'été, une fois encore, rien que celui-ci. Le soir, quand le temps est clair, j'entends sonner les vêpres. Heureusement, je peux prier même seul. Pendant les cinquante années que j'ai passées à l'abbaye, chacun de mes instants était occupé selon ce que d'autres décidaient pour moi. J'étais heureux. J'ai copié nombre de manuscrits pour être agréable à Dieu, et quand Virgile m'a déchargé de cette tâche, j'ai cultivé la vigne du Seigneur. Et vois-tu, ce n'est pas l'écriture qui me manque le plus, c'est la vigne.

Croirais-tu, mon ami, qu'il puisse y avoir en nous des facultés dont nous ne soupçonnons même pas l'existence ? Imagine que tu recèles en toi les mots d'une langue que tu ne connais pas, dont tu n'as jamais entendu parler, et que soudain, sous l'effet d'une puissante impulsion, peut-être d'une terreur irraisonnée, cette langue inconnue prend vie en toi et t'ouvre les portes d'un monde que tu n'as jamais vu. Peux-tu le croire ? Où ces mots pouvaient-ils bien se cacher jusque-là ? Pourquoi ne se sont-ils pas manifestés plus tôt ? Parce que nulle oreille ne les aurait compris ? Ils sont comme une graine qui attend patiemment dans la terre les premières tiédeurs du printemps, et ayant survécu aux rigueurs de l'hiver, sort vers la lumière du soleil…

Virgile d'Aquilée avait fait de moi un émissaire secret du pape. Cette mission peut sembler impressionnante, combien de clercs anonymes ont-ils eu dans leur vie l'occasion de participer aux grandes affaires politiques ? Cependant je n'avais jamais désiré jouer ce rôle, et l'aurais volontiers laissé à d'autres. Les ennuis ont commencé quand nous avons traversé la rivière. Nous n'avions aucune idée de l'endroit où nous allions, en fait nous ne savions rien du monde qui s'étendait au-delà de l'Enns. C'est ainsi qu'au lieu de parvenir directement auprès du prince türk par le chemin le plus court, je dus passer plusieurs semaines chez un chef de moindre importance, un certain seigneur Zelind. Qui aurait pu prévoir qu'après leur défaite de l'an 955, les Türks redoutaient une attaque des Bavarois, au point qu'ils avaient confié la défense de leurs frontières occidentales à des peuples étrangers, les Kylfingars aux cheveux rouges et les Varègues venus du Nord ? Ceux-ci ne savaient vraiment pas de qui pouvait bien être ce moine terrifié fourvoyé parmi eux. Le pauvre Gunther fut sur-le-champ percé de flèches. Quant à moi, j'ignore encore ce qui m'a valu d'avoir la vie sauve. Peut-être le fait que, lorsque la première flèche traversa la gorge de Gunther, sous l'effet de la terreur j'ai crié sans le vouloir quatre mots que je n'imaginais pas connaître, quatre mots türks : « Ne fais pas cela ! »

Comment, je ne t'ai pas parlé de Gunther ? C'était le chasseur ducal qui m'attendait dans la forêt au-delà du Tegernsee. Il était chargé de m'escorter jusqu'à la rivière et de m'indiquer le gué. Le pauvre a fait plus que remplir sa mission, car il a traversé avec moi. Avant mon départ, Virgile m'avait dit que quelqu'un m'assisterait en chemin. Il me l'avait dit lors de notre entrevue dans sa cellule, après avoir palabré sur la foi et les incroyants, et après m'avoir remis le médaillon représentant l'oiseau Togrul que j'avais glissé dans ma ceinture sans y penser. On avait déjà préparé le chariot avec lequel je devais partir, m'annonça-t-il. Virgile avait tout prévu, comme un véritable conspirateur. Il avait fait placer quelques vieux codex à l'arrière du chariot : au cas où nous rencontrerions les mercenaires du prince, je pourrais leur faire accroire par un pieux mensonge que j'étais en route pour l'évêché de Passau.

Lorsque je descendis à la remise le lendemain à l'aube, un chariot attelé m'attendait effectivement. Les livres promis par Virgile étaient sous la bâche, il y avait aussi des paniers contenant de la viande séchée, du jambon, du fromage, du pain, de l'eau. Je ne manquais pas de vivres, on ne souhaitait manifestement pas que je meure de faim. Le soleil n'était pas encore levé, et comme frère Jeromos avait promis de venir me voir avant mon départ, je l'attendis. De toute façon, j'avais peine à me résoudre à monter en voiture. C'est alors que j'entendis des pas derrière moi. Je me retournai, et dans l'aube à peine naissante, je vis quelqu'un approcher.

– Stephanus ? dit cette ombre à voix basse.

C'était Jeromos. Il alla glisser sous la bâche une outre de belle taille.

– Pour la route, dit-il. Je n'oublierai jamais combien tu m'as aidé en assurant à Alberich une bonne place au scriptorium. Je te dois au moins cela. Lui aussi voulait venir te dire adieu, mais le petit nigaud s'est endormi. C'est également en son nom que je te remercie pour tout.

– Allons, mon frère, tu ne me dois rien. Mais merci pour le vin, j'en aurai besoin.

Nous nous embrassâmes.

– Et fais attention à toi, tu entends ? Sois prudent, et garde la tête sur les épaules !

Je le lui promis.

En passant sous la voûte du porche juste avant laudes, j'étais fermement décidé à ne pas me retourner, quelque envie que j'en eusse. Pourtant, après avoir laissé derrière moi les coteaux de vigne, en m'engageant dans le vallon par le chemin sinueux, je céderais peut-être à la tentation de jeter un regard en arrière, mais les murs de l'abbaye auraient déjà disparu derrière les collines. Cependant je m'en tins à ma décision, certes en grinçant des dents, mais sans faiblir, car je savais par expérience qu'on supporte mieux de se faire arracher une dent gâtée si le chirurgien procède avec violence, d'un seul coup impitoyable, alors que s'il tiraille dans tous les sens en s'arrêtant de temps en temps, il ne fait qu'accroître la douleur.

Une fois dans la vallée, je fis halte. Tout était calme autour de moi, seul résonnait dans la forêt le chant des oiseaux qui saluaient le soleil levant. Je me retournai, et même si le monastère avait disparu, je le vis en imagination par-delà la montagne, comme par magie. Je tirai l'outre de sous la bâche, fis honneur au vin de Jeromos et avalai un morceau de fromage avant de reprendre place sur le banc et de faire repartir le cheval d'un claquement des rênes. Curieusement, je fus soudain d'une bonne humeur inexplicable. Je voyais le chemin tantôt apparaître, tantôt disparaître en serpentant sur le flanc de la montagne ; je regardais les hauts sapins tendus vers le ciel, figés comme des sentinelles montant la garde au-dessus de moi, et au loin, vers l'est, l'aurore apparaissant sur la crête des montagnes caressait mes yeux de sa lueur rosée.

– Le Seigneur est avec moi, dis-je à voix haute.

Les jours s'écoulaient paisiblement l'un après l'autre. Quand le soir tombait, je quittais la route et menais le chariot au milieu des sapins pour y passer la nuit. L'aube venue, je reprenais mon chemin. Je ne rencontrai âme qui vive, le pays où je me rendais semblait avoir fait fuir tous les mortels. Avant d'arriver au Tegernsee, la route formait un embranchement. À gauche, un chemin sinueux montait vers un monastère avant de continuer en direction de Passau, l'autre branche descendait dans la vallée. J'arrêtai mon chariot. C'était midi, l'heure où un moine itinérant pouvait compter sur une soupe chaude et des sandales neuves dans n'importe quel couvent. Je ne veux pas dire par là que la faim me tenaillait, mais après tous ces jours de solitude dans la campagne déserte, la vue de ce monastère dressé sur la colline avec son fier clocher me réchauffa le cœur, j'eus l'impression que ses épaisses murailles m'invitaient à goûter la paix et la sécurité qu'elles offraient. Par ailleurs, il faut considérer que mon estomac était plus que las de la viande séchée aussi dure qu'une semelle et du pain rassis qui séjournaient au fond de mon chariot. Je consacrai quelques pensées à cette tentation, puis avec un soupir de regret, je tirai les rênes vers la droite.

Le lendemain, je parvins au bord de l'Inn. Cette région, tout au moins sur les cartes, faisait encore partie du monde civilisé, si bien que l'été, la route se prolongeait en une passerelle de la largeur d'un chariot, permettant de traverser la rivière. Ce n'était qu'un pont de planches fixées sur des barques, mais il remplissait parfaitement sa fonction. Près du pont, j'aperçus une petite maison de pierre. Elle n'avait pas de porte, mais une fumée claire montait de la cheminée. Comme j'approchais, un soldat armé d'une hallebarde sortit à ma rencontre. Il n'était pas rasé, ses cheveux étaient emmêlés, sa tenue sale et désordonnée.

– Halte, moine ! me dit-il, ce qui était tout à fait superflu, puisque j'avais arrêté mon chariot. On dirait que tu t'es trompé de chemin. Celui-ci ne mène nulle part.

– Comment cela, puisqu'il y a un pont ?

Comme s'il n'avait pas entendu ma réponse, il entreprit de faire le tour du chariot, jeta un coup d'œil sous la bâche, et revint par l'autre côté.

– Le monastère de Chiemsee est vide, il a brûlé, il n'y a plus un seul moine. Si toutefois c'est là que tu vas. De l'autre côté de la rivière, jusqu'à l'Enns, tu ne rencontreras pas un chrétien. C'est le pays des barbares. Qu'as-tu à faire par là ?

Il me revint à l'esprit que, comme je l'avais entendu dire récemment, le duc avait l'intention d'établir des colons entre les deux rivières.

– Et les colons ? demandai-je.

Le soldat cracha.

– Les colons ? C'est chez eux qu'on t'envoie ?

Je saisis l'occasion.

– Il faut bien rassembler les brebis égarées.

– J'en ai vu traverser quelques-uns il y a plusieurs mois de ça, mais depuis, plus de nouvelles. À présent, il ne passe plus que des bûcherons, des charbonniers ou des chasseurs. Un peu de tout. Ils vivent dans les bois, comme des loups solitaires. Mais eux, ils acquittent le péage.

Je ne pouvais me méprendre sur le sens de sa dernière phrase.

– Ils peuvent se le permettre, répondis-je avec bonhomie. As-tu vu quelqu'un ces jours-ci ?

Les yeux du soldat rétrécirent.

– J'aurais dû ?

– On m'a dit que quelqu'un m'attendrait.

– La dernière fois que j'ai vu un homme vivant passer le pont, c'était il y a plusieurs semaines. Il n'est pas revenu. D'ailleurs, qu'on t'attende ou non n'y change rien. Selon la loi, seuls les colons sont exemptés de péage. Et comme tu n'as pas l'air d'en être un, tu dois payer. Sinon, tu ne passes pas.

Cela commençait à m'ennuyer.

– Quelle est cette loi ?

– Celle du margrave Henri. Tous ceux qui passent le pont doivent payer. Sauf les colons.

– Tu l'as déjà dit. Mais moi, je ne connais qu'une loi, celle qui dit que les serviteurs de Dieu ne paient jamais nulle part.

– Ici, c'est une exception.

– Mais je n'ai pas d'argent !

– Alors tu ne passes pas.

– Je me plaindrai au margrave.

– De toute façon, tu ne peux pas déposer plainte ailleurs.

Dieu sait combien de temps nous aurions continué à disputer de la sorte si un bruit de sabots ne s'était fait entendre. Un cavalier venant de l'autre rive traversait le pont, le cheval marchait au pas, ses sabots résonnaient sur les planches. En arrivant sur notre rive, l'homme arrêta son cheval. À en juger par son arc et son carquois empli de flèches, ce pouvait être un chasseur. Il portait un pourpoint de cuir, de longs gants et une épée au côté. Il avait les cheveux ébouriffés et sous la barbe qui lui couvrait le visage, on voyait à peine ses petits yeux.

Le hallebardier semblait connaître l'arrivant.

– Gunther ! dit-il. Cela fait longtemps que je ne t'ai pas vu. Tu arrives à point nommé. J'ai de quoi occuper un chasseur ducal. Il faudrait reconduire ce moine au margraviat. Il ne peut pas acquitter le péage.

– Il n'a pas à le faire, répondit le chasseur.

– Mais si, insista le soldat. Qu'est-ce que tu me chantes ? Tu sais bien que tout le monde, sauf…

– Je paierai pour lui. Confie-moi le moine, d'accord ? (Il tira de sa ceinture un ducat d'argent qu'il lança au soldat.) À partir d'ici, c'est moi qui l'escorte. Et oublie que tu nous as vus.

Le hallebardier attrapa la pièce, dont il examina les deux faces, puis il haussa les épaules.

– Bon, si c'est comme ça, pique ta haridelle, moine !

Gunther, le chasseur, fit demi-tour sur l'étroite passerelle et traversa en précédant le chariot. Sur l'autre rive, la route montait en pente légère entre des arbres d'abord clairsemés, puis de plus en plus serrés. Au bout de quelques minutes, nous étions en pleine forêt. Le chariot gravit péniblement le versant de plus en plus abrupt. Nous nous arrêtâmes en haut et le chasseur revint au trot vers moi.

– Ton cheval a besoin de repos, dit-il.

– Il n'est pas le seul, répondis-je avec soulagement.

Quittant la route, nous établîmes notre camp dans une clairière.

– As-tu des vivres ? demanda-t-il.

Je soulevai la bâche pour lui montrer mes réserves. Il examina avec dépit le pain rassis et la viande dure comme la pierre. Puis, en se grattant la barbe, il souleva l'outre de vin.

– Tu peux garder le reste pour les jours de disette, me conseilla-t-il. Pendant que tu fais du feu, je vais chercher une nourriture digne d'un homme.

Il but une gorgée de vin puis encorda son arc. Quand j'eus fini de dételer le cheval, il avait disparu dans les taillis. J'entrepris de ramasser du bois mort. Le soir était tombé lorsque Gunther revint. Il rapportait un lapin. J'étais fièrement assis auprès de hautes flammes, mais il me tança :

– Ce n'est pas un bœuf que nous allons rôtir, mais un lapin ! Je ne t'ai pas demandé de préparer un bûcher.

Il dépeça le lapin, prit un morceau de sel dans une sacoche, le broya et en frotta la viande. Puis il tailla une branche et y embrocha l'animal. Au bout d'à peine une demi-heure, nous étions assis auprès du feu, l'estomac gargouillant, à contempler le rôti qui grésillait. En montagne, l'air du soir est piquant, même l'été, aussi le feu comme le vin nous firent-ils du bien. De temps en temps, Gunther tournait la broche, tout en gardant le silence, comme s'il ignorait ma présence. Mais quand le lapin fut cuit, il dit enfin à mi-voix tout en mastiquant :

– Je pense que ce qui t'amène en pays türk ne me regarde pas.

C'était plus une affirmation qu'une question. Je ne répondis rien.

– Moi, tout ce que j'ai à faire, c'est de te guider jusqu'à la rivière.

– C'est ce qu'on m'a dit. Je suis quand même un peu surpris. J'attendais toute une escorte.

– Eh bien, c'est moi, l'escorte.

– En fin de compte, cela m'est égal.

Nous mangeâmes en silence, puis j'eus idée de lui demander s'il était déjà allé de l'autre côté. Il me lança un regard.

– De l'autre côté de l'Enns ? Jamais. Pour quoi faire ?

– Tu ne les as jamais vus ?

– De loin. On les voit parfois au bord de l'eau. Ils longent la rive à cheval en cherchant des traces de passage dans le sable. Mais ils ne viennent jamais de ce côté-ci. Ils ont peur. C'est un peuple superstitieux. Ils ont assez de soucis avec eux-mêmes. Cela fait des années qu'ils n'ont pas traversé. Je ne voudrais pas t'effrayer, mais quand il m'arrive d'aller jusqu'au bord de la rivière, j'ai parfois l'impression que de l'autre côté commence un monde inconnu, obscur, où un chrétien n'a rien à faire. Rien que d'y penser, j'en ai des frissons dans le dos.

Tu peux te douter, mon cher Alberich, de ce que je ressentis alors. Je me pelotonnai plus près du feu.

– Mais j'ai eu affaire à eux, dit Gunther. Au Lechfeld, j'en ai expédié plus d'un dans l'autre monde.

– Tu étais à Augsbourg ? J'ai entendu bien des choses au sujet de cette bataille, mais je n'ai jamais rencontré personne qui eût été témoin de ces événements.

– Moi, je l'ai été. J'étais là pendant le siège.

Il se tut, comme s'il hésitait à raconter. J'attendis. Puis il reprit enfin la parole :

– Je servais dans la troupe de Diutpald, le frère de notre saint évêque Udalrik, quand les Türks ont encerclé les remparts. Ils savaient le roi Othon occupé par des insurgés, alors ils se sont dit qu'ils pouvaient sévir sans encombre. Ce qui nous a sauvés, c'est que depuis des mois nous nous doutions qu'ils nous tomberaient dessus un jour ou l'autre. Ce printemps-là, les armées païennes ont multiplié les razzias, dès le mois d'avril les nouvelles arrivaient de toutes parts : ils avaient sévi à Gladbach, à Gembloux, incendié et pillé la ville de Cambrai. En mai, on apprit que leurs troupes meurtrières n'avaient pas épargné les régions de Laon, Reims, Chalons et Metz, avant d'envahir la Bourgogne. Nous savions qu'une fois fatigués de ces lointaines expéditions, ils finiraient par rentrer chez eux et s'en prendraient à nous en chemin. Le pire, c'est qu'entre-temps, les traîtres saxons insurgés contre le roi Othon avaient engagé des troupes türkes et les avaient invitées à venir sur nos terres en les encourageant à détruire les cités restées fidèles au roi ! Et notre cité, ou plutôt notre évêque Udalrik était – pour notre bonheur ou notre malheur, je l'ignore – l'allié le plus sûr d'Othon. Au début du mois d'août, les premiers Türks revenant d'Occident sont apparus devant nos murs, mais à la vérité, ils ne se sont pas montrés particulièrement belliqueux. Ils s'étaient emparés ailleurs de tout ce qu'ils voulaient, leurs chariots croulaient sous les trésors amassés, ils traînaient avec eux force esclaves qu'il leur fallait aussi nourrir. Les villageois des environs, s'attendant à leur arrivée, avaient mis tous leurs vivres à l'abri dans l'enceinte de la ville, et cela n'était guère pour plaire aux païens, contraints de se contenter de leurs seules réserves, lesquelles, ils le savaient bien, ne tarderaient pas à être épuisées. Par petites troupes, ils firent subir à la porte de la ville des assauts répétés en décochant nombre de flèches, c'était plus pour nous effrayer, dans l'espoir que la ville se rende sans combat, mais l'évêque Udalrik prit fermement la tête des défenseurs et ne se montra nullement enclin à conclure un accord. Nous commencions à croire que les païens, lassés de nous assiéger en vain, repartiraient avec leurs trésors, quand nos espions annoncèrent que de nouveaux cavaliers türks, plus nombreux que les précédents, venaient de l'est avec des engins de siège. C'étaient les troupes que le traître Bechtold avait engagées contre notre roi. Les deux hordes de païens se réunirent devant nos murs, et voyant cette armée de plusieurs milliers d'hommes assoiffés de sang, nous nous résignâmes à ce que nos jours fussent désormais comptés. L'enceinte d'Augsbourg était constituée de remparts bas, dépourvus de bastions, et s'ils offraient une certaine protection contre des cavaliers légers, ils étaient totalement inefficaces contre des machines de guerre. Le siège a duré deux jours, les catapultes détruisirent la ville en projetant des pierres et de la résine enflammée. Les défenseurs supplièrent l'évêque Udalrik de laisser sortir notre cavalerie afin qu'elle aille en découdre avec les Türks hors des murs, mais avec sagesse et discernement, notre évêque refusa, disant que les païens n'attendaient que cela, et nous cribleraient de leurs flèches dès que nous franchirions la porte. Bien sûr, il savait ce que nous ignorions encore, l'armée d'Othon avait déjà quitté Ulm pour venir à notre rescousse, et nous ne devions plus tenir qu'un jour ou deux, mais il nous l'avait caché, afin de ne pas éveiller de faux espoirs, pensant à juste titre que les défenseurs se battraient contre l'ennemi avec une énergie redoublée tant qu'ils croiraient que leur survie dépendait d'eux seuls. Sa conviction ne fut pas ébranlée, même quand il fut blessé sur les remparts. Cela se passa à l'aube du deuxième jour du siège, j'en ai été témoin, j'étais près de lui derrière le parapet. Pensant que les Türks reviendraient à l'assaut après la tombée du jour, nous observions leurs feux au loin. Leur camp s'étendait à l'orée de la forêt, et les feux, telles des étoiles dans la nuit, scintillaient de toutes parts autour de nous. Soudain une flèche, sans doute tirée au jugé, car à cette distance, même un archer türk ne saurait viser juste, résonna sur le métal de sa cuirasse et le blessa au cou. Si elle avait glissé un pouce plus loin, elle lui aurait assurément tranché l'artère…

– La divine Providence l'a protégé, observai-je à mi-voix.

– Son armure aussi, non ?

L'après-midi du troisième jour, nous avons remarqué quelque chose d'étrange. Les Türks poursuivaient généralement leurs assauts jusqu'au coucher du soleil, puis se retiraient dans leurs campements. Mais cette fois, ils cessèrent plus tôt, les chefs païens sonnèrent du cor et leurs guerriers prirent le chemin de la forêt alors que le soleil était encore haut dans le ciel. Nous ne comprenions pas, mais l'évêque, qui, même avec son pansement ensanglanté, parcourait encore les rangs des combattants pour les encourager, fit venir ses capitaines et leur révéla que les troupes d'Othon étaient proches, la retraite précipitée des Türks devait être liée à cela. Nul besoin de dire quelle joie et quel enthousiasme nous envahirent ! Le capitaine Diutpald, le frère d'Udalrik – et moi aussi, puisque je servais dans sa troupe –, reçut l'ordre de sortir de la citadelle sous le couvert de la nuit afin de rejoindre l'armée d'Othon et d'unifier nos tactiques : quand Othon le jugerait bon, la cavalerie surgirait du fort et l'armée türke se trouverait prise entre deux feux. Le signal serait donné par des flèches enflammées. Nous fîmes nos préparatifs dès la tombée du jour. Nous ôtâmes nos armures et les attachâmes sur nos chevaux, emballées dans de la toile, puis nous enveloppâmes de chiffons les sabots de nos bêtes pour en étouffer le bruit. Nous étions impatients de sortir de l'enceinte. Vers minuit, nous nous glissâmes par la porte de l'est ; les Türks ne l'avaient que rarement assaillie en raison de la haute muraille de pierre, et ils ne semblaient pas la surveiller avec grande attention. Nous longeâmes la rive vers le nord, à peine à quelques centaines de pas des premiers feux türks, puis nous contournâmes leur armée. Avant l'aube, nous avions rejoint l'armée du roi Othon.

« Au matin, ayant appris dans quelle situation désespérée la ville se trouvait depuis plusieurs jours, le roi donna l'ordre convenu et son armée marcha sur le camp türk. Othon avait rassemblé des forces très disparates. Il y avait des légions franques, sous le commandement de Conrad le Rouge en personne, des Bavarois avec le duc Henrik à leur tête, la sixième et la septième légion étaient composées de Souabes commandés par le duc Burchard, et des Moraves marchaient à l'arrière-garde. Comme les Türks avaient appris la venue d'Othon, nous pouvions être sûrs qu'ils s'étaient préparés à notre attaque. Nos avant-postes signalèrent que leurs troupes se rassemblaient autour de la colline de Gunzenle, d'où nous conclûmes que leur base d'opérations se situait là, si bien que nous continuâmes d'avancer avec une assurance inconsidérée, en ignorant toute prudence. Comme bien d'autres fois, l'armée chrétienne faillit encore courir à sa perte, car nous avions déduit la stratégie des Türks selon la nôtre, nos chefs militaires ayant en effet pour principe de se demander ce qu'ils feraient à la place de l'ennemi. Notre roi Othon s'attendait manifestement à ce que les Türks s'apprêtent à l'affrontement en bon ordre, en recherchant la position stratégique la plus avantageuse pour eux. C'est ce que lui-même aurait fait. Mais pas les Türks. Tandis que nous nous précipitions à leur rencontre le long de la rivière, une partie de leur armée traversa l'eau et vint se placer derrière nous, et comme l'étroitesse du chemin obligeait l'armée d'Othon à progresser en une longue file, avant que le gros de l'armée s'en aperçoive les archers türks décimèrent à coups de flèches la légion morave qui, marchant en dernier, constituait notre réserve. Ce fut aussitôt la panique, il s'en fallut de peu que toute l'armée se dispersât, mais notre roi Othon prit le commandement. S'étant rendu compte qu'il serait vain de courir au secours des troupes moraves, car notre cavalerie cuirassée ne pourrait approcher les cavaliers ennemis, plus légers, il fit abandonner le bagage, disant que nous serions dans la ville le soir même et pourrions souper à table. Puis il fit exactement le contraire de ce que l'ennemi attendait : il lança d'abord une douzaine de flèches enflammées signalant à la cité que le moment d'attaquer était venu, et se dirigea à vive allure vers la colline de Gunzenle, laissant derrière lui les troupes moraves aux prises avec les Türks. Il nous fallait aller très vite pour arriver à temps, et ne pas laisser les défenseurs de la ville engager seuls le combat.

« Au pied du mont Gunzenle, ce fut au tour des Türks d'être surpris. Quand nous y parvînmes, les soldats d'Augsbourg livraient bataille aux païens, mais leur situation était désespérée. Nous arrivions au dernier moment, les Türks forçaient les soldats de l'évêque Udalrik vers la rivière. Levant vers le ciel la lourde épée à large lame que Charlemagne, selon la légende, avait portée à sa ceinture, Othon lança ses troupes à l'assaut. Nous connaissions assez la manière dont les Türks combattaient pour savoir que nous ne résisterions pas à la première volée de flèches. Plaqué contre la crinière de mon cheval, je l'éperonnai pour accélérer le galop, afin qu'ils n'aient pas le temps de bander leurs arcs une nouvelle fois. Des milliers de flèches nous dérobèrent la vue du soleil. Dès cet instant, je ne fis plus que prier pour ne pas être atteint. J'entendais les flèches retomber sur nous avec un sifflement évoquant le cri du faucon.

– Du faucon ?

– Les Türks taillaient les pointes de sorte que leurs flèches sifflaient en retombant. C'est un bruit à glacer le sang, car force nous est d'entendre l'approche des projectiles mortels. Puis soudain, des centaines de pointes en fer crépitèrent sur les armures comme de la grêle sur un toit. De toutes parts retentissaient des cris de douleur, des hennissements de chevaux à l'agonie. Des cavaliers tombaient autour de moi, car aussi incroyable que cela paraisse, les flèches précipitées d'une telle hauteur transperçaient sans peine les cuirasses légères, traversant les cottes de mailles comme de simples pourpoints de cuir. Mon cher capitaine Diutpald, qui me précédait comme toujours en marchant sur l'ennemi, fut devant mes yeux jeté à bas de sa monture par une flèche türke.

« Mais en arrivant devant l'armée païenne, nous avions la supériorité. Les Türks avaient pour habitude d'éviter le combat corps à corps et de rester à distance afin de lancer leurs flèches en sécurité, mais cette fois, ils n'y parvinrent pas. Ils n'eurent pas le temps de faire demi-tour avec leurs montures, et plus loin, les autres étaient encore aux prises avec les hommes d'Udalrik, si bien qu'ils se trouvèrent pris dans un étau. Les cavaliers türks ne portaient pas d'armures, leurs chevaux, de petite taille, n'en auraient pas supporté le poids. Ils misaient davantage sur la vélocité que sur la force. C'est précisément ce qui les a empêchés de remporter la victoire dans ce combat d'homme à homme. Leurs sabres à lame étroite glissaient sur nos armures tandis que nos lourds glaives à deux tranchants faisaient mouche à chaque coup. La bataille dura une heure, ils tombaient les uns après les autres, leur nombre diminuait rapidement, enfin ils sonnèrent le cor et battirent en retraite. C'est du moins ce qu'ils auraient voulu faire. Mais la rivière se trouvait sur leur chemin. Plusieurs d'entre eux se jetèrent à l'eau avec leur monture, mais à cet endroit, la berge opposée était haute et abrupte, si bien que la plupart furent emportés par le courant. Le combat avait tourné pour eux en une fuite éperdue, mais nous, comme à la chasse au lièvre, les avons pourchassés et massacrés sur place. Ceux qui parvenaient sur l'autre rive étaient pris en chasse par les troupes qu'Othon y avait postées. Plus loin, dans les villages, les paysans les empêchèrent de traverser, car aussi incroyable que cela paraisse, la nouvelle de leur défaite s'était répandue dans la contrée plus vite que ne fuyait cette armée réputée invincible. Nous avons ramassé leurs cadavres par milliers dans la campagne, mais sur l'ordre d'Othon, trois de leurs chefs, blessés, furent pendus sur la Grand'place. Chacun de nous sentait que nous avions accompli une grande chose ce jour-là, une chose dont on parlerait encore très longtemps dans le monde chrétien.

– Et eux, comment sont-ils ? demandai-je.

– Qui, eux ?

– Les Türks.

Il ne répondit pas aussitôt. Je croyais qu'il ne le ferait plus, quand il reprit la parole.

– Je ne sais pas, je n'ai fait que les occire.

Je fermai les yeux et me laissai emporter par ma rêverie. La forêt, invisible, murmurait autour de moi, une chouette ulula par deux fois.

Le lendemain, mon cher Alberich, nous avons atteint l'Enns, la frontière du monde civilisé. Nous nous sommes arrêtés pour observer la rive opposée. De l'autre côté, le ciel était gris sombre, comme si un orage se préparait vers l'est, où le paysage se perdait dans le brouillard. De lourds nuages s'amoncelaient, si denses qu'on eût dit des volutes de fumée au-dessus des lointains sommets. Le vent apporta l'écho d'un grondement de tonnerre.

– La terre de l'ombre, dit Gunther.

Le moment était venu où nos chemins se séparaient. J'allais le remercier de son aide, quand, s'approchant au petit trot, il me dit :

– Écoute, moine, puisque aussi bien je t'ai amené jusqu'ici, je t'accompagne de l'autre côté. Il ne sera pas dit dans les chroniques ni plus tard que Gunther le Grand, le héros d'Augsbourg, n'a pas osé traverser cette rivière !

Il éperonna son cheval et reprit la tête. Je mis mon chariot en marche avec joie et soulagement. Avant les pluies d'automne la rivière était basse, en passant le gué l'eau n'atteignait pas le quart d'une roue. Gunther traversa au galop en faisant jaillir des gerbes d'écume, et je pensai qu'il valait mieux le laisser faire avant qu'il change d'avis.

Une fois sur la berge, il proposa de parcourir encore quelques lieues plutôt que de nous reposer tout de suite, bien qu'en route depuis le matin nous fussions tous deux visiblement fatigués, et nos chevaux de même. Cependant, si nous ne nous étions pas tant hâtés, les choses auraient peut-être tourné autrement. À présent, il me semble que mon compagnon s'est précipité au-devant de son destin. Nous avons cheminé encore quelques heures entre les sapins sur l'ancienne voie romaine que nous avions suivie jusque-là, et qui, malgré la fuite des siècles, s'obstinait à garder la mémoire du grand Empire sans s'occuper des frontières dont le tracé changeait constamment.

À peine sortis de la forêt, nous fûmes accueillis par d'épouvantables clameurs. Effrayé, je tirai sur les rênes et regardai la douzaine d'êtres abominables qui avaient surgi devant nous, comme venus de nulle part. Brandissant des piques et des haches, ils bondissaient autour de nous comme des possédés en faisant mine de nous larder de coups de lance comme pour repousser des fantômes. Le cheval de Gunther se cabra de peur et faillit désarçonner son cavalier. Celui-ci, visiblement exaspéré par ces sauvages, s'écria : « Gotthelf ! », et tira son épée qu'il abattit sur le braillard le plus proche, lui fendant l'épaule. Il s'avançait vers le suivant quand je lançai sans le vouloir les quatre fameux mots, comme je l'ai dit. Je voulais en fait m'adresser à Gunther, mais pour une obscure raison, je m'écriai en langue türke : « Ne fais pas cela ! » Au même moment, trois flèches transpercèrent le héros d'Augsbourg, la première l'atteignit à la gorge, les deux autres à la poitrine. Gunther tomba de sa selle. Tandis que les autres approchaient, je me souviens d'avoir vu sa jambe droite secouée de spasmes d'agonie, mon nez s'emplit d'une odeur de terre et d'herbe, puis tout s'obscurcit car je le confesse sans honte, cher Alberich, tout cela était trop pour moi, j'ai perdu conscience, et ai dégringolé de mon banc, le nez dans l'herbe.

Les jours qui suivirent, si cela dépendait de moi, je préférerais les oublier. On n'aime pas se souvenir des humiliations. En reprenant mes esprits, voyant où j'étais, et dans quelles conditions repoussantes, je fus totalement désemparé. Avant même d'ouvrir les yeux, encore étourdi, je sentis une odeur écœurante. Je reconnus bientôt la puanteur du lisier de cochon, mais si âcre et si pénétrante qu'elle semblait émaner de moi-même. Je ne me trompais guère, car dans la cabane obscure où je me trouvais, j'étais réellement étendu au milieu d'excréments, de la fiente de cochon fraîche et gluante. Dans mes efforts désespérés, mais vains, pour me redresser, je tâtonnais et pataugeais en plein dans l'ordure. Ma tête me faisait mal, j'avais la nausée, mais ce dernier point ne tarda pas à être résolu, car soudain, comme si mon corps avait voulu se vider, je fus pris de vomissements si violents que je n'eus même pas le temps de me mettre sur les genoux et ne pus que me tourner de côté, le visage dans la fiente de cochon. Cela dura plusieurs minutes, cela ne s'arrêtait pas, je rendis tout ce que je contenais, peut-être même davantage, mon estomac semblait s'essorer comme une serpillière tordue par une servante. Après cet amer soulagement, je perdis de nouveau conscience, ma tête bascula en arrière et l'obscurité m'envahit.

Je ne saurais dire au bout de combien de temps je revins à moi. Je me souviens d'une clarté soudaine, aussitôt masquée par une forme qui gesticulait en hurlant et en me piquant du bout de sa lance, sans doute pour m'obliger à remuer. Je ne compris pas un mot de ce qu'on criait, mais rassemblai toutes mes forces pour me glisser jusqu'à la cloison de planches où je m'adossai. L'homme entra, tout en se protégeant prudemment de son arme, et déposa un plat devant moi. Il m'adressa encore une phrase brutale puis sortit à reculons. Il remit en place le panneau qui servait de porte, et la lumière céda la place à la pénombre.

En attirant à moi le plat de terre, je ne voulus d'abord pas en croire mes yeux : on me donnait à manger ! Tu te rends compte, je gis dans la merde de cochon, dans mes propres vomissures, et eux me donnent à manger ! Nul besoin de dire que je n'avais pas grand appétit. Poussant le plat de côté, je me mis tant bien que mal à quatre pattes et me glissai vers la porte. C'était un simple panneau de planches, attaché par une corde au mur de la cabane. Un coup de pied suffirait à l'arracher. Mais je n'avais pas la moindre intention de le faire. J'ignorais ce qui m'attendait dehors. J'appuyai la face contre les planches et regardai par les étroites fentes.

Je ne voyais qu'une mince tranche de l'extérieur. La forêt commençait à une cinquantaine de pas. Mon champ de vision se limitait à deux huttes dans la clairière, il devait y avoir un feu à proximité, car le vent répandait une fumée bleuâtre à ras du sol. Je voyais de temps en temps passer des hommes barbus, armés d'une pique ou d'une hache. Un enfant pleurait au loin. J'avais très probablement été amené dans un des villages des sauvages. J'entendais des voix, des bribes de conversation, dans une langue inconnue dont le rythme saccadé me rappela toutefois celle des Germains du Nord. Alors ce sont eux, pensai-je, qui doivent rejoindre les brebis du Seigneur ? C'est à eux que je dois remettre le message du pape ? Cela me sembla si absurde que si je n'avais pas pensé à ma situation désespérée, j'aurais éclaté de rire.

Le soir tomba bientôt. Je commençais à avoir froid. Pour comble, il se mit à pleuvoir. Ma cahute, qui hier encore était manifestement la demeure de cochons, souffrait de mille blessures et laissait passer l'eau avec une telle générosité qu'on eût dit qu'elle prenait plaisir à me tremper jusqu'aux os. Je me pelotonnai en grelottant, et priai pour qu'un nouvel évanouissement bienfaisant m'aidât à passer la nuit. Mais rien de tel ne se produisit et je restai éveillé jusqu'à l'aube, où la pluie cessa. Alors je sombrai dans le sommeil.

Je fus de nouveau réveillé par un grand bruit. La porte était entrouverte, quelqu'un hurlait sur le seuil. Je clignai des yeux, dans le flot de lumière je ne vis qu'une ombre qui me montrait quelque chose en m'apostrophant dans une langue que je ne comprenais pas. Je ne bougeai pas. Je sortais à peine d'un sommeil oppressant, si on m'avait demandé mon nom il n'est pas certain que j'aurais su répondre. J'avais mal partout, mes membres étaient engourdis par le froid de la nuit. Alors, sans doute lassé de crier pour rien, l'homme entra dans la cabane. À ma grande frayeur il m'attrapa par les pieds et entreprit de me traîner au-dehors. Soudain dégrisé, je me débattis en hurlant, mais il me serrait si bien les chevilles qu'impuissant, je le suivis en glissant dans le lisier comme un sac.

Dehors, le soleil m'assomma littéralement. J'étais aveuglé, et quand mon porteur inopportun me lâcha les chevilles, je restai un instant allongé par terre, les yeux fermés. Je n'oublierai jamais le moment où j'ouvris les yeux avec précaution.

Je crus rêver encore. Devant moi se dressait la silhouette floue d'un cheval. Son cavalier était revêtu d'un habit au scintillement aveuglant. Je me couvris les yeux d'une main et regardai entre mes doigts. Il était tout en bleu. Bleu et or. Bleu était le long manteau qui le couvrait jusqu'aux chevilles, bleue sa ceinture au liseré d'or ornée de pierreries, bleues les chausses qui lui descendaient aux genoux, seules ses courtes bottes aux éperons rehaussés d'argent étaient jaunes. Le harnais de son cheval brillait aussi au soleil, les étriers où reposaient les bottes jaunes semblaient faits d'argent, et sur les larges rênes miroitaient des médaillons d'or. Je ne pouvais voir la tête du cavalier, perdue dans la lumière.

La voix que j'entendis était bien celle d'un être de chair et de sang.

– Qui es-tu ? demanda-t-il dans la langue que je croyais avoir oubliée.

J'ouvris la bouche pour lui répondre dans la même langue, mais nul son ne sortit de ma gorge.

Alors deux mains puissantes me saisirent par-derrière et me mirent debout comme une poupée de chiffon. À ma grande surprise, quelqu'un parla en latin derrière moi.

– *Sacerdos, quam redoles stercus, audin !*

C'était vrai. Je me rendais compte moi-même de la puanteur que je dégageais. J'étais cependant incapable de détacher le regard de la cavalière. Car il n'y avait pas à en douter, il s'agissait bien d'une femme. Je n'avais pas remarqué sa voix féminine.

– Qui es-tu et qui t'envoie ? demanda-t-elle derechef en me jetant un regard perçant.

Ses cheveux noirs étaient rassemblés en une longue tresse qui touchait la selle, et elle était coiffée d'un petit bonnet pointu.

Je reçus une bourrade dans le dos.

– Réponds, quand on te parle ! Qui es-tu ?

– Je suis un moine de Saint-Gall. C'est le pape qui m'envoie, ajoutai-je précipitamment. J'ai un message pour votre prince.

J'avais répondu en latin. La voix derrière moi reprit dans la même langue :

– Les Varègues prétendent que tu leur as parlé en langue magyare. *Estne verum ?*

– En langue magyare ? Je ne sais pas… c'est possible…

Il passa brusquement au türk :

– Comprends-tu ce que je dis ?

Je répliquai involontairement :

– Oui, je comprends.

Il dit quelque chose à la femme, mais si vite que je ne saisis pas. Elle me regarda en fronçant les sourcils, puis déchaussa son étrier et, passant l'autre jambe par-dessus la tête de son cheval, atterrit dans l'herbe. Elle s'approcha, ses grands yeux noirs en amande me dévisageaient avec curiosité.

– Comment t'appelles-tu ?

– Stephanus. Stephanus de Pannonie.

– Tu parles notre langue ?

– Un peu… peut-être…

– Il est rare de rencontrer un clerc qui parle notre langue. Nous pensons qu'un chrétien ne peut pas l'apprendre. Alors comment se fait-il que tu connaisses la langue magyare ?

– C'était il y a bien longtemps… dans mon enfance. J'étais tout petit et… je ne sais pas…

– D'où viens-tu ?

– De Saint-Gall.

– Est-ce loin d'ici ?

– Ce n'est pas tout près.

– Et tu prétends avoir un message pour notre prince ?

– Du saint-père.

– Du pape ?

– C'est la même chose.

– Si tu le dis. Quel est ce message ?

– Si tu le permets, je ne puis le lui remettre qu'en personne.

La voix derrière moi intervint :

– Il ne faudrait pas tarder…

– Je sais. Ne me presse pas, dit la femme.

Puis, s'adressant de nouveau à moi :

– Tu crois que c'est facile d'être reçu par notre prince ? Regardez-moi ce moine, il est sale comme un porc, il pue la merde, et il se prétend envoyé par Rome. Tu nous prends pour des simples d'esprit ?

À vrai dire, je bouillais de colère, j'aurais bien appliqué une giroflée à cinq feuilles sur la figure de cette effrontée, si beaux soient ses atours ; comment osait-elle traiter un serviteur de Dieu de façon si méprisante et humiliante ? Ce n'est pas parce qu'elle porte des chausses et des bottes que cela fait d'elle un homme ! Certes, je voyais bien qu'elle avait aussi un sabre à la ceinture, mais quand même ! Cependant, je me contins. Je savais que je pourrais en perdre la tête, et pas seulement au sens figuré. Je dis une fois de plus qui j'étais, d'où je venais et ce qui m'amenait ici. Je parlais posément, n'ayant nullement l'intention de susciter de dispute au sujet de mon identité.

La femme sembla ne plus vouloir faire de difficultés. Soit j'avais été assez convaincant, soit, ce qui est plus probable, elle avait plus urgent à faire. Elle cria quelque chose à ses hommes puis remonta en selle. Mon chariot apparut soudain, l'individu qui se tenait derrière moi me hissa sur le banc puis vint prendre place à mon côté. Alors je le vis enfin, avec étonnement, car il n'avait absolument pas l'air d'un Türk. Il n'était plus tout jeune, mais pas aussi âgé que moi. Il saisit les rênes et fit partir le cheval. Tandis que le chariot quittait en cahotant le village des barbares, j'eus nettement l'impression que nous nous dépêchions de prendre le large. Nous étions entourés de cavaliers türks armés d'arcs et de sabres, qui galopaient à côté du chariot. Ils pouvaient être une douzaine. Leurs cheveux étaient curieusement attachés en trois tresses. Ils portaient un casque de cuir, un simple écu de bois, un sabre au côté gauche et un carquois empli de flèches à l'épaule droite. Certains tenaient une pique au bout de laquelle flottait un fanion à rayures rouges et noires fixé sur une baguette en croix.

La femme en bleu chevauchait en tête, elle commandait la troupe. Nous cheminions depuis longtemps en silence dans la plaine infinie quand j'eus le courage de demander :

– Où m'emmenez-vous ? Auprès du prince türk ?

L'homme assis à côté de moi me lança un regard.

– Ce n'est pas encore décidé. D'ailleurs cela ne me regarde pas. Et toi non plus, pour le moment.

Comme il se tournait vers moi, je vis qu'une longue cicatrice lui balafrait le visage de la tempe au menton, le défigurant d'un côté.

– Comment, cela ne me regarde pas, où vous m'emmenez ? protestai-je. J'ai dit assez clairement que j'avais un message pour votre chef ! À quoi dois-je encore m'attendre ? Ne suffit-il pas que ces sauvages m'aient traité comme ils l'ont fait dans leur village ? Peut-être n'ai-je pas besoin de préciser que je m'attendais à un autre accueil !

– Les Varègues ont fait ce qu'ils avaient à faire. C'est pour cela qu'ils sont là. Tu pues, c'est indéniable, mais à part cela, tu n'as rien. La merde, ça se lave. Silence à présent ! On ne parle pas en chemin.

Que dire, voilà qu'à présent un manant me donnait des ordres ! Ce devait être un serf, rien de plus, puisqu'il était le seul à ne pas porter d'armes. Ses cheveux n'étaient pas tressés non plus, il ne se distinguait en rien d'un paysan de nos contrées. Exception faite de sa vilaine cicatrice. Je contemplai le paysage. C'était le plus ennuyeux qu'il m'eût été donné de voir. Des bois clairsemés et des marécages se succédaient. Ce plat pays était étrange, car çà et là s'élevaient de hauts tertres manifestement faits par la main de l'homme. Au-delà, à perte de vue – du moins aussi loin que portait ma vue affaiblie –, des pieux pointus s'alignaient comme d'énormes dents de peigne, en direction de la frontière orientale. Il n'y avait pas de route, seule une large bande d'herbe écrasée serpentait devant nous. Nous cheminions sur une piste de cavaliers.

J'en eus bientôt assez de voyager en silence.

– Tu n'es pas türk, n'est-ce pas ?

– Es-tu donc incapable de rester tranquille ?

– D'où sais-tu le latin ?

– Eux-mêmes ne s'appellent pas Türks, mais Magyars.

– Mais d'où sais-tu le latin ?

– Et toi, d'où connais-tu la langue magyare ?

Il n'était pas aisé de s'entendre avec lui.

– Si je te le disais, tu ne me croirais pas, répondis-je.

– Tu vois. Moi, c'est pareil.

J'abandonnai ce sujet.

– Cette femme, qui est-elle ? Elle monte comme un homme. Tu es aussi sous ses ordres ?

– Tu es trop curieux.

– Pas plus que ma mission ne le requiert. Je dois me renseigner si je veux la remplir. Qui est cette femme, et pourquoi a-t-elle des hommes sous ses ordres ?

– Chez eux, il n'est pas coutume de parler en chemin. C'est aussi inconvenant que de cracher à table. Un cavalier s'occupe de sa monture.

– Mais nous ne sommes pas à cheval…

– Ça suffit ! Au moins, parle plus bas.

– Comment t'appelles-tu ? demandai-je presque en murmurant.

– Armand. Armand de Nouvion.

– Mais comment diable ?…

– Cela n'a rien à voir. La femme qui nous commande est un personnage très important. Note bien cela. Il se peut aussi qu'elle soit en train de te sauver la vie. Tu ne sais pas encore quelle est la situation en pays magyar. Sois prudent, et n'ouvre jamais la bouche sans raison, compris ?

– Mais…

– C'est la fille du harka des marches orientales, et très probablement la future bru du prince. Mais nous sommes à présent dans la région occidentale, sur les terres du seigneur Zelind. C'est pour cela que nous nous hâtons.

– Je ne comprends pas…

– Tu n'as pas à comprendre. Tiens ta langue, moine, et fais ce qu'on te dit de faire. Compris ?

Il ne servait manifestement à rien d'insister. Je gardai donc le silence et observai les cavaliers qui galopaient à nos côtés. Je l'ai déjà dit, ils portaient de simples vêtements de cuir et de toile, sans aucun ornement superflu. Ce n'était pas le cas de leurs chevaux. De nombreuses incrustations d'or et d'argent miroitaient sur les selles, les étriers, les étrivières. Les harnais, les têtières ornés de pierreries jetaient mille feux dans la lumière du soleil. Les chevaux des Türks étaient plus magnifiquement parés que nos églises.

Plongé dans ma contemplation, je ne remarquai pas tout de suite que nous avions ralenti. J'y prêtai attention quand Armand, assis à côté de moi, tira sur les rênes avec un « Hooo ! » sonore. Nous nous arrêtâmes. Quelques cavaliers se redressèrent sur leur selle et guettèrent au loin.

– Que se passe-t-il ? demandai-je, ne voyant rien venir.

– Des cavaliers.

– Où ? Je ne les vois pas…

– Nous non plus, mais les bêtes le sentent. Maintenant tais-toi, à la fin !

Toute la troupe était parfaitement immobile, même les chevaux, comme s'ils attendaient, eux aussi. Puis un cavalier türk poussa un cri derrière nous. Tous se tournèrent dans la direction qu'il indiquait. Bien entendu, je ne vis rien, quoi qu'il ait montré c'était trop loin pour mes yeux.

– Alors, qu'est-ce qu'il y a ? demandai-je avec impatience.

– Des cavaliers approchent. Droit sur nous.

Au même moment, la femme en bleu arrêta son cheval près de nous.

– Armand ! cria-t-elle à mon voisin. Le moine ne parle pas, sauf si on l'interroge.

Armand hocha la tête.

– Tu as compris ? me demanda-t-il.

– Comme d'habitude : je ne dois pas ouvrir la bouche.

La cavalière fit demi-tour et repartit en avant. Peu de temps après, un bruit de galop annonça l'arrivée de cavaliers. Ils venaient du sud, et comme ils approchaient, je vis qu'ils étaient au moins deux fois plus nombreux que nous. C'étaient des Türks, sans aucun doute. Ils s'arrêtèrent à un jet de pierre, et leur chef, un personnage vêtu de noir et coiffé d'un bonnet de fourrure, s'avança vers la femme en bleu. Ils se mirent à parler, mais ils étaient trop loin pour que je puisse saisir ce qu'ils disaient.

– Ce sont les hommes du seigneur Zelind, me dit Armand à mi-voix. Le grand moustachu qui parle avec la maîtresse est Agolcs, le hadour.

– Qu'est-ce que c'est ?

– Le bras droit du seigneur. Celui qui tient l'épée. Ces terres sont celles du seigneur Zelind, il est tout-puissant ici.

– Qu'est-ce qu'il nous veut ?

Armand loucha vers moi.

– Qu'est-ce que tu imagines ?

– Rien.

– Devine !

Les deux chefs échangeaient à présent des paroles plus vives. Je ne comprenais toujours rien, mais il ne fallait pas beaucoup d'imagination pour se rendre compte qu'ils ne s'assuraient pas de leur bienveillance mutuelle. Tandis qu'ils disputaient, je vis que les nouveaux arrivants faisaient discrètement mouvement, s'écartant les uns des autres pour se placer en demi-cercle autour de nous. Armand s'en aperçut également, ce qui ne lui plut pas.

– Cela va mal finir, grommela-t-il.

– Mais enfin, à quel sujet se querellent-ils ? demandai-je, effrayé.

– Au tien, imbécile !

Ses paroles n'étaient pas encore tout à fait parvenues à ma conscience, quand l'homme en noir fit brusquement reculer son cheval et leva le bras. Comme par magie, les arcs apparurent aux mains des cavaliers qui nous tinrent en joue.

– Seigneur Jésus, viens-nous en aide ! (La prière familière était née involontairement sur mes lèvres, tandis que j'agrippais le bras de mon nouveau compagnon.) Ils vont nous occire !

Nous restâmes quelques instants figés sur notre banc, tout comme nos cavaliers l'étaient en selle. Je fermai les yeux, attendant d'être percé par une flèche.

– Eh bien, que se passe-t-il ? demandai-je derrière mes paupières closes.

– *Dominus curat suos*. Tout va bien à présent. S'ils n'ont pas tiré jusqu'à maintenant, ils ne le feront plus. Lâche-moi le bras, tu serres si fort que le sang ne circule plus.

J'ouvris les yeux, mais je vis la même chose qu'auparavant : des arcs bandés, des flèches pointées sur nous. Le visage d'Armand se tordit en un sourire amer, et sembla encore plus enlaidi par sa balafre.

– Nous avons survécu à cette mésaventure, moine, mais ce qu'il adviendra de toi…

– Que veux-tu dire ? demandai-je en lui lançant un regard terrifié.

– Ils ne tireront pas, ils ne font que nous menacer afin que la maîtresse puisse assurer qu'elle a agi sous la contrainte. Qu'elle a essayé, mais sans succès.

– Qu'est-ce que tu me racontes ? Qu'a-t-elle essayé de faire ?...

Le cavalier noir se dirigea vers nous. Il s'approcha du chariot au petit trot, en fit le tour et s'arrêta à ma hauteur.

– Par le Dieu-Ancêtre, ce qu'il pue, ce moine !

Il me toisa de ses yeux perçants, puis regarda Armand. Sa bouche s'étira en ce qui pouvait passer pour un sourire bienveillant.

– Tiens, le Franc est là aussi. Il y a longtemps que je ne t'ai vu, Armand.

– Je te salue, hadour. Les marches de l'Est sont loin d'ici.

– Pourtant, tu es là.

– Je suis là parce qu'on m'a envoyé.

– Et tu ne regrettes pas ?

– D'être venu ici ?

– Non. D'être parti un jour.

Armand haussa les épaules.

– J'ai fait ce que je devais faire.

Ils se dévisagèrent un moment, puis comme Armand ne disait plus rien, le chef qu'on appelait Agolcs et qui avait de longues moustaches tombantes, trois tresses noires et un bonnet de fourrure se tourna vers moi :

– Te voilà donc, clerc !

Je compris ce qu'il disait, mais comme on m'avait recommandé de me taire, je jugeai que c'était le moment le plus opportun pour suivre ce conseil. Je regardai droit devant moi entre les oreilles du cheval et gardai le silence.

– La grande Rome n'a rien de mieux à nous envoyer qu'un moine qui a macéré dans la merde de cochon ? Armand !

– Hadour ?

– Demande au moine s'il sait monter à cheval. Ou si son cul ne connaît que le banc, comme celui des vieilles femmes.

Armand se racla la gorge. Il me dit en latin :

– *Dic, sacerdos, quid eis respondeam ? Videris me curru tuo desistere debere.*

J'étais si terrifié que je ne sus que répondre. Armand me donna un coup de coude.

– Tu as entendu ce que j'ai dit ? Il faut abandonner ton chariot.

– Je ne suis jamais monté à cheval, bégayai-je.

– Allons bon ! Il va être content ! (Puis, s'adressant à Agolcs :) Il n'est jamais monté en selle. Mais tu peux prendre le chariot, seigneur, j'ai un cheval.

– Il ne s'agit pas de toi, Franc. En ce qui me concerne, tu peux aussi bien aller à pied jusqu'aux Carpates. Mais avec le chariot nous n'arriverons pas avant demain matin. Maudit clerc, s'il n'est jamais monté à cheval, il va le faire à présent. On l'attachera pour ne pas le perdre.

Il retourna vers ses hommes et leur lança un ordre. L'un d'eux se détacha du groupe et vint vers nous en amenant un cheval de réserve.

– Tu dois aller avec eux, dit Armand.

– Mais pourquoi ? bougonnai-je. Ce sont eux qui me conduiront auprès du prince ?

– Qui sait, c'est possible.

– Pourquoi n'est-ce pas vous qui m'y emmenez ? Puisque cette femme est elle aussi apparentée au prince… ou le sera tôt ou tard.

– Je ne peux pas te l'expliquer pour le moment. Tu dois monter sur ce fichu cheval et les suivre. Que cela te plaise ou non.

– Cela ne me plaît pas.

– C'est justement ce qui n'intéresse personne.

Le Türk s'arrêta devant moi avec le cheval et me fit signe de descendre du chariot. Armand me secoua l'épaule.

– Avec un peu de chance, nous nous reverrons.

Comme je l'avais dit, je n'étais jamais monté à cheval. Tout au moins, je ne m'en souvenais pas. Mais curieusement, dès que je fus près de l'animal, personne n'eut à m'expliquer ce que je devais faire. C'est venu tout seul. Je m'accrochai de la main droite au pommeau de la selle, engageai mon pied gauche dans l'étrier, et s'il me fallut fournir quelque effort pour me hisser, car je n'étais plus de première jeunesse ni n'avais la légèreté d'une plume, je me retrouvai en selle après quelques maladresses. Mais là-haut, perché sur le cheval, je perdis toute assurance. La terre nourricière me semblait un peu trop loin. Et ma monture ne cessait de remuer en tous sens. Me voilà en place, pensai-je, mais ce cheval, comment se met-il en marche ? Je n'eus pas l'occasion d'étudier la question à fond, car le cavalier türk appliqua une claque sur le postérieur de l'animal qui fit un bond, et – c'est du moins ce qu'il me sembla – m'emporta à vive allure. Mais ce n'était qu'un trot confortable, comparé à ce qui m'attendait. Par miracle, je ne fus pas désarçonné, sans doute parce que dans ma frayeur, je suivis non ce que me dictait mon entendement, mais mon instinct : je serrai les jambes contre les flancs du cheval et me cramponnai des deux mains au pommeau de la selle. En rejoignant les cavaliers qui attendaient en avant, je tirai sur la bride – je n'aurais pas fait autrement sur le chariot – et le cheval s'arrêta. Je faillis, il est vrai, passer par-dessus sa tête, mais je parvins à rester en place. Je regardai autour de moi d'un air satisfait, mais je ne vis que des mines farouches, personne ne semblait particulièrement reconnaître mon succès.

– Attachez-le ! dit le chef.

Cette fois, je compris, et faisant fi de toute prudence, je protestai en türk, c'est-à-dire en langue magyare :

– Non, pas cela ! Pas attacher. Pas attacher, moi chevaucher, bien comme il faut !

Soucieux de m'exprimer avec clarté et détermination, je n'avais pas enchaîné à la perfection les vocables türks qui se bousculaient à mes lèvres, cependant ils firent plus d'effet que mes prouesses équestres. Ce fut l'étonnement, la stupéfaction. L'homme en noir s'approcha :

– Tu parles le magyar ?

– Pas attacher !

– Comment connais-tu notre langue ?

– Je connais. C'est tout. Pas attacher.

Il me considéra un instant d'un air perplexe, l'embarras se lisait dans ses yeux. Il lissa sa moustache et dit enfin :

– Tu es un drôle de clerc. Tu parles notre langue, tu dis n'être jamais monté à cheval, mais tu es resté en selle. C'est bon, tant pis, je ne t'attache pas. Tant que tu ne tombes pas. Si tu tombes, pas de discussion, je t'attache à la selle. Tu as compris ?

Je hochai la tête. Puis le dénommé Agolcs se retourna pour regarder le chariot et la femme en bleu. Elle et ses hommes nous observaient, immobiles.

– En route, dit-il en faisant demi-tour.

Nous partîmes au petit trot. Je ne m'étais pas rendu compte que des cavaliers m'encerclaient de tous les côtés, pourtant s'ils avaient su que je pensais à tout sauf à m'enfuir… J'employais toute mon attention et toutes mes forces à rester en selle.

À franchement parler, chevaucher ne m'a tout d'abord pas semblé si terrible. Je dirais même que cela me plaisait. La vitesse, le vent sur mon visage, les mouvements du cheval, même l'obligation de m'adapter à son rythme, je ne sais… j'en ressentais une intense plénitude. Seulement vois-tu, au fil du temps, mon dos et surtout la partie postérieure de mon individu s'engourdirent et me firent de plus en plus souffrir. Nous marchions vers le sud, une plaine infinie s'étendait devant nous. Le ciel était brumeux, le vent poussait vers nous de lourds nuages gris. J'étais empli de fourmillements et de douleurs, j'avais mal non seulement au dos et dans le quart inférieur mais dans le moindre recoin de mon corps. Surtout à la nuque. À l'échine, aux tempes, partout. Je perdis peu à peu la notion du temps. S'était-il écoulé des heures ou des minutes ? Je n'entendais rien que le galop continuel. Comme s'ils étaient nés à cheval, les Türks galopaient sans un mot autour de moi, le torse immobile, le regard fixé devant eux. Le moustachu dénommé Agolcs chevauchait en tête. Il se retournait parfois comme pour vérifier si tout était en ordre derrière lui. Dans cette plaine monotone, j'avais l'impression de caracoler sur place. Nous ne fîmes qu'une courte halte, quand un cavalier solitaire vint à notre rencontre. Il échangea quelques mots avec

Agolcs, puis fit demi-tour et repartit par où il était venu. Nous poursuivîmes notre route.

Cela dura jusqu'au crépuscule, j'aperçus alors des feux au loin, au sommet d'une petite colline. Quelques instants plus tard, nous avions apparemment atteint le but de notre voyage. Des tentes de forme étrange se dressaient sur la colline, des feux brûlaient, de la nourriture mitonnait dans des chaudrons, répandant des relents inconnus et cependant appétissants pour mon estomac qui ne faisait que gargouiller. Les tentes, vastes et rondes, étaient regroupées par tailles et par coloris selon un ordre rigoureux. Ce curieux campement s'étendait sur tout le sommet de la colline. On eût dit un grand pré couvert de champignons de toutes les couleurs. Dans un enclos au milieu du camp, les chevaux pâturaient en liberté. Nous longeâmes l'enclos au petit trot et fîmes halte devant un groupe de tentes brunes. J'étais tant soulagé de ne plus avoir à chevaucher que ce sentiment l'emporta sur toute appréhension. Mais quand je voulus mettre pied à terre, force me fut de constater que mes membres ne m'obéissaient plus. J'étais complètement rigide. Agolcs fit signe à ses hommes. À ma grande honte, ils durent s'y mettre à trois pour me descendre de ma selle. Mais je ne pus même pas tenir sur mes pieds, et m'effondrai comme un sac. Autour de moi, les Türks riaient de bon cœur. Durant tout le chemin, ils ne s'étaient pas montrés disposés à dire un seul mot, et à présent ils faisaient plus de vacarme qu'on n'en entend sur la place du marché. Ils allaient et venaient en tous sens, menant leurs chevaux par la bride, échangeant des saluts sonores, mais ils me laissèrent là où j'étais tombé. Assis par terre, j'attendis que le sang se remette à circuler dans mes jambes. Tous ceux qui passaient par là me regardaient avec curiosité.

Quand je sentis le sol devenir froid, je me relevai à grand-peine. Je ne savais que faire. On m'avait apparemment oublié, Agolcs avait disparu. J'allai vers l'enclos regarder les chevaux. Tout comme les hommes, certains étaient rassemblés par petits groupes, d'autres trottaient tout seuls pour se dégourdir les jambes. Ils étaient beaux. La lumière dorée du soleil disparaissant à l'horizon inondait leurs crinières. Quelques Türks étaient en train de vider des seaux d'eau dans les abreuvoirs alignés à l'intérieur de la barrière. Une douzaine de bêtes harassées, sans doute celles qui venaient d'arriver au camp, se bousculaient avec impatience devant les cuves, certaines plongèrent la tête dans l'eau puis s'ébrouèrent d'un air content.

– Hé, moine ! entendis-je derrière moi.

Je me retournai. Agolcs apparut à l'entrée d'une tente. Il me fit signe :

– Viens par ici !

Comme souvent par la suite, je constatai avec étonnement que les tentes türkes sont bien plus spacieuses qu'elles ne le semblent de l'extérieur. On pourrait croire qu'il est impossible de se tenir debout sous leurs toits plats, mais en fait, elles sont assez hautes pour que la tête d'un homme ne touche pas le plafond de feutre tendu. D'épaisses fourrures recouvraient le sol et les parois, des peaux de mouton ou peut-être d'ours, et au centre, des braises rougeoyaient dans un fourneau. Il ne faisait pas particulièrement clair, mais deux lampes à huile suspendues aux poutres en croix donnaient une lumière suffisante. Agolcs et un autre Türk étaient assis en tailleur près du braisier. Le dernier, qui était du même âge que moi et ne portait pas de tresses, m'observait avec curiosité.

– Assieds-toi, moine, et apprends-nous ton nom, me dit Agolcs en indiquant le sol.

Il n'était pas commode de s'asseoir sans siège.

– Stephanus, répondis-je entre deux gémissements, tout en posant à grand-peine ma moitié inférieure. Stephanus Pannonius. J'ai message pour le prince türk.

Je m'efforçais de libérer les souvenirs de cette langue qui résidait en moi.

– Je t'écoute, dit-il en écartant les bras.

Comme il n'avait pas posé d'autre question, il devait s'agir du message.

– Toi pas prince türk, observai-je en secouant la tête.

– Non ?

– Non. Toi Agolcs. (Un autre mot entendu récemment me revint à l'esprit :) Hadour.

Agolcs plissa les yeux.

– Le Franc t'a bien renseigné. (Puis il montra son voisin :) Et lui, est-il le prince ?

Je n'étais pas sûr qu'ils ne veuillent pas se jouer de moi. Il était évident que je ne pouvais connaître le prince. L'habit de brocart vert indiquait certes que l'homme plus âgé assis à côté d'Agolcs était d'un rang plus élevé que celui-ci, mais il ne me paraissait pas vraisemblable qu'il fût le chef suprême des Türks.

– Lui pas prince.

– D'où viens-tu ? demanda l'homme en question.

– De Saint-Gall.

– Saint-Gall. Entourée de belles et hautes murailles. La cave y est fraîche et profonde. Et son vin est bon.

C'était mon tour d'être étonné.

– Comment as-tu appris notre langue ? demanda-t-il avec un regard inquisiteur.

La sempiternelle question. C'est alors que je prononçai les quelques phrases dont dépendait assurément le sort de ma mission. Ainsi que le mien, bien entendu.

J'eus peine à rassembler les vocables nécessaires.

– Longtemps, très longtemps. On m'a raconté, j'étais petit, petit homme (levant la main, j'indiquai la taille d'un enfant de cinq ou six ans), haut comme ça, on m'a amené à Saint-Gall et je suis devenu *monacus*. On raconte, on m'a dit que j'avais été trouvé…

Je repensai au rêve qui me visitait si souvent, le chariot, la rivière et les corneilles qui croassent au-dessus de ma tête, mais pouvais-je le leur raconter ? Je vis Agolcs lancer un regard à son voisin, mais celui-ci ne me quittait pas des yeux.

– Tu dis, moine (il parlait lentement, pour être sûr que je comprenne), que ton père était un Magyar ?

– Je ne sais pas. Qui le sait ? J'ai entendu, on m'a raconté. Il y avait toujours des mots qui venaient dans ma tête, je répétais pour moi-même, mais je ne comprenais pas.

– C'est pour cela qu'on t'a choisi ? On t'a confié ce message parce qu'on savait que tu étais issu de notre peuple ? Quel est ton nom magyar ?

Je le regardai, l'air perplexe.

– Je m'appelle Stephanus. Stephanus Pannonius.

Il eut un geste d'impatience :

– Ce n'est pas un nom ! Tu as un autre nom. Quel est-il ?

– Je ne sais pas ! répondis-je énervé, car je commençais à en avoir assez de discuter vainement sur mes origines au lieu de parler de ma mission. J'ai un message pour le prince, il faut faire vite, c'est tout.

Le vieil homme murmura à l'oreille d'Agolcs. Celui-ci se leva et sortit de la tente.

– C'est épouvantable, ce que tu pues ! Que t'est-il arrivé ?

À vrai dire, je ne remarquais plus mon odeur. Je lui racontai du mieux que je le pus. Il m'écouta jusqu'au bout puis prit une outre derrière lui et, fouillant parmi les peaux de bêtes, sortit deux petites coupes qu'il emplit.

– Ces Varègues sont imprévisibles, on ne peut les employer qu'à ce qu'ils savent faire. Nous sommes désolés de ce qui est advenu à ton compagnon, mais d'après ce qu'on nous a dit, il a tiré son épée. Il n'aurait pas dû.

– Eux nous attaquent.

– Ils voulaient seulement vous empêcher de passer. C'est leur travail. Allons, bois, cela te donnera du cœur au ventre.

Je pris le gobelet empli d'un épais liquide blanc que je pris d'abord pour du lait. Je goûtai. C'était aigre comme du petit-lait, mais avec une saveur douceâtre, et cela se laissait boire comme du vin nouveau. Je trouvai cela bon et, après quelques gorgées, je sentis la chaleur se répandre dans mes membres.

– Quand moi rencontrer le prince ? demandai-je.

Le vieil homme haussa les épaules.

– Le prince n'est pas loin, mais la route est longue jusqu'à lui.

Je ne comprenais pas.

– Alors il faut aller vite.

– C'est impossible. Nous partons demain pour le campement de Zelind-ur. Nous sommes sur ses terres, ici.

– Et lui, pas sous les ordres du prince ?

Il plissa les paupières et sourit.

– Qui commande à l'autre, l'empereur ou ton pape ?

Je ne sus que répondre. Comment expliquer à un barbare le fonctionnement compliqué de l'Empire ? Je préférai reprendre une gorgée de son breuvage.

– Tu as le message sur toi ?

Je montrai ma tête.

– Là-dedans.

Il s'étonna.

– Pas de missive ? Pas de sceau ? Qui peut te croire ? Tu peux dire ce que tu veux.

– Je dire ce qu'on m'a confié, répondis-je, tout en me rendant compte que mes paroles n'avaient rien de convaincant. (Au même moment, une pensée me traversa l'esprit : n'était-ce point irresponsable de la part de Virgile d'Aquilée de m'avoir laissé partir sans sceau ni document officiel ? En fin de compte, quelle garantie avais-je que les barbares me croient sur parole ? Cependant, de par son importance, ce message, même remis oralement, surpassait tout écrit…) Moi pas faire tout ce chemin pour mentir, objectai-je.

– Il ne s'agit pas de savoir si ce que tu dis est vrai, mais si les intentions de celui qui t'a confié ce message sont sérieuses.

– Document se perdre. On peut le prendre. N'importe qui.

– C'est vrai. Mais chez vous, tout ce qui est sérieux est noté par écrit. La célérité avec laquelle tu rempliras ta mission peut également dépendre de l'importance du message. Tant que nous ne savons pas de quoi il s'agit, nous n'avons aucune raison de nous hâter. Devons-nous importuner le prince pour la moindre vétille ?

– Message important. Seulement au prince je donne.

– C'est toi qui le dis.

– Toi croire message que je donne à n'importe qui ?

– Je ne suis pas n'importe qui.

– C'est toi qui le dis.

Il inclina la tête.

– Mon nom est Keve. Je suis le bras droit de Zelind-ur.

– On m'a dit que c'était Agolcs.

– À moitié. Agolcs est hadour, il s'occupe de l'armée, tout le reste me revient. Moi, je suis kegyour.

Je n'avais aucune idée de ce que pouvait être « tout le reste » chez les païens. À ma connaissance, depuis qu'ils étaient arrivés en Pannonie bien des années auparavant, ils n'avaient fait que piller et massacrer.

– Heureux de faire ta connaissance, répondis-je comme il convenait. Mais au prince je donne mon message. Je peux demander ?

Il acquiesça de la tête, tout en remplissant mon gobelet de ce breuvage qui ressemblait à du lait et avait pour agréable effet de me détendre.

– Ceux qui m'ont emmené du village des… *qui dicitur*…

– Des Varègues…

– Oui. Ceux-là, et la femme aux cheveux noirs, pourquoi venir me chercher ? Et vous, pourquoi pas laisser moi aller avec eux ? Eux m'emmener au prince ?

– C'est possible.

– Alors pourquoi ?…

– Tu vois, dit-il d'un air important, tant de questions dont tu ignores la réponse.

Puis il se tut. J'attendais qu'il continue, mais il contemplait les braises en émettant quelques « Hm ».

– Je suis allé à Saint-Gall, reprit-il. Il y a bien des années de cela. J'étais encore jeune et fort. C'était il y a longtemps. Tu devrais t'en souvenir. Il y avait un simple d'esprit…

– Heribald.

– Tu sais mieux que moi comment il s'appelait. Il n'avait pas peur de nous…

– Bienheureux les simples d'esprit.

– Il était aussi heureux que vous l'ayez laissé là. Il a bu plus de vin à lui tout seul que dix d'entre nous.

– Vous souiller la maison de Dieu ! Arracher l'or de Son autel !…

– Et les soldats de l'empereur, ils combattent peut-être pour rien ? Ce n'est pas notre faute si votre dieu est si distingué qu'il ne veut habiter que dans un nid doré !

– Notre dieu ?… demandai-je, ébahi.

– Il coûte cher, ce dieu, gardez-le pour vous. Nous autres n'avons pas les moyens de nous l'offrir.

– Vous couvrez chevaux de trésors comme grands personnages !

– Le cheval est le serviteur de l'homme. Nous l'honorons.

– Comparer un cheval à Dieu ? !...

– Ce n'est pas moi qui compare, c'est toi.

Agolcs revint, interrompant notre dispute théologique. Il ne dit rien, mais adressa un signe de tête au dénommé Keve.

– Écoute-moi bien, moine, dit celui-ci. Agolcs va te conduire à ta tente où on t'a préparé un cuveau d'eau chaude. Prends un bain, tu ne peux pas fréquenter les humains en puant de la sorte ! Tu auras aussi des vêtements propres, tu pourras te débarrasser des tiens.

Je me levai :

– Je dois garder scapulaire. J'ai fait vœu...

– On te le rendra, n'aie crainte. Les femmes feront le nécessaire. Tu ne peux pas aller demain chez le seigneur Zelind dans des hardes pleines de fiente.

Ma tente était semblable à celle que je venais de quitter. À ma grande joie, j'y trouvai même un lit garni de fourrures, ainsi n'aurais-je pas à dormir à même le sol. Au milieu se trouvait un cuveau empli d'eau fumante. À côté, mis en tas, des habits türks.

– Repose-toi ensuite, dit Agolcs avant de me laisser seul. Tu pars à l'aube.

Je ne me fis pas prier. J'ôtai mes vêtements souillés, ne gardant que le petit crucifix que je portais autour du cou, et me plongeai dans le cuveau. Si ce n'était pas blasphémer, je dirais que j'en éprouvai un sentiment divin. L'eau tiède parfumée au laurier me débarrassa de toute fatigue, me détendit, me reposa, me berça, et je finis par m'endormir.

Je fus réveillé en entendant quelqu'un entrer dans la tente. C'était un jeune garçon türk, il apportait de la nourriture qu'il déposa près du lit, puis il fourra mes hardes dans un sac. Son regard curieux s'attarda un instant sur moi, puis il tourna les talons et sortit. Si j'avais pu, je me serais rendormi tout de suite. Quand l'eau commença à me sembler froide, je m'extirpai du cuveau. Je trouvai même un linge pour me sécher, puis entrepris de m'habiller à la türke. Cela n'avait rien d'aisé. C'est la culotte qui me posa le plus de problèmes avant que je découvre où étaient le devant et le derrière. Il faut dire que toute ma vie, je n'avais revêtu autre chose que l'habit monastique, aussi ne pouvais-je guère exceller dans le port de culottes ! Je parvins enfin à maîtriser le système complexe de boutons et de brides. À la vérité, la tunique et le dolman qui me descendait jusqu'aux genoux étaient un peu étroits pour ma bedaine. Quant aux bottes de cuir, elles étaient éculées et un peu trop grandes. À en juger par les couleurs, on m'avait donné une tenue disparate en rassemblant ce qu'on avait sous la main. Le manteau était vert amande, la culotte bleue, la ceinture noire. Cela ne m'aurait pas ennuyé outre mesure si je m'étais senti à l'aise dans ce costume. Mais un moine n'a pas l'habitude de voir ses jambes quand il marche, j'avais l'impression d'avoir de nouveaux pieds, de marcher de travers. Mais au moins, je ne puais plus.

Pour finir, je m'attaquai au repas. L'appétit vint à mesure que j'engloutissais la soupe épaisse et quelque chose qui ressemblait à de la bouillie d'avoine. Quand les dernières bouchées eurent disparu du plat, je m'étendis sur le lit et, avant même que j'eusse commencé ma prière du soir, le sommeil me terrassa, tel que j'étais, encore chaussé de mes bottes.

… j'ai honte de m'avouer quel plaisir j'ai à venir nuitamment en secret, dans ce recoin obscur du scriptorium, et, cédant à ma volonté et à mon envie, à remplir ces parchemins vierges, sans que nul règlement m'en empêche, c'est comme si je rencontrais un autre moi-même que jusqu'à présent je ne connaissais pas. J'ai grand plaisir à tracer sur le parchemin des mots que je n'ai jamais lus dans aucun Codex, sous la plume d'un autre. Par exemple, j'ai récemment décrit par le menu toutes les parties du corps d'Elsi, telles que je pouvais me les rappeler dans l'obscurité, et telles que j'ai coutume de les nommer en les caressant, et ces mots sont restés sur le parchemin, conservant pour l'avenir la représentation écrite du corps d'Elsi. J'ai aussi beaucoup songé à ce que mon maître m'a dit à propos de la langue, et comment peut se trouver en nous une faculté dont nous n'avons pas la moindre idée. De même qu'a couvé en lui de longues années la langue des Tyrcs, ou des Hongres, je recélais une faculté qui ne laisse de me ravir, non celle de connaître des vocables étrangers, mais d'employer mes connaissances, en consignant sur le parchemin autant d'histoires de Stephanus de

Pannonie de telle sorte que chacune puisse sembler véridique. Et quand je relis ce que j'ai écrit, peu importe quelle histoire est vraie – il se peut même qu'aucune ne le soit –, pourvu que chacune tienne debout. Ce faisant, je commets péché sur péché. Au passage, je devrais bientôt en dresser la liste, afin de n'en omettre aucun si un jour je m'adonne à la pénitence, pourtant en y réfléchissant bien, je ne compterai pas parmi mes nombreux péchés les heures, douces comme le miel, que j'ai passées au fil des ans avec ma chère Elsi, nous n'avons fait de tort à personne, tout au plus à nos propres âmes, et c'est nous qui en répondrons en nous présentant à la face du Seigneur ; par ailleurs le Tout-Puissant, à qui de toute manière nous ne saurions rien dissimuler, nous a vus tant de fois nous enivrer ensemble de plaisir qu'il s'y est sans doute accoutumé. Quoi qu'il en soit, mon cœur ne laisse pas d'être troublé à l'idée que j'abuse désormais deux personnes, dont l'une est l'abbé Virgile, j'ai de plus en plus peine à me présenter devant lui chaque semaine pour lui rendre compte de l'avancement de ma chronique. Je suis baigné de sueur rien qu'en voyant ses petits yeux noirs, je crains que mon secret ne se lise sur mon visage, qu'en serait-il s'il apprenait que le défunt dont nous relatons la vie dans les Annales s'entretient chaque jour avec moi, et même que nous faisons force libations ensemble. Je dois bientôt apporter les premières pages à Virgile, car il désire voir comment ma chronique présente le sort de Stephanus. Je n'y suis pas totalement sincère à l'égard de mon maître, c'est cela qui me tourmente et que je considère en mon âme comme un véritable péché, mais comment lui avouer que je n'écris pas son histoire exactement comme il me la raconte, que je ne suis pas toujours fidèlement ses paroles, que bien souvent son récit n'est qu'un prétexte à prendre plaisir en donnant libre cours à cette faculté que j'ai de recréer la vie d'un homme : lorsque je me glisse ici le soir, contraint de renoncer à Elsi, toutes les choses étonnantes qu'il me raconte dans sa cabane de la forêt prennent forme en mots sur le parchemin, les mots deviennent à leur tour récit. Et si en écrivant il me prend l'envie de modifier le fil de l'histoire, je ferme alors un œil et dévie quelque peu le récit afin qu'il s'adapte à ce que je souhaite, mais cela ne se fait qu'au prix d'un mensonge. Oui, je mens, qu'y faire ? Mon âme est en perdition. Et si les lettres que je forme à présent semblent plus trompeuses et tremblantes, ce n'est pas que, écrivant recroquevillé par terre dans l'ombre, je ne fais pas usage de mon traçoir pour marquer les lignes, mais nous sommes au début du mois de mars, alors que les premiers hymnes du printemps, les premiers chants d'oiseaux devraient saluer le renouveau proche, il gèle encore à pierre fendre dans nos contrées, le vent et la neige nous font la vie dure, et mes doigts se raidissent en guidant la plume, car je ne puis allumer de feu dans le scriptorium en pleine nuit, puisque je travaille en secret, et si j'en fais ici mention, c'est seulement afin que nul ne s'offusque de ma vilaine écriture s'il vient un jour à lire mon ouvrage. Pour en revenir à notre sujet, frère Stephanus n'a jamais révélé le secret de sa naissance à son disciple, c'est-à-dire à moi-même, et s'il ne l'a pas fait, alors que lui-même et sans doute d'autres connaissaient manifestement ses origines, c'est qu'à vrai dire, je ne l'ai jamais pressé de questions. Pourquoi d'ailleurs l'aurais-je fait, au monastère nous venons tous de tant d'horizons divers que nul ne se soucie de savoir qui vient de Passau tout proche, qui des contrées ensoleillées du sud de l'Italie, qui des brumes de Brittanie, cela ne nous a jamais préoccupés, et c'est bien ainsi, pour nous l'existence de chacun commence lorsqu'il revêt l'habit monastique. C'est pourquoi, quand sur l'ordre de Virgile d'Aquilée j'ai entrepris de relater la vie de Stephanus de Pannonie dans les pages des Annales, je n'ai rien trouvé à objecter lorsque notre père abbé a déclaré que frère Stephanus était issu d'une famille noble dont le nom devait rester secret, et si le hasard et ma curiosité ne m'avaient fait découvrir que mon maître vivait caché dans la forêt proche, si je n'avais pas appris grâce à ma chère Elsi que l'ermite dont les villageois parlaient quelquefois n'était autre que mon cher maître, vivant depuis des années, depuis qu'il était revenu du pays tyrc, une vie retirée et misérable au plus profond de la forêt, alors que tous le croyaient mort, et si je n'avais entendu son récit, j'aurais tout accepté tel que le père abbé me l'avait exposé. Et lorsqu'il fit état de son intention de déposer auprès de Sa Sainteté une requête en canonisation en faveur de Stephanus de Pannonie, puisque par le martyre qu'il avait subi, mon révérend maître le méritait le plus parfaitement, notre père Virgile grandit véritablement dans mon estime, et je me mis presque à le vénérer. Comment aurais-je pu savoir dans quel but Stephanus avait été envoyé auprès des Tyrcs ? Au cours des dernières années, nul n'avait mis en doute qu'il fût parti convertir les païens. L'ancien doyen et protecteur de frère Stephanus, le père Hilarius, à présent disparu, connaissait sans doute le secret de l'origine de mon maître, il circule dans le monastère des légendes que je ne puis consigner dans ma chronique, à savoir que Stephanus de Pannonie était un rejeton païen, fils d'un haut dignitaire tyrc, et qu'il fut capturé par des chevaliers bavarois qui l'amenèrent à Saint-Gall. J'ai visité ce jour le vénérable père Portifio qui confectionne nos hosties, afin de lui faire dire ce qu'il savait de frère Stephanus, car avant de se livrer à sa tâche actuelle, il a longtemps été l'un de nos plus habiles enlumineurs, tant que sa vue le lui a permis, et a œuvré aux côtés de Stephanus au scriptorium, ornant nos codex de miniatures plus belles les unes que les autres ; il m'a dit que la Chronique alémanique avait enregistré l'année en question, il y avait lu de ses propres yeux qu'en l'an de grâce 904 les Bavarois avaient tendu un piège en Ostarichie à un haut dignitaire tyrc qu'ils tuèrent ainsi que sa suite, et lui, c'est-à-dire le père Portifio, bien qu'il fût très jeune en ce temps-là, se souvenait parfaitement de l'époque où le petit païen avait été amené au monastère, et il lui semblait impossible que cet événement n'eût pas été consigné dans nos Annales Sanctgallenses, il fallait que j'aille voir… et effectivement, par miracle… je savais depuis longtemps que nous conservions à Saint-Gall quelques-uns des derniers passages de la Chronique alémanique, aussi n'eus-je qu'à me plonger dans les volumes poussiéreux de notre librarium à la recherche des annales en question, j'eus la chance de trouver les notices de ces années lointaines et il s'y trouvait notamment à l'an 899 : *Ungri Italiam invaserunt, bellum primum…* les Hongres sont entrés en Italie, ils ont livré les premiers combats aux chrétiens dans les environs de Brenta, et se sont emparés des places fortes. Pour l'année 901 : *Ungri iterum Italiam invaserunt…* les Hongres ont de nouveau envahi l'Italie. En 902 : *Bellum in Maraha cum Ungaris…* guerre contre les Hongres en Moravie, le pays a été vaincu. En 903 : *Bellum Baugauriorum cum Ungaris…* guerre des Bavarois contre les Hongres. Puis cette note pour l'an 904 : *Ungares in dolo ad Convivium a Baugauriis vocati, Chusdal dux eorum suique sequaces occisi sunt*, c'est-à-dire les Bavarois ont invité par ruse les Hongres à un banquet, et ont tué leur chef Chusdal (c'est-à-dire Cursan) et sa suite. Cependant nulle mention n'était faite d'un enfant captif, puis il m'est revenu que la Chronique alémanique n'avait pas été rédigée ici, à Saint-Gall, mais n'était parvenue chez nous que plus tard, alors j'entrepris de chercher l'année 904 dans nos propres Annales et parcourus les vieux volumes qui dormaient depuis longtemps dans le librarium. Mon cœur se mit à battre plus vite quand je trouvai certains passages pouvant se rapporter à frère Stephanus, mais aussi à un autre il est vrai, car il y était fait mention, sans en indiquer le nom, d'un enfant étranger confié au médecin de l'abbaye, et dont le chroniqueur avait trouvé les farces si amusantes qu'il n'avait pu s'empêcher de les consigner. J'y lus notamment qu'en prenant un bain, l'enfant avait donné un tel coup de pied entre les jambes du brave frère Heribald affecté à ses soins que celui-ci n'avait retrouvé sa voix qu'au bout de plusieurs jours ; une autre fois, il avait mordu frère Hilarius à l'oreille et la lui avait presque arrachée, ou encore, lors de sa capture, il avait transpercé d'un coup de poignard le mollet d'un chevalier nommé Gerhard. Le nom de Stephanus de Pannonie n'apparaît dans le registre nominal des moines qu'en l'an 906 qui se trouve être, selon la note, l'année de son baptême, puis de nouveau en 914, où il a prononcé ses vœux. Toutefois je ne trouvai nulle mention du médaillon représentant un oiseau dont Stephanus m'avait parlé dans sa cabane, et que, selon Virgile, les abbés avaient conservé. Pour qui connaît la créance de nos Annales où sont enregistrés les plus infimes détails, il est hautement surprenant qu'il ne soit nulle part question de ce médaillon, ni dans les notes de l'an 904, ni plus tard.

Comment le secret de cet ornement païen a-t-il été gardé, c'est pour moi un mystère, car il est étrange que Virgile l'ait fait réapparaître après tant d'années pour le remettre à Stephanus avant son départ en terre païenne. Je suis résolu à élucider ce mystère et, en premier lieu, j'interrogerai scrupuleusement mon maître, car j'ai le sentiment qu'il y a encore à découvrir. Il me reste peu de feuillets, je n'ai presque plus d'encre, je devrais poursuivre l'histoire de mon maître, car il a vécu d'étranges aventures parmi les païens, quand il a osé pour la première fois de sa vie monter sur le dos d'un cheval pour se rendre chez un certain Selendour…

… je vois bien que par tes questions tu voudrais me faire revenir à l'époque de mon enfance et de ma jeunesse. Quelle relation entretenais-je avec Virgile d'Aquilée ? Je dirais aucune, chacun de nous faisait ce qu'il avait à faire. Nous ne nous aimions pas beaucoup à vrai dire, je le trouvais par trop présomptueux, et lui m'en a voulu pendant des années parce que le père Hilarius m'avait confié la direction du scriptorium, et non à lui. Nous n'avons pas prononcé nos vœux ensemble, il venait de Passau et est arrivé dans notre abbaye à l'époque où je suis entré au scriptorium, puis nous avons travaillé longtemps côte à côte à nos pupitres. Je le reconnais, je suis devenu responsable du scriptorium alors que Virgile était plus âgé que moi ; il traçait aussi sur le parchemin des lettres bien plus élégantes, bien qu'avec son bras gauche infirme il eût peine à maintenir les feuillets, mais il avait une volonté sans bornes et pouvait citer de mémoire bien plus de titres que moi. Cependant, c'est moi que le père Hilarius a désigné, disant que je serais toujours plus puissamment stimulé par ma curiosité que Virgile par son entendement. Et vois-tu, il avait raison. Il n'y a pas un livre que je n'aie lu jusqu'au bout dès que je l'avais en main, et s'il le fallait, j'étais prêt même en plein hiver à escalader la montagne pour aller quérir dans tel monastère éloigné un exemplaire rare pour notre librairie. Le frère Portifio, s'il est encore de ce monde, pourrait t'en dire beaucoup sur ces années-là. Mais qui cela intéresse-t-il à présent ? Le destin a généreusement dédommagé Virgile quand il s'est fait nommer abbé à un âge encore relativement jeune…

J'ai un agréable souvenir de ce matin-là, au campement türk. Le jour naissait à peine quand nous nous sommes préparés à partir. J'ai déjeuné sur le pouce, debout près de mon cheval, d'un peu de viande salée et de fromage ; les Türks, eux, mangeaient en selle. Si je ne les avais vus la veille mettre pied à terre et mener leurs chevaux dans l'enclos, j'aurais pu croire qu'ils avaient passé la nuit sur leurs montures. Je notai avec satisfaction, mais sans y attacher trop d'importance, qu'ils se montraient fort obligeants à mon égard. Ils attendirent patiemment que j'achève mon repas, puis on me donna un gobelet de lait chaud. J'en fus très reconnaissant, car dans l'air piquant de ce petit matin automnal, ce breuvage me fit du bien. Mon cheval était sellé, et on avait même garni ma selle d'une épaisse peau de mouton, sans doute par prévenance, afin que ma part postérieure supportât mieux les épreuves.

Nous sommes partis à six. Agolcs n'était pas avec nous ; comme je l'appris par la suite, il avait quitté le camp dès la veille au soir. Le dénommé Keve prit la tête, mais au bout d'un moment, il nous laissa passer et ferma la marche.

Les heures s'écoulaient lentement. Avant le départ, Keve m'avait juste dit que nous arriverions au campement du seigneur Zelind avant la tombée de la nuit. Je concentrais toute mon attention sur mon cheval, l'allure modérée me plaisait, mes entrailles n'étaient pas trop secouées. Le paysage changeait à mesure que nous avancions vers le sud. Les marécages cédèrent la place à de vastes prairies et de petites collines. Nous longions parfois des bois clairsemés. Plus d'une fois, j'aperçus au loin des troupeaux de bovins menés par des cavaliers, ceux-ci nous avaient certainement remarqués, mais ils ne manifestèrent pas d'intérêt particulier. Je n'avais jamais vu de telles bêtes, elles avaient de longues cornes horizontales, leur panse touchait presque le sol. Nous avons également rencontré des marchands maures. Ils écartèrent leurs chariots et s'inclinèrent profondément sur notre passage. Le soleil était déjà haut quand nous avons fait halte pour nous reposer. Cette fois, je suis parvenu tout seul à mettre pied à terre, mais mes os n'en étaient pas moins douloureux que la veille. Les bottes et les culottes qu'on m'avait prêtées rendaient la chevauchée plus aisée. En fin de compte, l'habit monastique n'avait pas été conçu pour monter à cheval.

Je croyais que notre halte serait couronnée par une collation, mais je fus déçu. Nous avons laissé les chevaux se reposer un moment, tout en buvant quelques gobelets de ce breuvage douceâtre. À vrai dire, j'aurais préféré un rôti froid.

Keve amena ensuite mon cheval, et je l'observai en fait pour la première fois. C'était un homme de petite taille, aux jambes torses. Il était mince, presque maigre, les os saillaient sur son visage. Sous son bonnet de fourrure brune, ses cheveux clairs lui descendaient jusqu'aux épaules.

– Tu te tiens très bien en selle, dit-il.

– J'essaie seulement d'y rester.

– Nous en sommes tous là.

– Nous marcher encore longtemps ?

– Nous sommes à mi-chemin. Avec de la chance, nous arriverons avant le coucher du soleil.

– Et ce… Zelind-ur, comme vous dire, demandai-je prudemment, lui que faire de moi ?

– Tu sais, moine, cela ne dépend pas seulement de toi.

– De qui ?

– De toi. Mais aussi du jour où tu lui seras présenté.

– Du jour ?

– Pourquoi pas ? Nul ne sait ce que chaque jour apporte.

– Ce n'être pas réponse, dis-je en secouant la tête.

– Sans doute parce qu'il n'y a pas encore de réponse à ta question. Nous devons attendre ici.

– Nous pas aller plus loin ?

– Nous attendons un peu.

– Quoi ?

– De bonnes nouvelles.

Les heures s'écoulaient. Nous étions au milieu de nulle part, au pied d'un petit tertre, nous attendions. À mesure que le temps passait, Keve était de plus en plus tendu, bien qu'il fît tout pour le dissimuler. Il se levait de plus en plus souvent, déambulait jusqu'au sommet de la butte et, mettant une main en visière, guettait le lointain. À l'évidence, nous n'arriverions pas au campement du seigneur Zelind avant la nuit.

Son impatience finit par me gagner.

– Quelque chose ne va pas ?
– Nous le saurons tôt ou tard.

Rien ne me tourmentait plus que l'incertitude ; de ne pas savoir ce que nous attendions, dans quelle mesure cela me concernait, ou concernait mon sort, en un mot, de ne pas savoir à quoi je devais m'attendre. Les autres Türks ne semblaient nullement inquiets. Assis par terre, ils parlaient entre eux à mi-voix.

Juste avant le crépuscule, un cavalier apparut. Il venait du sud, vers où nous aurions dû poursuivre notre chemin. Sans même attendre que le messager fût arrivé près de nous, Keve bondit sur ses pieds et courut à sa rencontre. Le cavalier sauta à terre et se mit à expliquer quelque chose en gesticulant beaucoup. Keve l'écouta sans l'interrompre, répondit brièvement et revint vers nous en hâte.

– À cheval ! cria-t-il.

Il m'aida à monter en selle.

– Alors, nous pouvons partir ?
– Oui, mais pas pour là où nous allions.
– Que s'est-il passé ?

Il monta à son tour et répondit :

– Il n'est pas certain que le campement de Tar Zelind te soit bénéfique. Non loin d'ici, il y a un village où vivent ceux de mon clan. C'est là que nous irons.
– Mais le message ? Le prince…
– Oublie-le pour le moment. Et essaie de garder l'allure. À présent, nous n'allons plus chevaucher comme de vieilles femmes !

Il donna une grande claque sur le postérieur de mon cheval, hurla quelque chose et partit au galop. Eh bien, mon cher Alberich, tu n'as jamais vu galoper comme je l'ai fait alors ! Je me cramponnais à tout ce qui me tombait sous la main, à la bride, mais surtout à la crinière de mon cheval. Penché en avant, ma figure touchait presque le cou de l'animal, et je pressais si fort les cuisses contre ses flancs que je ne faisais plus qu'un avec lui. Quelle cavalcade ! Quelques Türks chevauchaient derrière moi, sans doute pour me relever au cas où je tomberais. Keve et les autres galopaient devant, s'éloignant parfois à un jet de flèche. Le soir tombait, et à mesure que les ombres s'allongeaient, il était de plus en plus difficile de les rattraper, heureusement ceux qui me suivaient veillaient sur moi. Je ne faisais qu'avaler la poussière que les autres soulevaient, fermant parfois les yeux à l'idée que ce serait plus facile si je ne voyais pas le sol défiler, mais alors j'avais le vertige et manquais d'être désarçonné par les secousses qui me ballottaient continuellement. Soudain nous fûmes dans une forêt clairsemée, des buissons et des branches me cinglaient la tête et les épaules, mon cheval remuait aussi la tête de tous côtés pour éviter les branches basses, et il y parvenait mieux que moi ! Je ne saurais dire combien de temps a duré cette épouvantable cavalcade. Mais une chose est sûre, toutes les chevauchées que j'ai pu faire par la suite m'ont semblé par comparaison être des promenades d'agrément ! Plus tard nous nous sommes fourvoyés dans un marécage, il a fallu ralentir l'allure car les sabots des chevaux glissaient sur le sol meuble. Quand nous avons rejoint l'herbe d'un terrain plus ferme, Keve et les siens nous attendaient.

– Tu peux continuer, moine ?

Je lui lançai un regard, mais dans l'obscurité, je ne pouvais être certain que c'était lui. Le ciel était dégagé, la lumière des étoiles et de la lune argentée rendait la nuit moins obscure, mais je ne voyais que des ombres mouvantes. Avant que j'aie pu répondre, car il me fallait reprendre mon souffle, Keve poursuivit :

– Nous avons fait le plus dur. Nous sommes presque arrivés chez nous.

Curieusement, ce « chez nous » me rassura. Pourtant, c'est plutôt au monastère de Saint-Gall que je pouvais me sentir « chez moi », non dans un village türk. Mais sa voix avait quelque chose d'encourageant, peut-être parce que lui aussi sentait qu'il rentrait chez lui.

Mais ce n'était pas pour tout de suite. Nous avons mené nos chevaux encore de longues heures, ralentissant parfois quand le terrain l'exigeait, puis reprenant le grand galop. La plaine commença à se bosseler, les bêtes n'avançaient parfois qu'au pas.

Après que nous eûmes traversé un petit ruisseau, il me sembla apercevoir de faibles points lumineux. Si je n'avais pas eu aussi mauvaise vue, je me serais assurément rendu compte plus tôt que ces petites lumières n'étaient pas immobiles, les hommes du village de Keve venaient à notre rencontre avec des torches. Ils savaient apparemment que nous allions venir.

Quand nous sommes arrivés au village, toute la population était rassemblée. Des torches s'agitaient partout, leur lueur jaune dansait sur des visages empreints de curiosité. C'était la première fois que je voyais un village türk, c'est-à-dire magyar. Je fus surpris, ne comprenant pas comment on pouvait habiter des maisons si basses, et je trouvai étrange de ne pas voir de tentes.

Les maisons où vivait le peuple de Keve semblaient basses parce qu'elles étaient partiellement enterrées, et seule la partie supérieure, avec le toit, les fenêtres et l'ouverture de la cheminée, s'élevait au-dessus du sol. On y accédait en descendant un escalier, et à l'intérieur, elles paraissaient plus spacieuses, selon les dimensions de la partie excavée. La maison où je fus conduit était celle de Chete et Zaak, la fille et le gendre de Keve. Celui-ci m'expliqua que selon toute vraisemblance, je devrais rester quelque temps au village, mais il ne me dit pas ce qui s'était passé au campement du seigneur Zelind et m'obligeait à retarder mon départ. Nous ne pouvions retourner au camp militaire, car cela eût été aussi risqué. Mais chez eux, je serais en sécurité, dit-il. Je ne comprenais pas pourquoi le monde extérieur était soudain devenu si dangereux pour moi.

Mais ce soir-là, il me suffisait de pouvoir mettre pied à terre et d'étirer mes membres courbatus. L'homme qu'on appelait Zaak me fit descendre l'escalier ; au premier abord, il ne semblait pas particulièrement heureux de devoir partager sa maison avec moi. Nous entrâmes tous deux, Keve ne vint pas avec nous.

Un feu brûlait dans l'âtre aménagé dans le mur où s'ouvrait la fenêtre. Devant se tenait une jeune femme, un tisonnier à la main. À la lueur tremblante de la lampe à huile, je ne pus distinguer son visage.

– Assois-toi là ! dit l'homme en désignant des peaux entassées dans un angle.

J'allai docilement vers le coin, mais ne m'assis pas. Il murmura quelque chose à la femme, qui disparut par une porte. L'homme revint vers moi.

– Tu vas demeurer à not' maison, dit-il sèchement. Ça me plaît pas trop, mais c'est Keve qui veut. Moi, c'est Zaak. Paraît que t'es un bureux d'Occident, mais que tu causes magyar ?

Les mots qu'il employait, la manière dont il les prononçait étaient quelque peu différents de ce que j'avais entendu jusque-là. Je comprenais ce qu'il disait, mais il me fallait faire davantage attention.

– C'est juste, répondis-je. Mon nom est Stephanus. Je suis désolé de vous vraiment déranger...

– Pourquoi tu t'assois pas ?

– Après long trajet à cheval, je rester debout, fait du bien aux jambes. Pas habitué selle.

– Tu manges aussi debout ?

Il montra une table basse au milieu de la pièce. Je ne vis nul siège, mais il n'eût pas été vraiment possible de s'asseoir sur un siège à cette table qui semblait être faite pour des enfants. En revanche, elle était entourée d'épais coussins sur lesquels nous nous installâmes, ce qui me fit regretter ma selle. Je ne savais où mettre mes jambes. J'étais incapable de les croiser sous moi comme Zaak, sans me démettre les hanches. Aussi, après m'être tortillé dans tous les sens, j'optai pour m'asseoir sur mes talons. Au moins, cette position agenouillée m'était-elle familière.

La femme était revenue entre-temps avec un plateau de bois empli de nourriture. Je remarquai alors qu'elle était enceinte, son petit ventre s'arrondissait sous sa robe. Elle déposa le plateau devant nous puis se retira auprès de l'âtre et s'accroupit dans l'ombre. Zaak prit une cruche sur le plateau et emplit deux gobelets de bois.

Il ne mangea pas, mais me fit signe de me servir. Je mangeai sans un mot, puisqu'on ne me demandait rien, je ne parlais pas. M'efforçant de ne pas paraître affamé, je goûtai modérément au rôti, au jambon et au fromage blanc, et achevai mon repas avant d'être vraiment rassasié.

– Un grand bonhomme comme toi, ça mange donc si peu ? demanda Zaak qui avait bu en silence pendant que je soupais.

Je n'étais pas certain de l'avoir bien compris et me contentai de le remercier pour le repas.

– Je ne voudrais pas être une charge pour vous.

– Ce serait dommage qu'on se laisse déranger pour si peu. T'es un drôle de bonhomme, tu sais ? T'es un bureux, tu parles magyar, tu portes une cavalière…

– Une cavalière ?

– Tes frusques. C'que t'as sur toi. C'est avec ça que les Magyars montent à cheval.

– Ah oui, on m'a prêté cet habit, le mien était abîmé.

Il pointa le pouce par-dessus son épaule :

– Ma femme, Chete, c'est la fille à Keve. Alors ce que Keve demande, faut qu'on le fasse.

– Merci…

– Pas la peine. Keve nous remerciera le moment venu…

Il se leva et je suivis son exemple. Il tira un rideau derrière lequel se trouvait une sorte d'alcôve où il y avait juste la place d'une personne allongée.

– J'ai fait ça pour le petit qui va naître. Il en a pas encore besoin. Tu dormiras là.

Ces maisons creusées dans le sol étaient disposées de telle sorte que l'escalier menait à une pièce centrale, servant de cuisine et de salle commune. Dans la paroi s'ouvraient de petites alcôves, la plupart juste séparées de la pièce principale par un rideau de jonc, les membres de la famille s'y retiraient pour dormir. Seule la resserre où la maîtresse de maison entreposait la nourriture était munie d'une porte en bois. En effet, l'hiver il pouvait faire très froid et derrière sa porte fermée, la resserre non chauffée devenait une véritable glacière où les réserves se conservaient parfaitement. Je ne te raconte cela que parce que c'est intéressant.

Mais le Lac, Alberich, le Lac fut pour moi une véritable surprise. Je dormis tard le lendemain matin. Personne ne me réveilla, si bien qu'épuisé par la chevauchée de la veille, je restai au lit, presque inconscient, et le soleil était déjà haut quand je m'extirpai de ma couche. Ne voyant personne dans la maison, je montai l'escalier pour sortir à l'air libre.

C'était une matinée humide de septembre. Je voyais le village pour la première fois à la lumière du jour. Chaque maison, ou plutôt chaque toit qui dépassait du sol se trouvait sur une butte de terre. On avait manifestement fabriqué ces buttes avant de creuser les habitations dans le sol. Cette disposition était nécessaire pour que la pluie ruisselle sur les pentes au lieu de couler à l'intérieur de la maison. Chaque butte était entourée d'un étroit fossé destiné à recueillir l'eau de pluie, les fossés se rejoignaient dans un bassin commun d'où l'eau était ensuite acheminée hors du village, vers le ruisseau. Diverses bâtisses, appentis, granges, ateliers, selon l'activité des occupants, s'élevaient auprès des tertres, et comme ceux-ci étaient distants les uns des autres d'une trentaine ou d'une quarantaine de pas, personne n'était gêné dans son travail.

Zaak était sous son appentis, assis à côté d'un tas de flèches. À l'aide d'un petit canif, il fendait l'extrémité des baguettes pour y ajuster les plumes. Comme j'approchais, il leva les yeux.

– T'as-t-y bien dormi, bureux ? Keve est venu, il voulait te voir.

– Pourquoi ne m'as-tu pas réveillé ?

– Il a dit que ça avait été dur pour toi, à cheval. Alors fallait qu'tu te reposes un peu, il reviendrait plus tard. Tu veux manger ?

– Je mangerai avec vous, tu me préviendras. Je vais faire un tour, cela ne pose pas de problème ?

– Par chez nous t'as rien à craindre.

Dire que le village débordait de vie serait vraiment excessif. On entendait bien çà et là le bruit d'une activité, mais la plupart des gens déambulaient en prenant leur temps, ou échangeaient quelques mots. Ils portaient du bois ou de l'eau, s'occupaient de leurs chevaux. La raison de cette oisiveté ne me fut donnée que plus tard.

Passant entre les toits qui s'élevaient au-dessus des tertres, j'allai jusqu'au bout du village puis gravis la colline. Quand je fus au sommet, j'eus le souffle coupé. Une immense surface d'eau s'étendait devant moi à perte de vue. Je n'avais jamais vu la mer, mais on m'en avait beaucoup parlé, et c'est ainsi que je l'imaginais. Cependant, ceci ne pouvait être la mer, il n'y en a pas en Pannonie, alors il me revint à l'esprit qu'un grand lac, que les Latins appelaient Lacus Peiso, s'étendait, paraît-il, à l'est de l'Ostarichie. Ce devait être lui.

Une légère brume s'élevait au-dessus de l'eau qui se confondait ainsi avec le ciel, faisant paraître le lac infini. Plus près du bord, je vis des pêcheurs, debout dans une barque, jeter leurs filets. Je descendis sur la rive et les observai. C'étaient encore des enfants, des garçons d'une dizaine d'années, dans deux barques. Quand ils m'aperçurent, ils s'arrêtèrent et me regardèrent un moment. Puis, s'étant concertés, ils ramèrent vers moi. Je regrettai de les avoir dérangés dans leur travail.

Ils sautèrent sur la rive et s'approchèrent prudemment, puis s'arrêtèrent à quelques pas de distance. Ils semblaient intimidés.

– C'est toi, le bureux que Keve a amené ? dit le plus grand, peut-être aussi le plus âgé.

– Oui, c'est moi.

– On n'a jamais vu un bureux du couchant en cavalier… dit un autre d'un air incrédule.

– Eh bien, vous pouvez me voir.

– T'as une croix ?

– Oui, dis-je en montrant la chaîne à mon cou.

Ils approchèrent lentement.

– Alors t'as point peur du diaule ?

– Du diaule ?

– On dit que vous autres, les bureux, vous avez une espèce d'eau pour faire partir le diaule.

– C'est possible, mais je n'ai jamais vu de diaule, quoi que cela puisse être. Et vous, vous attrapez des poissons ?

Le plus petit écarta fièrement les bras :

– Des comme ça, regarde !

– Avec un filet ?

– Ben oui.

J'allai jusqu'à la barque et regardai à l'intérieur. Il y avait bien quelques poissons, du menu fretin, ils étaient loin d'avoir la taille indiquée par le gamin.

– Quand j'étais moinillon, je veux dire un petit bureux, pas plus grand que vous, moi aussi je pêchais dans les ruisseaux. Seulement je n'avais pas de filet, mais un hameçon et une ficelle.

– Nous, on les attrape comme ça l'hiver, en perçant un trou dans la glace.

– On peut le faire aussi en été et à l'automne, mais avec une ligne de fond.

– Qu'est-ce que c'est ?

– Tu attaches un poids à l'hameçon et tu le laisses descendre jusqu'au fond.

– L'eau est profonde. Dans les bas-fonds, les poissons sont petits.

– Il faut une longue ficelle, expliquai-je.

– Mais nous, on a fait un canard.

– Quand ?

– Hier.

– Et comment ?

– Ben, avec une flèche !

– Voyez-vous, moi je n'ai jamais fait cela.

– Et avec un hameçon ?

– Non plus.

Cela les fit sourire. Qu'est-ce qu'un homme qui n'a jamais fait un canard ?

– Tu restes longtemps ?

– Au village ? Je ne sais pas. J'espère que non. J'ai des choses urgentes à faire.

– Tu veux qu'on t'abatte un canard ?

– Je ne sais pas ce que j'en ferais. Je n'ai pas de maison, ici, ni de feu.

– Alors c'est nous qu'on le mangera !

Ils rirent. Je leur dis au revoir et repris le chemin du village. Comme j'approchais de la maison de Zaak, je vis Keve qui venait à ma rencontre.

– Je te cherchais, dit-il en guise de salut. Viens, nous avons à te parler.

Nous nous arrêtâmes devant une maison un peu plus grande que les autres. Keve ouvrit la porte.

– Entre donc !

Il me laissa passer et je descendis dans la pièce plongée dans la pénombre. Elle était comparable à celle de Zaak, mais un peu plus grande, et les murs étaient ornés de toutes sortes de peaux, de cornes et d'armes. Au milieu se trouvait la même table basse, un vieil homme y était assis.

– Installe-toi, dit Keve resté derrière moi.

Non sans mal, je parvins à me caser sur les coussins. Keve prit place en face de moi, à côté du vieillard.

– Ejnek, notre ancien. C'est lui qui se souvient, et il tient l'Écriture.

– Salut à toi, dis-je en me tournant vers lui. Je suis Stephanus de Pannonie, moine de Saint-Gall.

– Nous avons quelque chose à te demander.

– Je vous en prie. Moi aussi, je voudrais vous demander quelque chose.

Quatre lampes à huile suspendues au plafond fumaient au-dessus de nous. La fenêtre laissait aussi passer un peu de lumière, et je distinguais assez bien mes interlocuteurs. Le vieil homme était bien plus âgé que Keve et moi, ses cheveux rares étaient tressés, son visage semblait un parchemin sec et froissé. Ses mains reposaient sur des rouleaux de peau devant lui sur la table, et il ne cessait de me dévisager.

Keve posa sur la table un objet enveloppé d'un linge. Il me fallut un moment pour me rendre compte de ce que c'était. Je portai machinalement la main à ma ceinture, mais bien sûr, il n'y avait rien, puisque l'avant-veille, en ôtant ma bure monacale avant de prendre un bain, j'y avais laissé le médaillon remis par Virgile.

– C'est à moi, dis-je.

– Est-ce bien sûr ?

– Je l'ai apporté de Saint-Gall.

– Je ne conteste pas cela, nous l'avons trouvé dans tes habits. Mais cela ne veut pas dire qu'il soit vraiment à toi. D'où le tiens-tu ?

– Du supérieur de l'abbaye. Avant mon départ, le père abbé me l'a donné en disant qu'il pourrait m'être utile.

– Sais-tu ce que c'est ?

– Un ornement. Il y a un oiseau dessus, non ? Un faucon.

– Et pourquoi ton maître a-t-il pensé qu'il pourrait t'être utile ?

– Je l'ignore. Peut-être parce que je me rendais chez les Türks, et il s'agit visiblement d'un bijou türk…

Keve défit le paquet, mais il ne prit pas la médaille. Il la contempla d'un air pensif. Alors le vieillard prit la parole. Sa voix était faible, mourante, je devais vraiment tendre l'oreille pour le comprendre :

– Jadis, il y a bien des années, j'ai eu en main l'un de vos livres, et j'ai vu que vous aussi écriviez vos souvenirs en les confiant à des feuillets fragiles. Les rouleaux que voici sont nos livres, les encoches qui y sont gravées sont notre écriture, notre mémoire, celle du peuple Túr, conservée depuis l'aïeul de mon aïeul. Transmis de main en main, ils sont parvenus jusqu'à moi. Bien des choses y sont consignées, depuis que nos ancêtres, rejoignant la Grande Alliance des Magyars, ont quitté avec eux la Vallée des Fleuves et ont marché vers le couchant. Et quand ils arrivèrent ici, ceux qui arrivèrent, ils ne se souvenaient plus de ceux qui étaient partis. Ils ne se souvenaient plus des demeures de leurs ancêtres, car durant de longues, longues années, ils avaient marché sans s'arrêter, vivant entre terre et ciel, comme les bêtes sauvages de la prairie.

Il caressa les rouleaux avant de poursuivre :

– Vois-tu, bureux, le pays des Magyars ressemble à présent à une moitié de chariot : d'un côté il y a des roues, de l'autre côté, il n'y en a pas. Les chevaux ont beau tirer de toutes leurs forces, il tourne en rond. Et nous, comme c'est aussi la coutume chez vous, nous avons un souverain, un prince. Mais il n'en a pas toujours été ainsi. De même que l'homme a une dextre et une senestre, que l'enfant a un père et une mère, de même que chaque jour a un soir, toute lumière son obscurité, de même que de tout temps le feu a eu l'eau pour compagne, que pour germer le blé a besoin de l'hiver et de l'été, de même il faut deux souverains aux hommes. Afin qu'ils ne soient pas comme un chariot sans roues. Il y a très longtemps, les Magyars avaient deux princes. L'un dirigeait les armées, c'était le gyula, il parlait au peuple et gouvernait. Il était le chef de guerre suprême, le hadour des hadours. L'autre paraissait rarement devant le peuple, on ne pouvait ni le toucher de la main, ni lui parler avec des mots, mais chacun savait qu'il était là, comme les roues que l'on ne voit pas de l'autre côté du chariot, mais qui sont là, on le sait, puisque le chariot roule. C'était le künde, le prince des âmes, en qui le peuple puisait audace et vaillance. Il était les racines de l'Arbre-qui-touche-le-ciel, l'esprit des ancêtres veillait sur son pouvoir. Il était la corde du Grand Arc, qui très longtemps a relié la Terre au Ciel, il était le pont entre le passé et l'avenir. Peu de temps après que nos pères eurent investi cette contrée avec leurs tribus et leurs armées, ils virent sa richesse, découvrirent que les peuples qui y vivaient possédaient des trésors sous forme de fruits mûrs tombant dans leurs corbeilles, et ils virent la faiblesse de ces peuples, alors leurs cœurs devinrent présomptueux et futiles. Árpád lui-même, le gyula, le hadour suprême, crut pouvoir régner seul sur le peuple magyar, comme les rois d'Occident régnaient sur leurs sujets. Possédé par le rêve du pouvoir illimité, il fit traîtreusement alliance avec les Bavarois, ceux-ci tendirent alors un piège au künde Kurszán et à ses chefs en leur promettant la paix, et les assassinèrent tous quand ils commencèrent à festoyer à la table richement garnie. Et afin d'échapper à la vengeance du clan du künde, Árpád-gyula tua tous les hadours de Kurszán et chassa son peuple vers les terres du levant, par-delà les Grandes Montagnes. Conformément à l'accord conclu avec Árpád, les Bavarois lui remirent les dépouilles de ceux qu'ils avaient tués. Cependant, une nouvelle se répandit, et le peuple en parle encore : les hadours d'Árpád n'auraient pas retrouvé parmi les autres le corps de Csaba-ur, le fils de Kurszán-künde, ni l'insigne du künde, le médaillon de Togrul. Au fil des ans une légende s'est forgée et a pris racine dans tout le pays magyar, elle dit que Csaba-ur est encore en vie, exilé quelque part en terre étrangère, mais que le temps viendra où il rejoindra son peuple, rétablira l'Ordre céleste et tirera vengeance des crimes d'Árpád-gyula. Mais après Ogusbur, où la plupart de nos chefs et de nos guerriers ont péri, l'âme de notre peuple s'est trouvée envahie par la certitude que les Magyars étaient frappés d'une malédiction, et que celle-ci perdurerait tant que la mort de Kurszán-künde ne serait pas vengée et que son clan ne serait pas revenu.

Le vieil homme se tut, visiblement ému par son récit.

– Quelle triste histoire ! dis-je.

– C'est la vérité, ajouta Keve.

– Pourquoi me l'avez-vous racontée ?

– Ce médaillon est l'insigne du künde. Personne ne doit l'usurper. De même que la couronne de vos empereurs ne peut coiffer le chef d'un vilain, l'insigne du künde ne peut tomber aux mains de manants.

– Je l'ai reçu de mon abbé, je vous l'ai dit.

– Alors pourquoi te l'a-t-il donné ?

– C'est à lui qu'il faudrait le demander. Il a sans doute pensé qu'un insigne türk me serait de quelque utilité en terre türke.

Keve me lança un regard et demanda :

– La médaille de Togrul est-elle à toi ?

Ma réponse fut ferme :

– Je suis Stephanus de Pannonie, chrétien, moine de l'abbaye de Saint-Gall. Je n'ai pas le sentiment d'avoir quoi que ce soit à voir avec ce faucon.

Le regard de Keve s'attarda un moment sur mon visage, puis il hocha lentement la tête et replia le linge autour du médaillon, tout en disant à mi-voix :

– Je ne mets pas ta parole en doute. Mais tel le feu dans l'herbe sèche, la nouvelle va se répandre dans le peuple qu'un clerc parlant la langue magyare est venu d'Occident. L'esclave qui a ramassé tes vêtements dans ta tente a vu l'insigne du künde. Et le peuple attend un miracle.

Le seul effet que cette histoire ancienne eut sur moi, Stephanus de Pannonie, pieux copiste et gardien du librarium de l'abbaye de Saint-Gall pendant de longues années, c'est qu'elle me parut tout bonnement inconcevable. Comment imaginer que je pourrais fourrer mon âme chrétienne dans un monde de fables païennes !

– Conduisez-moi auprès du prince, afin que je lui remette le message et puisse regagner le monastère où est ma place. Je ne vous demande rien de plus.

– Et si tu étais toi-même le message ?

– Je ne comprends pas.

– Celui qui t'a envoyé devait savoir ce que représente le médaillon.

– Balivernes !

– Sinon pourquoi te l'aurait-il remis ?

Ce que Keve suggérait me paraissait ahurissant. Je me représentai Virgile d'Aquilée, qui, il est vrai, n'avait jamais été de ceux qui m'étaient les plus chers, et si je pouvais aisément en imaginer davantage à son sujet que de bien d'autres, je ne lui aurais jamais supposé une telle fourberie. Je répondis à Keve que je trouvais ses propos dénués de sens, et que nous ferions bien de nous en tenir à ce qui m'amenait ici.

– Conduisez-moi auprès du prince !

– On ne peut pas se présenter chez le prince comme un berger de rien du tout venu de la prairie ! dit sévèrement Keve. Seul un harka, un officier supérieur, peut te mener à lui.

– Votre Zelind-ur n'est-il pas assez éminent pour cela ?

Le vieil Ejnek secoua la tête.

– Tar a autant besoin de toi chez lui qu'une grenouille a besoin d'un serpent dans sa mare !

– Zelind-ur est effectivement le harka des marches occidentales, ajouta Keve, mais cela ne veut pas dire qu'il soit de son intérêt de te conduire auprès du prince.

– Alors pourquoi m'avez-vous enlevé ? La femme m'aurait emmené chez le prince…

– Sarolt ? Peut-être. Zubor-ur, son père, est en très bons termes avec les prêtres de Constantinople. On dit même qu'il s'est converti afin de commercer plus aisément avec les seigneurs grecs et bulgares. Mais l'insigne du künde a tout changé. À présent chacun nourrit des projets différents à ton égard. En ce qui concerne Zelind-ur, entre nous nous l'appelons simplement Tar, il se peut que tu lui sois plus utile mort que vivant.

Je tentai d'avaler le nœud qui me serrait la gorge.

– Mais enfin, en quoi puis-je lui nuire ? Je n'ai qu'un message…

– Je t'ai déjà dit de l'oublier pour le moment. Tu es à présent détenteur de l'insigne de künde, et il est trop tard pour y changer quoi que ce soit, même si nous le voulions. Zelind-ur t'a repris à la fille de Zubor-ur pour éviter qu'une Sarolt chrétienne et un clerc chrétien ne fourvoient le prince sur un chemin qui ne lui plairait pas. Mais il y a le Togrul… Tu aurais mieux fait de le cacher, ou de ne pas l'apporter.

– Comment pouvais-je le savoir ?

– Toi, non, mais celui qui te l'a remis, il savait. Tar, je veux dire Zelind-ur, est un descendant d'Árpád, qui a assassiné le künde. Le prince également. La malédiction du crime de sang pèse sur leurs âmes. Le pouvoir et les terres de Zelind-ur devraient revenir au clan de Kurszán-künde assassiné.

– C'est écrit, dit Ejnek en tapotant les rouleaux de parchemin. Quand le clan de Kurszán a été banni vers le levant, Torhos-ur, le plus jeune fils d'Árpád et aïeul de Tar Zelind, a reçu ses terres avec leurs habitants, c'est-à-dire nous autres, les Túrs. Nous n'avons pas été bannis par Árpád-gyula, car il n'aurait alors plus disposé d'arcs ni de flèches. Il avait besoin de nos bras.

– Si Zelind-ur apprend que tu es porteur du médaillon, poursuivit Keve, et ce n'est plus qu'une question de temps, car les nouvelles se répandent parmi les Magyars plus vite que le vent, tu seras à ses yeux une malédiction vivante évoquant le passé, la faute de son bisaïeul Árpád-gyula.

– Mais enfin, je suis un simple religieux envoyé par le pape ! Je puis lui expliquer pourquoi je suis venu…

Ejnek se tourna vers Keve :

– Il a l'esprit un peu lent, non ?

– Je ne suis pas stupide !

– Alors réfléchis à ce qui serait bon pour toi, Stephanus le bureux ! Être en vie ici ou mort là-bas ? Chez nous, tu es en sécurité pour l'instant. Tar n'enverra pas ses hommes ici, j'y ai veillé. Mais si tu pars, tu seras livré à toi-même. N'oublie pas que j'ai lié mon sort au tien. Le Cheval blanc peut venir me chercher moi aussi, et non seulement toi.

L'allusion au cheval blanc restait obscure pour moi, mais c'était le cadet de mes soucis. Ejnek tendit la main par-dessus la table et prit la mienne.

– J'ai vu ton avenir.

– C'est vrai, confirma Keve. Ejnek avait prévu ta venue.

– Par les corneilles, tu sais. Les oiseaux sont proches du ciel, ils voient ce que les hommes ne peuvent voir. Surtout les corneilles. Celui qui sait déchiffrer leur vol peut comprendre leurs messages. Il est rare qu'elles volent toujours de la même manière. L'été, quand il fait chaud, elles ne viennent jamais près des hommes, mais cette année elles l'ont fait. Elles ont volé en groupe au-dessus de nous, et pourtant notre sueur coulait. Elles ne l'ont pas fait qu'une fois, mais à plusieurs reprises, elles repartaient et revenaient. Le matin, le soir. Elles criaient, croassaient, les chevaux étaient effrayés. J'ai dit : « Prends garde, Keve, des choses graves sont proches. Quelque chose va arriver. Et tu es venu. »

– Les corneilles ? demandai-je. Mais je chassai aussitôt cette idée funeste, de crainte de tomber moi aussi sous l'emprise des superstitions païennes. Et je demandai à Keve :

– Pourquoi as-tu risqué ta vie pour moi ?

– Parce que je crois Ejnek. Il ne peut prévoir que les grandes choses, pas les petites. Et parce que le crime de sang ne doit pas rester impuni. L'homme peut oublier, le Dieu-Ancêtre n'oublie jamais. Si la malédiction doit se rompre, qu'elle se rompe ! Le mal qui s'est répandu parmi nous atteindra tôt ou tard tout notre peuple.

– Le mal ? Il y a une épidémie chez vous ?

– Quelque chose comme la peste, mais en plus destructeur. La malédiction.

– Mais je ne veux ni être l'instrument de votre vengeance, ni jouer les rois ! Je suis un simple moine, je ne sais même pas monter à cheval. Tout ce que je sais faire, c'est tracer des lettres, et encore, ma vue est à présent trop faible, je ne suis plus bon qu'à sarcler la vigne.

– Tu te tiens bien en selle.

– Et après ? Des tas de gens se tiennent bien en selle !

– Tu avais l'insigne du künde sur toi.

– C'est l'abbé qui me l'a donné, alors il pourrait aussi bien être künde, non ?

– Csaba-ur.

– Qu'est-ce qu'il y a encore ? demandai-je aigrement au vieillard.

– Tu es Csaba-ur.

– Je suis Stephanus de Pannonie, n'est-ce pas assez clair ?

Keve fit un geste d'apaisement.

– On est rarement ce qu'on voudrait être. Mais bien entendu c'est toi qui décides. Tu peux partir, si tu le veux, mais seulement pour rentrer chez toi, et il se peut même que tu parviennes en vie au bord de la rivière. Mais c'est peu probable. Les Varègues gardent la frontière des deux côtés. Ou bien tu restes, et tu attends. C'est le temps qui décidera.

Deux possibilités bien séduisantes, l'une plus tentante que l'autre.

– Mais toi, que voulais-tu nous demander ?

Je secouai la tête.
– Je ne sais plus.

J'étais donc cloué ici, Alberich, dans le village des Túrs. Les jours se succédaient, le temps tourna à l'automne. Parmi les Magyars, je vis et entendis bien des choses nouvelles pour moi. Je m'imprégnai davantage de la langue qui avait repris vie en moi. Je m'accoutumai à leur dialecte et les compris dès lors sans encombre.

Bon gré, mal gré, j'ai appris beaucoup de choses sur la vie et les coutumes des Túrs, le peuple de Keve. Je ne veux pas t'ennuyer avec toutes ces choses, en quoi peuvent-elles t'intéresser ? Mais afin que tu comprennes mieux mon histoire, cela ne peut te nuire d'en connaître certaines.

Le clan de Keve ne vivait pas de la guerre, du moins pas directement, mais d'activités plus pacifiques. Selon une très vieille histoire que les anciens contaient aux enfants par les soirées d'hiver, les peuples magyars, qui, il y a de très nombreuses années, à l'époque des aïeux de leurs aïeux, vivaient encore dans le lointain pays légendaire, s'unirent et, fuyant un ennemi plus puissant qu'eux, se mirent en route vers l'Occident pour fonder un nouveau pays. Chaque clan, chaque tribu conclut une alliance avec les deux princes de l'époque, le künde et le gyula, définissant en quoi et de quelle manière chacun devait servir la cause commune. Certaines tribus fournirent des guerriers, d'autres se chargèrent de cultiver la terre pour nourrir la population et les armées conquérantes, ou la vigne pour faire du vin, d'autres encore s'entendaient à élever et dresser les chevaux. Le peuple de Keve apporta l'adresse de ses mains. En travaillant l'argile, le bois, le fer, ils fabriquèrent divers récipients, des armes, des selles et des tentes pour l'armée du prince. Et comme ils y étaient vraiment d'une grande habileté, il s'avéra bientôt que leurs arcs étaient les plus précis et portaient le plus loin, que leurs tentes résistaient aux plus violentes tempêtes et que les chevaux qui portaient leurs selles étaient les plus véloces. Au bout d'un certain temps, ils acquirent parmi les Magyars un renom mérité, et à titre de reconnaissance les princes n'intervinrent pas dans la vie de la tribu, celle-ci fut exemptée d'impôt, obligée envers le souverain par une seule loi, à laquelle tous les peuples magyars étaient d'ailleurs soumis avec une plus ou moins grande rigueur : dans chaque clan, dans chaque tribu, le fils aîné de toute famille était destiné au prince. Dans certaines tribus, le cadet également, mais chez les Túrs, cela ne concernait que le premier-né. Ainsi, lorsqu'un garçon était devenu adulte et avait appris l'art de manier les armes – tâche qui incombait à sa famille, ou à son clan –, il partait pour un camp militaire, la plupart du temps dans l'armée du hadour de son territoire, et du printemps au début de l'hiver, si la situation l'exigeait, il guerroyait aux côtés du prince ou du hadour local selon la nature de la campagne menée. Cela avait jadis été le cas de Keve. Tant qu'il avait pu manier le sabre d'une seule main et bander son arc sans attraper de crampes, il avait participé à de nombreuses campagnes.

J'appris aussi qu'après que les campagnes en Occident eurent cessé, l'artisanat des Túrs était devenu de moins en moins nécessaire. Sans guerre, point besoin de flèches, plus de lames brisées ni de selles fendues. Zaak me raconta qu'autrefois il en allait bien autrement, ils ne manquaient pas d'ouvrage entre deux campagnes, les hadours commandaient leur équipement par chariots entiers et payaient en or, en étoffes et en esclaves. À présent les Túrs pouvaient tout au plus compter sur le passage de rares marchands maures venus du califat d'Hispanie. Ces Sarrasins ou Barbaresques, comme ils les appelaient, qui s'aventuraient dans leur contrée, emportaient quelques harnais ou selles, parfois un beau sabre courbe, contre une poignée de sols byzantins ou de dirhams arabes. Et bien qu'à leur manière paisible, les Túrs tenaient quand même rigueur au prince de les avoir privés du droit de faire commerce, au bénéfice des Maures auxquels il l'avait affermé. Le passage des rivières était également aux mains des Arabes et tous, même les seigneurs, devaient acquitter le péage pour traverser. Zaak, le maître des arcs, était lui aussi lésé, car il n'avait même pas le droit de vendre d'arcs türks à des étrangers. Or une année entière était nécessaire pour faire un bon arc. Avant qu'il soit endurci, il fallait étuver, assouplir et assembler les lamelles, les sécher, les renforcer de plaques de corne, les sécher de nouveau, les mettre sous presse et les courber... Ses plus belles pièces avaient atteint le prix de deux chevaux. Mais à présent des douzaines d'arcs sans corde restaient là, inutiles, contre le mur de son atelier. Seuls les pêcheurs et les chasseurs avaient besoin de flèches, il vendait la plupart au sein de la tribu, ou aux quelques Avars autochtones qui vivaient dans la région du Lac. Les Slavons achetaient des haches et des scies, et si certains forgerons se contentaient, faute de mieux, de leur fabriquer des socs de charrue, les orfèvres n'avaient pratiquement plus d'ouvrage. Les ornements ne se vendaient plus, les boucles, bandeaux et sabretaches n'étaient plus des objets indispensables. Tout au moins en temps de paix, car après chaque campagne, quand les guerriers revenaient les mains pleines d'or et d'argent, il leur venait alors l'idée de se parer, ainsi que leurs femmes et leurs chevaux.

Le clan des Túrs était constitué de trois villages assez proches l'un de l'autre au bord du Lac. Je fus surpris de voir qu'il restait des Avars dans la région. J'avais toujours cru que notre glorieux Charlemagne avait définitivement chassé de Pannonie ce peuple récalcitrant. Mais il en restait, fort peu, il est vrai ; à l'évidence les troupes de Charlemagne avaient évité cette contrée, le grand conquérant leur avait fait grâce, pensant que leurs maigres clans de chasseurs-pêcheurs ne représentaient plus un danger pour son empire. Ils vivaient à proximité des Türks, en bonne entente, pour ainsi dire dans une dépendance mutuelle pacifique, car en s'établissant dans la région, les peuples magyars n'avaient apporté qu'un certain ordre. Avant leur arrivée, c'était un pays sauvage et sans maître, les Francs étaient trop éloignés pour y maintenir l'ordre. Après Charlemagne, des troupes de pillards plus ou moins nombreuses y avaient proclamé des royaumes à la vie éphémère qu'une nouvelle rébellion balayait au bout de quelques années. Des troupes d'Alamans venaient parfois dévaster la région, et après leur départ tout recommençait comme avant. Les Türks régnaient, mais ils maintenaient l'ordre. Et ils avaient chassé les colons bavarois qui s'étaient peu à peu répandus dans toute la Pannonie avant leur arrivée.

J'observai que les Magyars ne traitaient pas les Avars comme un peuple soumis, mais leur témoignaient un certain respect, comme s'ils avaient retrouvé en eux de lointains parents perdus depuis longtemps. Leurs langues présentaient quelques similitudes, au moins dans la mélodie des mots, je m'en rendis compte moi-même. Certaines de leurs coutumes semblaient également remonter à une même origine. J'ai plusieurs fois parcouru la région à cheval avec Keve, il nous est mêmc arrivé de nous aventurer assez loin le long du Lac ou dans les forêts, mais nous avons toujours trouvé bon accueil dans les villages. Je suis entré dans quelques maisons en bois des Avars, j'y ai vu les mêmes tables basses que chez les Túrs, le même foyer d'argile. Ils connaissaient également le koumis, le lait de jument fermenté. Keve m'a dit que lorsque leurs ancêtres avaient rencontré les Avars en arrivant dans ces contrées, ils s'étaient salués comme il convient à des parents de longue date. Selon Ejnek, les runes gravées sur les rouleaux faisaient mention de certaines tribus magyares qui s'étaient mises en route avant les autres, et avaient suivi d'autres chemins pendant les cent années suivantes. Après que les farouches Huns d'Attila eurent pris le chemin du couchant, plusieurs tribus les avaient suivis, mais leur trace s'était perdue dans le cours infini du temps.

Un jour que nous étions partis à cheval avec Keve, il me révéla quelques éléments de leurs croyances. Des nuages venant de l'ouest moutonnaient dans le ciel, et le soleil commençait à descendre quand nous fîmes halte au sommet d'une colline. Keve montra la vaste plaine qui s'étendait devant nous.

– Quand nos légendes parlent du Pays d'Est, la terre ancestrale que nous avons quittée, elles disent que le pays des Magyars était entouré de prairies si étendues que nul ne les avait jamais parcourues d'un bout à l'autre. Le ciel au-dessus de leurs têtes était si vaste qu'il fallait au soleil trois fois plus de temps que par ici pour aller du levant au couchant. J'ignore si c'est possible. Mais pourquoi les rouleaux mentiraient-ils ? D'immenses forêts et de larges rivières agrémentaient le paysage. Il n'y avait ni véritable hiver, ni véritable été. Chaque herbe, chaque arbre avait un nom. Les hommes connaissaient les animaux sauvages comme ils se connaissaient entre eux. Tout avait un nom. Et quand ils sont partis, abandonnant tout, ils ont oublié les noms des arbres et des animaux. Dès lors, tout s'appela autrement. C'est pourquoi la langue magyare n'a pas de mot pour désigner le loup ou le cerf : au cours de nos migrations, des générations entières ont vécu dans des contrées d'où ces animaux étaient absents. Quand ils les ont retrouvés, ils ont nommé l'un *szarvas*, c'est-à-dire « pourvu de cornes », l'autre *farkas*, « pourvu d'une queue ».

– *Lupus* et *cornutus*, disent les Latins. Je croyais que ces animaux vivaient partout.

– Eh bien, non. Nos écritures le disent aussi. Ejnek pourrait t'apprendre bien des choses.

– Seulement il ne veut pas. Je lui ai demandé de me montrer les rouleaux, mais il a refusé.

– Parce que tu te refuses toi-même. Il n'a pas encore confiance en toi.

– Il ne veut pas m'appeler par mon nom !

– Il a dit que tu avais un nom. Ejnek n'est prêt à te reconnaître que sous un seul nom, mais seulement quand tu l'auras accepté. Jusque-là, tu es anonyme pour lui, comme les plantes et les animaux d'ici dont les noms ne disaient rien à nos pères. Ils n'avaient pas d'âme, on ne pouvait donc leur parler.

– Cela n'a pas beaucoup de sens. Je pense que dans votre pays ancestral, vous appeliez aussi l'orme un orme, non ?

– Ce n'est pas cela ! Ou plutôt si, mais c'est quand même autre chose. Tu dois saisir la différence. Mon enfant est un enfant, comme toute progéniture de parents est un enfant, chacun est un enfant tant qu'il n'est pas adulte, cependant chaque enfant a un nom que lui a donné son père. L'orme est un orme, c'est vrai, mais ces arbres-ci, ces prés-ci, ces eaux-ci ne sont pas les arbres, les prés, les eaux de là-bas. Il est écrit dans les rouleaux que pendant leurs longues années de migration, nos ancêtres ont sans cesse habité des terres nouvelles, ils y sont restés plus ou moins longtemps, mais jamais assez pour s'habituer aux nouveaux noms qu'ils donnaient aux bêtes et aux forêts. Quand ils les avaient assimilés, il leur fallait aller plus loin. Les écritures disent qu'au Pays d'Est, il y avait une forêt, la forêt de Bord, où chaque arbre avait un nom propre, par exemple le chêne Zernegye qui veillait à ce que les chasseurs rendissent l'hommage dû à l'âme des animaux qu'ils tuaient, et s'ils ne le faisaient pas, il se desséchait. Il y avait aussi le Lac de Glace où rôdait le Poisson Berger à moustaches, guettant les jeunes vierges qui s'aventuraient seules et s'asseyaient sur les pierres du rivage pour tremper imprudemment leurs jambes dans l'eau fraîche… Et les grandes rivières, le Baruk et la Trulla, où il y avait autant de poissons que d'abeilles dans une ruche…

– Ce sont des contes, mon ami, rien de plus que ceux des Saxons, à propos de leurs sombres forêts effrayantes.

– Quand bien même ? dit Keve en haussant les épaules. Les contes des Bavarois et des Saxons proviennent des forêts de Bavière et de Saxe. Mais nous avons perdu nos légendes lorsque Árpád a banni le peuple de Kurszán par-delà les Grandes Montagnes. C'étaient eux les gardiens de nos contes, de l'histoire de nos ancêtres, ils tenaient les écritures, l'homme du Dieu-Ancêtre était de leur clan, leurs conteurs allaient de tribu en tribu et racontaient notre passé auprès du feu. Il n'y a plus personne pour raconter. Ils ont emporté les écritures. Ejnek en a conservé certaines car lorsque le clan de Kurszán fut exilé vers l'est, il a mis quelques rouleaux en sécurité ici. Il est peut-être le seul qui sache encore déchiffrer ces runes. Tout notre passé disparaîtra avec lui. Ces légendes ne parlent pas des forêts d'ici, leurs racines ne s'enfoncent pas dans la terre d'ici, et quand leurs conteurs se mettaient à chanter, ce n'était pas la mélodie de ce lac. Nos cœurs saignent du regret de ce monde inaccessible que nous avons perdu à jamais. Nous avons laissé là-bas nos forêts, nos rivières, nos lacs, mais nos légendes nous ont suivis ici, nous les avons portées dans nos cœurs, sur notre dos comme nos tentes et nos demeures, et à présent, nous les avons perdues. Bon nombre d'entre nous pensent que nous devrions, quel qu'en soit le prix, retourner au lointain Pays d'Est.

– C'est aussi ton avis ?

– À présent, cela m'est égal. Je suis trop vieux pour rêver de l'impossible. Mais nous pourrions peut-être retrouver le clan de Kurszán avant que le Cheval blanc m'emporte.

Je lui demandai de quel cheval il parlait.

Il m'expliqua que selon leurs croyances, le Cheval blanc emporte les défunts vers les Champs d'Éternité, où le soleil ne se couche jamais. Lorsque quelqu'un meurt, la coutume veut qu'on ne l'enterre pas avant le coucher du soleil suivant, car c'est le temps qu'il faut à son âme pour se préparer au voyage. Et le défunt, tout au moins son âme, reste parmi les vivants pendant ce temps. Il ne sait pas tout de suite qu'il n'est plus au nombre des vivants, il lui faut du temps pour le comprendre. Quand un homme meurt, dit Keve, il voit apparaître un enfant aux yeux infiniment tristes, qui se plaint d'avoir perdu son chemin ; l'enfant dit qu'il n'est pas de ce village et demande qu'on l'aide à rentrer chez lui. Il y a une sombre forêt, dit-il au défunt, qu'il n'ose pas traverser seul, peut-il l'accompagner jusqu'à la maison de ses parents ? L'homme est ému, il a lui-même des enfants, il sait ce qu'il doit faire. Alors il selle son cheval, prend son arc et suit l'enfant. Quand ils entrent dans la forêt, le cheval avance encore un peu, mais le sous-bois devient si épais que les branches l'empêchent bientôt de passer. L'homme se demande s'il ne vaudrait pas mieux rebrousser chemin, mais l'enfant se retourne et voilà que ce n'est plus un enfant, mais une jeune fille, la première qui lui avait jadis promis son cœur. Les yeux baignés de larmes, elle lui demande de descendre à terre, de laisser son cheval et de la suivre à pied, car elle n'ose poursuivre seule son chemin. Le cœur de l'homme bat à se rompre, il était très amoureux dans sa jeunesse. Il abandonne alors son cheval et, l'arc en main, l'épée au côté, s'engage vaillamment sur les traces de la jeune fille. Mais la forêt est de plus en plus dense, les branches, les épines, les lianes s'accrochent sans cesse à la corde de son arc, et sa marche lui semble de plus en plus pénible. Il réfléchit de nouveau à ce qu'il convient de faire, quand la jeune fille se retourne. Ce n'est en fait plus une jeune fille, mais sa propre mère qui le regarde à présent d'un air suppliant et lui demande en pleurant de laisser là ses armes si elles l'empêchent d'avancer, et de la suivre, même désarmé, car elle a si peur dans cette forêt obscure qu'elle n'oserait pas continuer seule. Alors l'homme obéit, car les enfants doivent obéir à leurs parents, il dépose son arc et se fraie un chemin à mains nues dans l'épais taillis. Ils marchent, marchent tant qu'ils sortent enfin des bois et s'arrêtent au bord d'un champ immense. L'homme aperçoit alors un cheval blanc qui l'attend, portant l'Arc d'or sur son flanc. Et il n'y a plus ni enfant, ni jeune fille, ni mère. L'homme suspend l'Arc d'or à son épaule, enfourche le Cheval blanc et part vers l'est, là où le soleil ne se couche jamais.

Le jour où Keve m'a raconté cela, j'ai aussitôt eu envie de lui demander ce qui se passait quand une femme mourait, car une femme, n'est-ce pas, ne pouvait emporter ni arc ni épée pour ce voyage. Mais je n'ai pas osé lui poser la question.

Il arrivait que Keve disparaisse plusieurs jours. Je présumais qu'au titre de kegyour du seigneur Zelind, il avait des affaires à régler. Le kegyour devait maintenir les relations des clans entre eux, éventuellement rendre la justice, mener des pourparlers, permettre à des marchands étrangers de pénétrer sur le territoire du seigneur, ou les en chasser. Comme il me l'avait dit auparavant, il s'occupait de tout ce qui n'était pas du ressort du hadour, lequel avait pour mission de maintenir l'armée en état et de surveiller les frontières. Les rares fois où je pressai Keve de questions sur ma propre mission, à savoir le message du pape, sa réponse fut invariablement qu'il fallait attendre. Je bougonnais tout seul, ce qui me faisait du bien, mais cela finit par m'ennuyer. J'attendais, comme il me l'avait demandé. Parfois, quand j'étais seul, j'allais flâner du côté de Zaak, je le regardais tailler les flèches, les polir et y ajuster diverses pointes de fer.

Un matin, Zaak m'accueillit par ces mots :

– T'as pas de bourse, Csaba-ur.

– De bourse ?

Il montra celle qu'il portait à la ceinture. J'en avais vu chez les Türks, Keve en portait une, ainsi que les cavaliers avec lesquels j'étais venu, c'était une sorte de petite poche en toile, pas plus grosse que le poing, et le devant, qui pouvait se relever, était renforcé d'une plaque de cuivre ou parfois d'argent, ornée de motifs de fleurs. Zaak dit qu'en voyage, les Türks y serraient leur pierre à briquet, leur maigre fortune, des sachets de poudres à guérir et toutes sortes de menues choses.

– Un homme doit porter une escarcelle, pas comme les fumelles. Je t'en ai fait une, tiens !

Elle était décorée de brillants motifs en cuivre. Il m'aida à l'attacher à ma ceinture et je la portai désormais.

Zaak était aussi peu loquace que possible. Nous restions assis côte à côte des heures durant, sans que l'un de nous dise un seul mot. Un jour, lassé de ce silence, je lui demandai pourquoi certains Magyars portaient les cheveux tressés et d'autres non, comme lui.

– C'est-y donc des choses comme ça qui te tarabustent, Csaba-ur ?

Même avec peu de mots, il visait juste.

– Des choses comme ça, mon ami. Et je ne suis pas Csaba-ur.

– Bon. Pour que tu dormes tranquille, je vas te le dire.

Il m'expliqua que ceux qui accomplissaient un service d'ost portaient trois tresses. Mais seulement pendant la durée de leur service. Ceux dont l'activité n'était pas militaire ou qui n'avaient jamais combattu n'avaient pas le droit de se tresser les cheveux. On pouvait ainsi savoir qui jouissait ou non du droit de guerre. Celui qui était en service, où qu'il se trouve en terre türke, si sa mission le conduisait loin du campement de son hadour, on lui devait le gîte et le couvert. Il pouvait ainsi manger et se reposer avant de poursuivre son chemin.

– Et toi, tu n'as jamais accompli l'ost ?

– Jamais. J'étais le cadet, bureux. Mais mon frère aîné Terjék, il y est encore. Dans les archers du prince Taksony.

– Il est au service du prince ?

– C'est ce que je dis. À cinquante pas, il crève l'œil gauche d'une chouette.

– Le gauche ?

– Si c'est celui qu'il a choisi.

Un jour, il me tendit un arc neuf, non tendu.

– Un grand bonhomme comme toi doit pouvoir l'encorder sans peine !

Il plissa les yeux d'un air malicieux.

– Pourquoi pas ? dis-je en prenant l'arc.

Il était lourd, légèrement recourbé aux extrémités, tenait bien dans la paume. Je l'appuyai sur le sol, le courbai davantage et fixai la fine lanière à la pointe supérieure. Mais j'eus beau le retourner en tous sens, quelque chose faisait qu'il ne ressemblait pas vraiment à un arc türk. Zaak se mit à rire.

– Pas comme ça, Csaba-ur ! Pas dans le sens de la courbure, même un enfant l'aurait su ! Dans le sens contraire ! Ça, un arc !

Je le regardai avec étonnement puis, décrochant la corde, je fis une nouvelle tentative. Dans le sens contraire de la courbure. Je transpirais à grosses gouttes mais ne parvins pas à ployer l'arc. Il semblait être en fer. Les plaques de corne qui le renforçaient ne voulaient pas céder, et il m'échappait continuellement des mains.

Zaak ne cessait pas de rire. Enfin, lassé de mes efforts, il me reprit l'arc.

– Comme ça, regarde !

Il s'assit dans l'herbe, cala la pointe inférieure de l'arc contre sa cuisse puis, pesant de tout son poids sur la pointe supérieure, il le fit ployer dans le sens voulu et accrocha la lanière en un tournemain. À présent, l'arc avait vraiment l'air d'un arc türk, en forme de B sans dos, et il était si tendu que la corde semblait près de se rompre. Zaak me tendit une flèche en disant que je devais être le premier à essayer l'arme. Il me montra où placer l'extrémité munie de plumes et comment maintenir la flèche en la serrant dans mon poing contre l'arc. Et je ne devais pas pincer l'empennage mais accrocher les doigts sur la lanière. Quand je bandai l'arc neuf, il fit entendre des craquements, des grincements. La flèche s'élança vers le haut, je ne vis pas où elle allait.

– C'est un bon arc, opina Zaak. Il a du corps.

Un après-midi, les gamins que j'avais rencontrés au bord du lac vinrent me voir. Assis sous l'appentis de Zaak, je les vis approcher puis s'arrêter à la hauteur de la maison voisine, comme s'ils hésitaient à venir jusqu'à moi. Ils se concertèrent quelques instants, puis se décidèrent enfin. Le plus grand déclara qu'ils voulaient m'emmener le lendemain à la chasse aux canards dans la roselière.

Ils vinrent me chercher à l'aube, puis nous partîmes vers le lac. Les trois plus grands portaient un arc et un carquois empli de flèches de diverses longueurs. Ils étaient aussi accompagnés de deux chiens dont les aboiements avaient sans doute réveillé tout le village. Quand nous fûmes tout près des roseaux, les canards, qui nous avaient vus arriver, s'envolèrent tous à tire-d'aile.

– Eh bien, ceux-là, nous n'en ferons pas notre rôti, dis-je aux garçons.

Mais l'un d'eux s'écria :

– Un aigle pour eux !

Alors un autre sortit de son carquois une flèche dont l'extrémité n'était pas munie d'une pointe, mais d'un cône de bois gros comme le pouce. Il la lança prestement et elle s'envola en tournoyant avec un sifflement qui imitait le cri d'un aigle courroucé. Les canards, sentant le danger, revinrent se réfugier dans les roseaux, mais les garçons, mettant un genou en terre, bandèrent leurs arcs à l'horizontale et, quand les canards se posaient sur l'eau, ils étaient aussitôt abattus par les flèches dont la pointe en fer était en forme de deux V. Pendant ce temps, le troisième gamin continuait de lancer des flèches sifflantes pour empêcher les canards de sortir de la roselière. Les autres avaient attaché une longue lanière à l'empennage de leurs flèches en V, afin de les récupérer. Ils les relancèrent une douzaine de fois. Les cris d'effroi et de douleur qui retentissaient derrière les roseaux indiquaient qu'elles avaient atteint leur but. Lorsque les garçons eurent mal aux bras à force de bander leurs arcs, ils firent signe aux plus jeunes de lâcher les chiens qu'ils retenaient à l'arrière. Les molosses se jetèrent à l'eau avec des aboiements furieux et nagèrent vers les roseaux. Rivalisant de zèle, ils firent deux ou trois allers et retours et rapportèrent cinq canards blessés. Une belle prise, la chasse avait à peine duré un quart d'heure. Les autres oiseaux s'étaient enfuis, car au bout d'un moment la flèche sifflante avait cessé de les effaroucher. Les garçons m'expliquèrent qu'on ne pouvait pas jouer à cela tous les jours, les canards n'étaient pas si bêtes !

Les oiseaux aux plumes bigarrées gisaient à nos pieds.

– Il y en a un pour toi, Csaba-ur, dit généreusement le plus grand, dénommé Zour.

– Je m'appelle Stephanus. Et le canard, je vous le donne, je ne sais pas quoi en faire.

– Chete le saura, elle.

– Tu crois qu'elle en voudra ?

– Du canard ? Pourquoi pas ? Zaak fabrique des flèches, mais il ne va pas à la chasse.

Ils restèrent silencieux un moment, puis Zour demanda :

– C'est vrai que tu es le kündü, Csaba-ur ?

– Qui t'a dit cela ?

– Tout le monde le dit.
– Je ne suis ni kündü, ni künde, ni Csaba-ur.
– Alors t'es rien ?
– Si, je suis Stephanus. Je vous l'ai déjà dit. Vous savez bien, le bureux.
Un autre prit la parole :
– C'est Ejnek qui sait.
– Il sait quoi ?
– Qui tu es.
– Comment Ejnek saurait-il mieux que moi qui je suis ?
– Ejnek sait tout.
– Il ne peut pas tout savoir.
– Tu sais que le kündü fait de la magie ?
– Vous le voyez bien : je ne fais pas de magie, donc je ne suis pas le künde.
– D'après Ejnek, tu peux aussi faire de la magie.
Sur le chemin du retour, des petits me dépassèrent en courant et se retournèrent pour me taquiner en criant :
– Kelendikünde-kelendikünde !…
J'eus l'impression qu'on me prenait pour l'idiot du village. De retour, je remis le canard, ma part du butin, à Chete.
– Que dois-je en faire ? demanda-t-elle en souriant.
– Le repas.
– Si tu m'aides…
Elle ébouillanta l'oiseau puis me le donna à plumer. Alors moi, l'émissaire du pape, je m'assis sur une bûche et entrepris d'arracher les plumes du canard, tout en réfléchissant à ma situation. J'en vins à la conclusion que cela n'allait pas. On me prenait pour celui que je n'étais pas, sans le moindre égard

pour celui que j'étais. Alors, sans même en finir avec le canard, je courus à la recherche d'Ejnek.

L'enclos des chevaux se trouvait au bout du village. Si tous les villageois n'en possédaient pas, il y avait quand même des éleveurs de chevaux, ainsi qu'un homme préposé à leur entretien, une sorte de chef d'écurie, bien que leur vie durant, les chevaux türks ne vissent jamais d'écurie. Ils mangeaient et dormaient en plein air, tout au plus étaient-ils parfois abrités l'hiver sous un appentis. Mais la coutume voulait qu'un homme soit enterré avec son cheval, aussi chaque famille en faisait-elle élever au moins un, au cas où… Je trouvai Ejnek près de l'enclos.

– Regarde, Csaba-ur ! dit-il en montrant les chevaux. Tu vois le gris qui gambade là-bas ? Quand je mourrai, il m'accompagnera dans la forêt aux épais sous-bois…

– Il est très beau, répondis-je d'un ton aigre. Mais si tu le permets, je voudrais te demander quelque chose : pourquoi veux-tu faire croire à tout le monde que je suis votre Csaba-ur, künde, kündü ou je ne sais quoi, et que je sais faire de la magie ? Même les enfants m'en ont parlé…

– Le künde possède des pouvoirs magiques, chacun sait cela. Il voit l'avenir.

– Alors pourquoi n'a-t-il pas vu jadis que les Bavarois allaient l'assassiner ?

– Nul ne peut prévoir sa propre mort, pas même le künde.

– C'est bien trouvé.

– C'est comme tu le dis, Csaba-ur. Car le künde n'est pas un homme de pouvoir. Être künde est son état, il est le vase qui recueille le souffle du Dieu-Ancêtre.

– Moi je suis un serviteur de Jésus-Christ, pas une espèce de pot !

– Et si tu étais les deux ?

– Mais qu'est-ce que ça veut dire, à la fin ? Jusque-là, tu ne voulais me donner aucun nom, à présent les deux sont bons pour toi !

– Parce que je me suis rendu compte de quelque chose.

– Tiens donc !

– Je ne peux pas te dire que tu n'es pas un bureux dénommé Stephanus, alors que tu l'as été de longues années, n'est-ce pas ?

– Il me semble !

– Tu es aussi Stephanus le bureux, parce que tu as été obligé de vivre en tant que tel bien des matins, bien des nuits. Tu t'es imprégné de la personne de Stephanus, parce qu'il te fallait vivre jusqu'au jour où tu pourrais redevenir celui que tu es, celui que tu étais avant de devenir bureux, comme le crapaud qui dort dans son trou des années durant, tant qu'il ne reçoit pas de pluie…

– Attends, cela devient compliqué. De quel crapaud ?…

– Ce n'est pas important. Écoute ce que je te dis : ce dont je me suis rendu compte, c'est précisément ce qu'il y a de miraculeux en toi, tu es à la fois bureux et künde. Notre malheur, celui des Magyars, est que depuis des temps immémoriaux, nous ne connaissons que nous-mêmes, notre passé, nous pleurons une époque oubliée. Et voilà que tu es venu, tu connais la langue et l'âme de l'Occident, mais ton cœur est magyar, tu portes l'insigne de künde, tu es habité par l'esprit divin, tu détiens le pouvoir magique d'élever l'âme des hommes, tu leur ouvres d'autres mondes… Tu connais les livres des clercs, tu sais lire dans leurs âmes, à présent tu dois apprendre à lire les runes afin que l'ordre revienne dans ton cœur. Je me trompais en croyant devoir choisir entre Stephanus et Csaba-ur. Mais qu'y puis-je, je suis vieux, mon esprit n'est plus aussi vif. Il ne faut pas choisir. Tu es les deux. Nul ne peut, sur un ordre, devenir autre que ce qu'il est. Tout au plus peut-il être celui-ci et celui-là. Et les deux, c'est toujours plus qu'un seul.

Notre frère Stephanus, parti en terre türke avec la noble mission d'initier les incroyants à la sainte parole de l'Évangile, fut traité par eux de manière inhumaine. Il dut vivre parmi les porcs, manger avec ces bêtes et dormir dans leurs excréments. Stephanus de Pannonie supporta tous ces tourments avec dignité, car il croyait qu'en les lui infligeant, le Seigneur voulait le mettre à l'épreuve, et à moins d'être dévoré par une baleine comme l'indocile Jonas, il ne pouvait se soustraire à la volonté divine. Stephanus supporta son sort, il se leva avec les porcs, se coucha avec les porcs, mangea leur pâtée, et il pria beaucoup. Il observa en même temps la vie des païens, lesquels habitaient sous la terre, à la manière des taupes. Ils croyaient en un dieu qui montait à cheval. Mais il se peut aussi que leur dieu fût le cheval, car ils ornaient leurs montures de grandes quantités d'or, d'argent, de pierres précieuses, en puisant dans les trésors sacrés qu'ils avaient criminellement dérobés dans nos églises. S'il leur prenait envie de se distraire, les païens attachaient Stephanus sur le dos d'un cheval qu'ils faisaient courir sans pitié, puis se gaussaient à grands rires impies des tourments qu'endurait notre pauvre frère sur le cheval au galop. Ils avaient aussi un prêtre qu'ils appelaient taltouch, celui-ci s'enivrait parfois, si bien qu'il avait toutes sortes de visions par lesquelles il effrayait le peuple barbare et mécréant. Un jour qu'ils avaient mené frère Stephanus avec les porcs au pâturage, le taltouch vint le voir et lui dit qu'il allait lui prouver que sa divinité païenne était plus puissante que Notre-Seigneur Jésus-Christ...

… as-tu remarqué, Alberich, comme le printemps était timide cette année ? Bien sûr, tu l'as remarqué, je pose des questions stupides, dans ma solitude, je m'imagine parfois que la nature ne joue que pour moi. Il fait froid, il gèle la nuit, mais en regardant bien, tu peux voir que les taches de neige sont de plus en plus vitreuses, poreuses, l'hiver perd de sa vigueur. À cette époque les cavaliers türks quittent leurs quartiers d'hiver et vont dresser leurs tentes sur les pâturages d'été. Merci pour le bois que tu as apporté. Eh bien, puisque tu l'as apporté, tu peux aussi allumer le feu. Passe-moi l'outre. Ce vin nouveau ne vaut pas grand-chose, mais faute de mieux… Es-tu assez prudent ? Personne au monastère n'a remarqué que tu venais souvent par ici ? Ah oui, j'ai une dent qui me fait mal, une du fond. Tu pourrais faire encore quelque chose pour moi, puisque tu viens me voir, autant en profiter. Va trouver le frère herboriste, et dis-lui que tu as mal aux dents, mais ne te laisse pas avoir avec une de ses médiocres potions, dis-lui que je t'ai parlé jadis de la décoction d'anis comme d'un excellent remède contre ce mal, et demande-lui-en. Tu me l'apporteras. Qui est l'herboriste ? C'est toujours Septimus ? Bien, il saura. Je connais moi-même bien des plantes, mais toutes ne poussent pas dans cette forêt.

Oui, je sais, tu voudrais savoir ce qui s'est passé chez le seigneur Zelind. Tu te souviens que Keve disparaissait régulièrement du village, parfois pour plusieurs jours ; or, à chacun de ses retours, il se montrait toujours plus secret, plus mystérieux, cela m'avait frappé. Si je lui demandais ce qu'il en était de ma mission, il répondait évasivement. Mais par la suite je compris qu'il lui était impossible de parler de la conspiration qui se tramait à mon insu, et à l'évidence, à mesure qu'elle évoluait et approchait de son dénouement, chaque étape était plus incertaine et risquée que la précédente. Ejnek lui-même n'était pas au fait de tous les détails, pourtant il connaissait ce projet et je mettrais la main au feu qu'il en était, peut-être même lui seul, à l'origine. Mais à ce moment-là, il n'en montrait rien. Il s'employait ostensiblement à m'initier aux secrets de leur écriture. Je passais des journées entières dans la pénombre enfumée de sa maison où, tout en buvant du koumis, il m'aidait avec un zèle infatigable à déchiffrer ces signes en forme d'arêtes qui m'étaient inconnus. Ce n'était pas chose facile, ces textes rédigés au cours de plusieurs siècles étaient de forme disparate, les règles avaient changé au fil du temps. Par exemple les voyelles, qui ne figuraient pas dans les plus anciens, avaient peu à peu été introduites dans les suivants. De plus, ces écrits se lisaient de droite à gauche. Je l'avoue franchement, je me trouvais trop vieux pour apprendre une nouvelle écriture, ma vue se fatiguait vite, au bout de quelques lignes les signes tracés sur la peau jaunie se confondaient en taches noires devant mes yeux. C'est pourquoi je finis par demander à Ejnek de me raconter ce que contenaient les rouleaux. Il me répondit qu'il serait insensé de raconter l'histoire de tant de siècles, mais puisque Csaba-ur devait savoir où remontaient ses racines, il allait me révéler ce qui était indispensable.

Il commença au tout début. Un jour, le Dieu-Ancêtre partit à la chasse sur son char de feu, le Soleil, tiré dans le ciel par douze Chevaux blancs. Il avait parcouru la moitié de la Prairie céleste quand, baissant le regard, il vit la Terre déserte, où il n'y avait pas encore d'hommes. Les forêts abritaient des ours, des cerfs, les eaux étaient peuplées de poissons, afin que le Dieu-Ancêtre prît plaisir à les chasser. Donc le Dieu-Ancêtre regarda la Terre et vit une biche à la patte brisée, gisant au bord du torrent. Les loups attirés par l'odeur du sang l'encerclaient déjà. Le Dieu-Ancêtre eut pitié de la biche, il arrêta son char dans le Ciel et descendit sur Terre. D'un éclair grondant, il dispersa les loups, puis il guérit la patte de la biche à la chaleur de son feu et la laissa repartir dans la forêt. Alors le Dieu-Ancêtre pensa que cela n'était pas bon, il ne pouvait veiller seul sur tous les animaux, et décida de créer un serviteur qui veillerait à la sécurité de toutes les bêtes de la Terre. Sitôt dit, sitôt fait, il prit de la boue du ruisseau et en fit de la chair, façonna des os avec les cailloux de la rive, et créa l'homme. Et puisqu'il n'y avait pas encore eu d'homme, il n'y avait pas de nom pour lui, alors le Dieu-Ancêtre l'appela Ágos, d'après la fière parure du cerf, et lui dit : Voici le monde, je te le confie, veille sur mes animaux et sur mes prairies. Tu peux prendre ce dont tu as besoin, mais pas plus qu'il ne t'est nécessaire. Le Dieu-Ancêtre détela un des douze Chevaux blancs de son char de feu et l'apporta à l'homme sur la Terre, en disant : Voici ton cheval, afin que sur la terre tu sois plus rapide que le vent, et que dans le ciel, tu voles plus haut que le faucon. Puis il lui donna aussi l'Arc d'or afin qu'il protège les animaux qu'il lui avait confiés. Enfin le Dieu-Ancêtre planta un grand arbre qui touchait le ciel, et le nomma Arbre-qui-touche-le-ciel, et il dit à l'homme : Voici l'Arbre-qui-touche-le-ciel, il relie l'homme au Dieu-Ancêtre. S'il te faut quelque chose, grimpe jusqu'au sommet et tu trouveras dans le ciel ce dont tu as besoin. L'homme en fut heureux, il mit l'Arc d'or à son épaule, enfourcha le Cheval blanc et, plus rapide que le vent, il s'éleva plus haut que le faucon. Mais il finit par s'ennuyer, il se sentait seul. Il grimpa en haut de l'Arbre-qui-touche-le-ciel et dit au Dieu-Ancêtre : Je suis seul, je n'ai personne à qui parler, personne auprès de qui pleurer si j'ai de la peine, personne avec qui rire quand mon âme est emplie de joie. Donne-moi quelqu'un avec qui je partagerai mes jours. Le Dieu-Ancêtre eut pitié de l'homme, qui l'avait toujours bien servi, et il pensa que le cerf avait une compagne, et que les colombes bâtissaient leur nid à deux. Alors avec la boue et les cailloux du torrent, le Dieu-Ancêtre fit une autre créature humaine, qu'il appela Shuta, comme la biche, mais comme il n'y avait plus assez de pierres, celle-ci était plus petite et plus fragile. Voici ta compagne, dit-il à l'homme en donnant vie à la femme, mais elle est plus faible que toi, ses os sont plus fragiles, alors tu devras aussi veiller sur elle. La femme plut à l'homme, il l'emmena avec lui, et il dormit avec elle. Alors les hommes se multiplièrent sur la

Terre, habitèrent les prairies, les forêts. Puis les fils se mirent à envier Ágos, leur père, pour le Cheval blanc qui le rendait plus véloce qu'eux tous et l'emportait loin au-dessus d'eux dans le ciel. Ils l'envièrent pour l'Arc d'or grâce auquel toutes ses flèches atteignaient leur but. Ils lui dirent : Donne-nous aussi un cheval, afin que nous n'allions plus à dos d'âne, fais-nous un arc avec lequel nous serons aussi adroits que toi ! Ágos supporta leurs récriminations, puis, quand il en eut assez de les entendre se plaindre, il grimpa à l'Arbre-qui-touche-le-ciel et exposa au Dieu-Ancêtre ce que lui demandaient ses fils. Ne les écoute pas, dit le Dieu-Ancêtre, il n'y a pas autant de Chevaux blancs que d'hommes sur la Terre, et l'Arc d'or est unique. L'âne est assez bon pour tes fils, et la houe leur suffit pour travailler la terre. Le temps passa, mais les fils réclamèrent encore, ils ne voulaient plus labourer jusqu'à la fin des temps, ils réclamaient un arc pour aller chasser dans la forêt. Voyant quels soucis accablaient son époux, Shuta lui dit : Vois cette ânesse, c'est une bête de peu, accouple-la au Cheval blanc et ce qu'ils engendreront, donne-le à tes fils. Et va abattre un arbre, fais-en un arc semblable à l'Arc d'or, afin que tes enfants puissent eux aussi chasser et vivre d'autre chose que de racines et de fruits. Ágos obéit à sa femme, il mena l'ânesse au Cheval blanc, et ainsi naquit la monture qu'il donna à ses fils. Si elle ne volait pas dans le ciel, elle était cependant plus véloce que l'âne. Et, observant la forme de l'Arc d'or, il en fit un semblable en bois, et le donna à ses enfants. Cet arc n'était certes pas aussi précis que l'Arc d'or, il se déformait sous la pluie, mais ses fils purent abattre un cerf à la course rapide et se régalèrent de sa chair savoureuse. Cependant, le Dieu-Ancêtre vit ce qu'Ágos avait fait avec le Cheval blanc et l'Arc d'or. Il se mit en colère, descendit des Prairies célestes et à Ágos, qu'il avait pétri avec de la boue et des pierres, il dit : Ce que je t'ai donné ne te suffisait pas, tu as créé un cheval qui ne peut pas voler dans le ciel comme le Cheval blanc, et tu as fabriqué pour tes enfants une vile copie de l'Arc d'or. Alors je te reprends le Cheval blanc, je te reprends l'Arc d'or, contente-toi de ce que tu as fabriqué. Tu ne pourras plus monter au ciel sur ton cheval, désormais le faucon chassera toujours plus haut que toi, ton arc de bois se détendra sous la pluie, il perdra sa force contre le vent. Voilà quel sera ton sort tant que tu vivras sur Terre. Mais lorsque ton temps sera fini en ce monde, après ta mort j'enverrai le Cheval blanc te chercher avec l'Arc d'or, pour te rappeler combien ta vie était plus belle auparavant.

Selon Ejnek, c'est ainsi que l'homme avait été créé, alors je lui racontai ce qu'il en était dans les Saintes Écritures. C'est presque la même chose, dit-il, mais quand je lui parlai du déluge, il dit que je me trompais, cela ne s'était pas passé ainsi. Au dernier moment, le Dieu-Ancêtre avait fait grâce à l'humanité. Comment le Dieu-Ancêtre aurait-il pu être assez fou pour détruire ce qu'il avait créé ? Car au fil du temps, les hommes s'étaient véritablement multipliés sur la Terre, si bien qu'il y avait à peine assez de place pour tous et qu'ils étaient constamment divisés par des querelles. Ils guerroyaient sans cesse, et celui qui le pouvait s'emparait des biens des autres, afin d'en avoir toujours plus. Telle qu'Ejnek me l'a racontée, cette histoire était un peu confuse, ou je ne m'en souviens plus très bien, mais je m'efforce de t'en restituer l'essentiel. Parmi les descendants d'Ágos il y avait un homme appelé Ugek, et cet Ugek avait conquis plus de puissance que tous les autres. Il régnait sur les hommes, mais ne pouvait maintenir son pouvoir que par des guerres incessantes, ce dont le peuple souffrait fort car les gens se battaient constamment et mouraient, soit au combat, soit de faim. Le seul qui eut le courage de lui résister était un chef de tribu nommé Kündü, qui, voyant les souffrances du peuple, s'opposa à son souverain. Mais il tenta en vain de le convaincre par de sages conseils, la cupidité, la malignité d'Ugek ne connaissaient pas de limites. Alors Kündü monta en haut de l'Arbre-qui-touche-le-ciel et se plaignit au Dieu-Ancêtre du sort misérable que subissaient les hommes sur Terre. Je ne me mêle pas des affaires des hommes, lui répondit le Dieu-Ancêtre, ils ont voulu le cheval et l'arc, qu'ils en assument les conséquences ! Kündü fut attristé de ce que même le Dieu-Ancêtre ne veuille pas venir en aide aux hommes. Il revint parmi les siens, mais comme il avait le cœur vaillant, il continua de se battre et exhorta le peuple à se révolter contre la tyrannie. Voyant quel adversaire implacable se dressait contre lui, et redoutant une révolte, Ugek s'empara de Kündü, le fit enchaîner et jeter aux oubliettes. À cette époque, les gens se souvenaient encore de l'histoire de leurs aïeux, aussi Ugek savait-il qu'Ágos, son ancêtre, était très proche du Dieu-Ancêtre, il connaissait l'histoire du Cheval blanc qui emportait son cavalier dans le ciel, et de l'Arc d'or qui ne manquait jamais sa cible. Et son cœur saignait lorsqu'il pensait combien il pourrait accroître sa puissance s'il avait un tel Cheval blanc pour monture et s'il allait au combat l'Arc d'or à la main. Alors Ugek décida de monter une nuit en secret à l'Arbre-qui-touche-le-ciel et de dérober au Dieu-Ancêtre le Cheval blanc et l'Arc d'or. C'est ce qu'il fit, par une nuit sans lune, il monta au ciel en grimpant à l'arbre et vola l'un des Chevaux blancs dans la Prairie céleste où ils se reposaient. Il prit l'Arc d'or sur le char de feu, enfourcha le cheval et redescendit sur la Terre. Désormais il fut invincible, le Cheval blanc l'emportait à toute vitesse au-dessus des armées, et il décochait avec l'Arc d'or des flèches qui ne manquaient jamais leur cible. Mais le Dieu-Ancêtre vit cela, et ressentit devant la vilenie humaine une peine et une fureur dont il ne sut dire laquelle était la plus forte. Il arrêta son char de feu dans le ciel au-dessus de la bataille et, décochant ses éclairs, anéantit Ugek et ses troupes. Puis dans son terrible courroux, il saisit l'Arbre-qui-touche-le-ciel et l'arracha de la Terre avec ses racines. Ensuite il descendit parmi les hommes terrifiés et leur dit : En raison de votre félonie sans bornes, je me détourne dorénavant de vous. C'est en vain que vous me chercherez, il n'y a plus d'Arbre-qui-touche-le-ciel pour vous mener à moi ! Un seul d'entre vous est pur, son nom est Kündü, et s'il me vient l'envie de m'adresser à vous, c'est par lui que je vous parlerai. Choisissez-vous un chef qui puisse rétablir l'ordre parmi vous, et en qui vous pourrez avoir confiance, car désormais vous ne pourrez poser les yeux sur Kündü, vous ne pourrez le toucher de vos mains, vos âmes sont trop perfides, vous pourriez lui faire du mal. À présent, c'est moi qui veillerai sur lui. Ou bien vous faites ce qu'il dit, ou bien je vous anéantirai jusqu'au dernier, comme j'ai anéanti Ugek. Alors le Dieu-Ancêtre délivra Kündü puis regagna la Prairie céleste, et jamais plus ne redescendit parmi les hommes. En signe de leur alliance, il avait remis à Kündü un médaillon représentant Togrul, le faucon chasseur, signifiant que seul Kündü était capable de s'élever en esprit aussi haut que le faucon s'élevait dans le ciel. Quant aux hommes, ils élirent pour chef un homme intègre qui s'appelait Gyula, et celui-ci guida le peuple avec sagesse, demandant l'avis de Kündü avant de prendre toute décision importante. Depuis ce temps, les Magyars ont deux souverains, le gyula, qui veille à ce que l'ordre règne parmi les hommes, et le künde, qui rend la justice et est placé sous la protection du Dieu-Ancêtre.

Ejnek m'apprit qu'autrefois les Magyars consignaient leur histoire sur des tablettes d'argile, mais lorsqu'ils durent quitter leur terre natale, ne pouvant emporter toutes ces tablettes qui étaient fort lourdes, ils transcrivirent tout sur des peaux de chien. C'est le clan de Kurszán qui fit tout cela, il était chargé de noter tous les événements importants, afin de les conserver pour la postérité. Et tout s'arrêta lorsque le clan du künde fut banni. Les histoires se perdront, dit tristement Ejnek, car hormis le peuple du künde, nul ne s'en souvient.

C'est à cette époque que je commençai à me douter que quelque chose se préparait à mon sujet. Jusque-là, mes yeux étaient comme fermés, la découverte du monde türk que je ne connaissais pas m'empêchait de voir ce qui couvait par-delà le visible. Pourtant j'aurais dû m'en rendre compte. Au moins lorsque des étrangers firent de plus en plus souvent apparition au village. Des seigneurs richement vêtus avec leur escorte, ou des émissaires seuls surgissaient au grand galop, sautaient de leur selle avant que leur monture se fût immobilisée, et repartaient peu de temps après. Le village commençait à s'animer.

Puis un matin d'octobre, alors que les abords du lac étaient couverts de gelée blanche, Keve revint au village en annonçant que nous partirions le lendemain matin pour le campement du seigneur Zelind. Je voulus savoir pourquoi il avait fallu attendre si longtemps, et ce qui s'était passé pour que le temps soit venu de partir, mais tout ce qu'il me révéla d'un air mystérieux, c'est que le terrain était préparé.

– Ils savent que tu viens, dit-il, et à présent nous savons aussi où nous allons.

Nous attendîmes que les premiers rayons du soleil déchirent la voûte encore obscure. Mais avant notre départ, Ejnek vint me remettre le médaillon de Togrul qu'il avait attaché à une lanière de cuir.

– Porte-le sous ta pelisse. S'il le faut, il montrera que tu es Csaba-ur.

J'avais déjà renoncé depuis longtemps à discuter avec lui de la qualité de Csaba-ur. Chete et Zaak me munirent de provisions, une galette de pain, de la viande salée, mais, comme ils dirent, le soir même je souperais à table.

– À ce qu'on dit, Zelind-ur aime faire les choses en grand, observa Zaak, mais ne te laisse pas aveugler et observe ce que fait Keve, Csaba-ur !

Une fois en selle, je les remerciai pour l'hospitalité qu'ils m'avaient offerte ces dernières semaines.

– On l'a fait pour nous aussi, répondit Zaak qui avait son franc-parler.

Nous partîmes, Keve et moi, en compagnie de six archers türks aux cheveux tressés qui étaient venus avec lui la veille. Nous portions d'épaisses pelisses qui ne laissaient pas passer le froid, et on m'avait en plus coiffé d'un bonnet de fourrure. Nous prîmes la direction du sud-est, par où, je m'en souvenais, nous étions venus. Pas de grand galop cette fois, nous étions dans les temps, ainsi que le dit Keve, et avancions à un trot confortable. Nous avons même pu contourner les passages marécageux où nous avions dû forcer nos chevaux en venant. Je m'étais accoutumé au silence qu'observaient les Türks en chevauchant, aussi suivis-je leur exemple en laissant errer mes pensées : viendrait-il enfin, le jour où je pourrais de nouveau prendre du repos dans ma cellule du monastère ? Je pensais aux vendanges qui devaient être passées depuis longtemps, à la dégustation du moût dans le cellier… et à d'autres choses encore. Je me ressaisis en sentant venir le mal du pays.

Vers midi, nous fîmes une courte halte pour prendre un repas froid arrosé de quelques gorgées de vin, puis nous reprîmes notre chemin.

En fin d'après-midi, nous arrivâmes au bord du large fleuve appelé Danube. Le passage était tenu par des Maures à qui nous dûmes payer le droit d'utiliser le bac. Ils connaissaient Keve, car dès qu'ils l'aperçurent, ils le saluèrent avec force courbettes, leurs visages barbus fendus d'un sourire serviable. Keve leur jeta quelques sols en grinçant des dents. Un ordre fut lancé, les robustes Slaves blonds qui manœuvraient le bac empoignèrent les cordages et nous halèrent jusqu'à l'autre rive. Nous n'eûmes même pas à descendre de cheval.

Une fois de l'autre côté, je racontai à Keve que j'avais moi aussi dû m'acquitter du péage lors de mon arrivée, mais cela ne l'émut pas.

– Être obligé de payer des étrangers pour traverser une rivière dans mon propre pays ! dit-il d'un air furieux en regardant au loin. (La peau se tendit sur les os de son visage.) Mais tu verras, Csaba-ur, cela va changer, nous ferons ce qu'il faut.

Je le regardai sans comprendre.

Nous repartîmes à une allure un peu plus soutenue, et avant que le soleil ne dore l'horizon au couchant, le campement du seigneur Zelind apparut derrière une colline aux pentes douces.

Comme tu dois le savoir par nos chroniques, les frontières septentrionales du grand empire romain s'étendaient dans cette partie de la Pannonie. Il est vrai qu'elles changeaient constamment, selon que les peuples barbares du Nord ou les légions romaines en étaient maîtres, mais dès que l'Empire avait consolidé son pouvoir sur un territoire, il édifiait des fortifications, des remparts, des tours de guet. Ces ouvrages – notamment grâce à notre glorieux Charlemagne – ont été conservés en bon état jusqu'à nos jours, et les chefs türks établissaient leurs campements avec prédilection dans ces forts romains. Ils faisaient même venir des bâtisseurs de Byzance pour les agrandir et les renforcer. Mais où que leur destin les conduise, les Grecs restent obstinément des Grecs, ils ne savent bâtir qu'avec un œil grec, c'est pourquoi aux édifices massifs et aux remparts abrupts des constructions romaines, ils avaient ajouté des tours moins austères, parfois tarabiscotées, et des murailles à la couronne dentelée qui offraient un singulier spectacle à qui venait de l'étranger. Ai-je besoin de dire que cette confusion de styles ne gênait nullement les Magyars ? Étant un peuple cavalier – le seigneur Zelind recrutait ses guerriers surtout dans les tribus d'éleveurs de chevaux –, les édifices en pierre ne leur servaient qu'à se protéger du froid et de la neige, eux et leurs chevaux, mais du printemps à l'automne, tant que la saison le permettait, ils vivaient dans leurs tentes de feutre à toit plat. Rien d'étonnant à ce que je fusse stupéfait en voyant apparaître une curieuse forteresse, posée comme une couronne sur la tête du roi des fous au sommet d'une autre colline, au pied de laquelle des centaines de tentes rondes étaient dressées sur la prairie.

Comme nous approchions du campement, Keve vint vers moi et arrêta mon cheval.

– Fais bien attention à ce que je te dis : quand nous serons au fort, prends une heure de repos. Ensuite nous souperons ensemble à la table de Zelind-ur. Quoi qu'il se passe, garde ton calme, tu n'as rien à craindre.

Et il repartit en direction de la citadelle avant que j'eusse pu lui poser la moindre question. À présent, j'étais mort de peur. Nous traversâmes le village de tentes où des hommes et des femmes nous firent une haie improvisée. Un silence impressionnant nous accueillit, sur notre passage les conversations cessaient, les visages se tournaient vers nous. Ma renommée m'avait précédé, ils savaient manifestement qui j'étais. Je finis par me sentir mal à l'aise sous le feu croisé de ces visages muets. Les regards fixés sur moi n'avaient rien de menaçant, mais ils reflétaient une curiosité prudente, et je les sentais dans mon dos tandis que nous défilions au pas de nos chevaux.

Soudain quelque chose d'inattendu se produisit. Un homme âgé sortit du rang, se posta devant moi et saisit la bride de mon cheval. Notre cortège s'immobilisa. Le cavalier qui était à côté de moi intima au vieillard l'ordre de s'écarter du chemin, mais celui-ci ne bougea pas, ne répondit rien, ne détourna pas le regard. Il scrutait mon visage comme pour y chercher quelque chose. Nous nous dévisageâmes ainsi quelques instants, puis les traits du vieux Türk exprimèrent une stupéfaction mêlée d'incrédulité, il lâcha la bride de mon cheval, recula et disparut dans la foule.

Une voie romaine empierrée montait vers la citadelle. Curieusement, celle-ci n'avait pas de porte, seulement un large porche voûté. Quand je fus parvenu à mettre pied à terre, on me conduisit dans l'une des tours où un étroit escalier menait à la pièce qui m'était réservée. Je me sentis presque chez moi entre ces murs de pierre, devant la petite fenêtre, comme si j'étais soudain revenu dans ma cellule du monastère. Par chance, il y avait un lit, et je m'y jetai aussitôt. Après avoir marmonné instinctivement une prière, je me plongeai dans la contemplation du plafond. J'étais déterminé à me battre, quoi qu'il en coûte, pour parvenir le plus tôt possible auprès du prince des païens et lui remettre ce maudit message, et avec un peu de chance, je serais de retour à Saint-Gall avant l'hiver. Le peuple türk était véritablement divisé, j'avais pu m'en rendre compte, notamment du fait qu'on m'eût pratiquement enlevé, arraché à la protection de la femme aux cheveux noirs, mais également par ce que Keve m'avait raconté au village, aussi n'avais-je pas la moindre intention de me mêler de quelque querelle barbare que ce fût. Je n'eus pas à réfléchir longtemps pour conclure que le seul moyen d'y parvenir était de m'en tenir aux ordres de ceux qui m'envoyaient et de ne révéler l'objet de ma mission à nul autre qu'au prince. Oui, dit aussitôt la voix pusillanime du poltron qui résidait en moi, mais je suis tout seul au milieu des barbares, livré sans défense à tous leurs caprices, et s'ils me menacent, s'ils me torturent, combien de temps garderai-je le silence ? Connaissant bien mes capacités, je savais que cela ne durerait pas longtemps. La seule vue des instruments de torture suffirait peut-être même à me délier la langue…

Pendant que je m'inquiétais de mon sort, le soleil s'était couché. Je rêvassais encore dans l'obscurité, quand la porte s'ouvrit et un homme portant une torche me dit de le suivre.

Le repas, ou plus exactement le festin que le seigneur Zelind donnait en mon honneur, était servi dans une salle au rez-de-chaussée de la citadelle. Comme je l'appris par la suite, le chef, ou le gouverneur de la province ou quoi qu'il fût, car j'ignorais quel titre donner à ce dignitaire barbare, vivait lui aussi dans une grande tente ronde au pied de la colline, et c'est seulement pour moi que, se pliant aux coutumes occidentales, il avait fait exceptionnellement dresser la table dans la citadelle. Il y avait effectivement une table flanquée de deux longs bancs, ce dont je me réjouis particulièrement. Je pris place où m'indiqua l'homme qui m'escortait.

L'apparition du seigneur fut assez décevante. Lorsqu'il entra en compagnie de quelques-uns de ses hommes, je crus d'abord qu'un mal le tourmentait, c'est peut-être à cela que Keve avait fait allusion auparavant. Sa démarche était malaisée, il chancelait, appuyé au bras d'un de ses suivants. Il fallut l'aider à s'asseoir au haut bout de la table. La lumière dansante des flambeaux faisait ressortir la pâleur de son teint. Il devait être un peu plus jeune que moi. En s'asseyant, il ôta son bonnet, qu'il déposa sur la table. Alors, voyant qu'il était complètement chauve, je compris pourquoi on lui donnait le surnom de Tar[1].

Il me fallut un petit moment pour me rendre compte que Sa Seigneurie était ivre. Dès qu'il fut installé, il tendit la main vers sa coupe. On s'empressa de le servir.

Il n'y avait pas de protocole, chacun se mit à manger dès que les plats de viande et les petits pains en forme de galette furent apportés à table. Je ne me fis pas prier non plus. Nous étions une vingtaine de convives, des dignitaires türks vêtus de brocart rouge, vert, jaune rehaussé d'or, certains portaient moustache, d'autres non, mais tous avaient les cheveux tressés et, contrairement à Zelind-ur, ils avaient conservé leurs couvre-chefs, de petits bonnets pointus ou plats. J'étais à l'extrémité du banc, mais personne ne vint prendre place au bout de la table à ma droite, comme pour indiquer qu'un seul pouvait présider. Un jeune Türk s'installa sur le banc à ma gauche, il mangea sans m'accorder un regard, comme si je n'étais pas là. Keve était à la gauche de Zelind-ur, au haut bout de la table, je l'apercevais quand il se penchait pour dire quelque chose à Sa Seigneurie, qui sommeillait visiblement.

Le repas me parut digne d'éloges. Il y avait toutes sortes de volailles, du faisan, de l'oie, du rôti de san-

1. *Tar* signifie chauve en hongrois (NdT).

glier, du vin en quantité, et de grandes cruches de koumis voisinaient avec les vins sur la table. Comme ce breuvage laiteux m'avait paru agréable, j'optai pour le koumis. Suivant l'exemple des autres convives, je me régalai sans retenue, passablement rassuré par ce banquet silencieux, mais à l'atmosphère assez détendue.

Nos ripailles duraient depuis un certain temps quand Zelind-ur m'adressa soudain la parole :

– Ainsi, c'est toi, le moine que les Varègues ont capturé ?

Personne ne s'arrêta de manger, mais je sentis tous les regards fixés sur moi. J'avalai précipitamment ce que j'avais dans la bouche avant de répondre :

– Oui, seigneur, c'est moi. J'apporte au prince un message de Sa Sainteté Jean XII, le pape…

– Puis-je voir la missive ?

Il fallut de nouveau fournir des explications, comme je l'avais fait pour Keve.

– Je délivrerai le message oralement, seigneur. Je n'ai pas de document écrit.

– Taksony ne te croira pas, pourquoi le ferait-il ? Les paroles s'envolent.

– Avec ta permission, seigneur, quand le prince entendra mes paroles, il saura que mes intentions sont pures.

– Ou votre pape est vraiment stupide, ou il est très rusé. Connaissant votre situation, je ne sais que supposer.

– Envisageons une troisième possibilité, seigneur : le pape Jean XII est de bonne foi, autrement dit ses intentions sont honnêtes.

– Pourquoi ferions-nous cela ?

– Peut-être est-ce par simple prudence qu'il ne m'a pas confié de message écrit. Et ce n'est assurément pas sans raison.

Zelind-ur rota bruyamment.

– Étant le seigneur des marches occidentales, je dois savoir qui je laisse entrer sur le territoire des Magyars. Je veux entendre ce message !

Je ne comprenais pas pourquoi les païens s'imaginaient que j'allais faire maintenant ce que je n'avais pas fait auparavant. Je répétai courtoisement que je devais remettre le message au prince en personne. Tandis que je parlais, la tête de Sa Seigneurie bascula vers l'avant, je crus qu'il s'était endormi, mais, reprenant conscience du monde qui l'entourait, il se redressa avec dignité, jeta un regard circulaire et, comme s'il ne m'avait pas entendu, reprit :

– Qu'avons-nous à faire avec votre pape ? Il est bien trop loin, et il n'a pas de soldats. Si c'était un message d'Othon, alors oui, nous aurions de quoi parler avec lui. Mais le pape ?... Il doit y avoir un piège, non ?

Il parcourut la tablée du regard, et tous approuvèrent de la tête.

– Le pape peut faire dire ce qu'il veut, poursuivit-il, nous ne pouvons le prendre au sérieux. Surtout en l'absence d'un document scellé. Je crains bien, moine, que Taksony n'écoute même pas ton message.

J'insistai :

– On m'a dit que par ici on avait appris l'existence d'une délégation papale. Et puisque les hommes de l'empereur avaient arrêté le légat à Capoue, je suis venu seul et sans missive.

– Nous autres ne savons rien d'une quelconque délégation. Et toi, Keve ?

Keve secoua la tête.

– Je n'ai entendu parler d'aucune délégation, seigneur.

Je lui lançai un regard furieux, auquel il ne répondit pas.

– Tu vois bien, moine ! dit Zelind-ur en haussant les épaules. Nous n'avons pas la moindre idée de ce dont tu parles.

Je ne sus que répondre à cela. Virgile d'Aquilée avait affirmé le contraire. Cependant, l'accueil que nous avaient réservé les Varègues (pauvre Gunther, Dieu ait son âme !) semblait indiquer qu'ils ne nous attendaient pas.

– Et puis, reprit Zelind-ur en pointant le doigt dans ma direction, tu n'as pas vraiment l'air d'un émissaire du pape ! Tes cheveux sont comme ceux des clercs d'Occident, mais tu portes un habit magyar et tu parles notre langue. Il y a beaucoup de religieux magyars à Rome ?

– Je ne viens pas de Rome.

– Qu'est-ce que je disais ? !...

– Je viens de Saint-Gall. Quant à mes vêtements, tes gens me les ont donnés lorsque...

– Et ils t'ont aussi appris notre langue ?

Comme je maudis l'instant où j'avais prononcé mes premières paroles en langue magyare ! Je n'aurais pas dû dire que je comprenais leur langue, j'aurais parlé latin ou alémanique, ils m'auraient davantage respecté. Keve avait dit qu'il avait préparé ma venue chez Zelind-ur, mais à ce moment-là, ce n'est pas du tout l'impression que j'avais.

En dépit des coupes qu'il vidait l'une après l'autre, Zelind-ur présentait tous les signes d'une parfaite lucidité, et c'est un regard clair qu'il posa sur moi.

– Si j'envoyais une délégation à l'empereur Othon, crois-tu que je choisirais des hommes qui parlent bavarois et magyar, et qui ne savent pas eux-mêmes ce qu'ils sont ? Non, celui que j'enverrais ne parlerait pas un mot de bavarois, il serait magyar de la tête aux pieds et attaché par mille liens au peuple magyar et à son pays, afin qu'il ne lui vienne pas à l'idée de me trahir. Je devrais être sûr que tout ce qui compte pour lui se trouve ici, sur ces terres, et qu'il y reviendra une fois sa mission accomplie. Et l'empereur ne devrait avoir aucun doute quant à celui qui se présente devant lui.

Je ne lui cachai pas que j'étais offensé :

– Eh bien moi, je suis Stephanus de Pannonie, religieux de l'abbaye de Saint-Gall, émissaire du pape ! Moi aussi, je suis attaché par mille liens au pays d'où je viens, en particulier à mon couvent, et je ne désire rien tant que de remplir ma mission afin de retourner le plus tôt possible chez moi…

– Tu as donc un foyer ?

Cette énormité me laissa un instant sans voix.

– Le monastère est mon foyer. J'y ai grandi…

– Au monastère ? Parmi les moines ? Enfermé entre quatre murs de pierre ? C'est là que tu aspires à retourner ? Et moi qui croyais que les moines n'avaient d'autre désir que de sortir de leur couvent !

Il y eut quelques rires.

– Donc tu es impatient de rentrer chez toi ? reprit-il.

– C'est vrai, je ne le cache pas.

– Alors pourquoi as-tu emporté ce maudit insigne de Togrul ? Tu l'as sur toi ?

Devant son ton menaçant, je hochai craintivement la tête.

– Montre-le-moi !

J'entrouvris ma pelisse et le médaillon jeta un éclat à la clarté des flambeaux. Tous s'étaient arrêtés de manger et, retenant leur souffle, contemplaient le disque de métal.

– Sais-tu ce que c'est ? s'écria Zelind-ur en pointant l'index. C'est l'oiseau Togrul, l'insigne du künde. Il y eut un temps où celui qui posait sur lui une main profane était enterré vivant. Cet insigne a été perdu il y a de longues années, on a raconté bien des légendes à son sujet, et voilà qu'il réapparaît dans les hardes d'un bureux d'Occident ! Ce n'est tout de même pas le pape qui te l'a remis ?

– J'ai déjà dit que je ne venais pas de Rome…

– Imbécile de moine ! Je sais bien que tu ne viens pas de Rome ! Ne dis pas n'importe quoi ! Qui t'a remis l'insigne, et pourquoi ?

Il ne fallait pas être bien malin pour sentir que cela pouvait mal finir. Le banquet donné en mon honneur avait pris une autre tournure. Cependant je ne trouvai rien d'autre à dire que la vérité. Mais pouvait-elle trouver preneur en ces lieux ? Du regard, je demandai l'aide de Keve, mais il garda le silence, les yeux fixés sur la table pour ne pas me voir, tournant son gobelet entre ses mains, comme absorbé par une profonde méditation. Il me fallut donc expliquer une fois de plus que l'abbé m'avait remis cet insigne juste avant mon départ, au cas où il pourrait m'être de quelque utilité en terre türke… Force me fut aussi de constater que ma voix n'était guère assurée, et qu'elle se brisait même sous l'effet de la peur.

– Mensonges ! s'écria Zelind-ur en se levant brusquement, apparemment dégrisé en un instant. Chacune de tes paroles est un pitoyable mensonge, car tu veux nous faire croire que tu es le fils disparu de Kurszán-künde !

– Mais non, je…

– Espèce de fourbe, j'ai toujours su que nous commettrions une erreur fatale si nous laissions un seul d'entre vous venir sur nos terres. Tes jours sont comptés, sache-le, car les manigances et le complot auxquels tu participes, inutile de le nier, tout comme tes évêques et ton empereur, vont te coûter la vie ! Ils t'ont envoyé avec l'insigne de Togrul afin que tu sèmes la révolte et la division parmi les Magyars. Ils ont conservé cet insigne de longues années en attendant une occasion favorable…

– Ce n'est pas vrai ! m'écriai-je, d'autant plus désespéré en voyant que Zelind-ur, le visage déformé par la colère, s'approchait de moi en contournant la table d'une démarche à présent assurée, et saisissait la poignée de son sabre.

– Tu vas mourir, moine !

Je me levai d'un bond, ne sachant ce que je devais faire, mais à la vérité, je n'eus le temps de rien, car les événements furent plus rapides que mes pensées.

Il me faut faire une pause, mon cher Alberich, afin de rassembler tous les détails de ce qui suivit. Bien des années ont passé, mais chaque fois que je repense à cette soirée au fort de Zelind-ur, de nouveaux souvenirs surgissent à ma mémoire. Pourtant, tout s'est passé en quelques instants. Je ne pouvais détacher le regard de Zelind-ur, qui approchait à grands pas en brandissant son sabre, l'air furieux. On ne pouvait se méprendre sur ses intentions, ni sur le fait qu'il allait les mettre à exécution de sa propre main. Tu ne me croiras peut-être pas, mais il est des moments où l'on est capable d'acquérir des certitudes essentielles en un rien de temps. Le temps que Zelind-ur fasse les quelques pas qui nous séparaient, j'eus pleinement conscience de la pitoyable fugacité de la vie. Mais tandis que, pétrifié, j'attendais le moment fatal, je perçus du coin de l'œil qu'il se passait autre chose, comme si ma conscience s'était dédoublée, une partie de moi se préparait à mourir, l'autre voyait apparaître, à la porte de la salle, des archers, le hadour Agolcs en tête, qui me parurent avancer avec une lenteur désespérante, bien qu'en réalité ils eussent dû faire irruption dans la pièce. Alors, au moment où Zelind-ur levait son sabre, le jeune Türk qui avait pris place à côté de moi m'empoigna par la ceinture et m'entraîna à terre. Tout en tombant, je vis encore le visage interloqué de Zelind-ur se tourner vers les archers, une douzaine de flèches se plantèrent l'une après l'autre dans sa poitrine avec un bruit mat, puis, tandis que je roulais sous la table, j'entendis d'autres volées de flèches et des cris de douleur, car la mort faisait une riche moisson…

Je ne saurais dire combien de temps cela a duré, sans doute pas plus de quelques minutes, qui pourtant me semblèrent des heures, puis quelqu'un me donna une tape dans le dos, je pouvais me relever. Je sortis en rampant de sous la table et découvris un spectacle d'épouvante. Un bon nombre des convives qui partageaient mon dîner quelques instants auparavant baignaient à présent dans leur sang, qui gisant au sol, qui effondré sur la table. La plupart avaient été abattus par des flèches, d'autres à coups de sabre. Du sang, du sang partout…

– Dieu tout-puissant, murmurai-je, à quoi bon tout ceci ? Pas à cause de moi, j'espère…

Keve se tenait près de moi.

– À cause de toi, ou pour toi, comme tu préfères. Tar allait te tuer.

– Mais eux… dis-je en montrant les cadavres.

– Ils étaient les hommes de confiance de Tar, ses dignitaires. Ils partagent le sort de leur maître. Si un seul d'entre eux était resté en vie, tu n'aurais plus jamais été en sécurité.

J'étais dans une confusion totale. Heureux d'être sain et sauf, car il s'en était fallu de peu que Zelindur ne me fendît en deux d'un coup de sabre, j'étais aussi torturé d'être la cause de tant de morts d'hommes. Moi, un pauvre moine de rien du tout qui voulait seulement remettre un message.

Sur ces entrefaites, des hommes vinrent enlever les dépouilles.

– La nuit sera longue, dit Keve. Tous les proches de Tar doivent être exterminés.

Je le regardai avec effroi.

– Que veux-tu dire ?

– Ce que j'ai dit. Nous ne devons pas songer qu'au lendemain, mais aussi au surlendemain. Si son fils grandit, il se vengera.

– Je ne puis laisser faire cela !

– C'est déjà décidé.

– Je proteste ! Vous ne tuerez pas d'enfant en mon nom !

– Tu ne comprends pas…

– Oh si ! Je comprends parfaitement la lâcheté. Vous avez peur d'un enfant qui, dans bien des années, une fois adulte, réclamera vengeance à vos enfants. C'est bien cela ?

– Oui, c'est cela.

– Eh bien non ! Sache que si vous touchez à un seul de ses cheveux, je jetterai ce maudit médaillon par la fenêtre et repartirai à pied pour Saint-Gall ! Vous n'aurez pas de künde, Dieu m'en est témoin !

– Mais Csaba-ur…

– Trêve de Csaba-ur ! Vous avez versé assez de sang pour rien. Comment s'appelle le fils de Zelind-ur, ou de Tar, ou je ne sais comment vous le surnommez ?

– Kolpány.

– Amenez-le-moi immédiatement ! Tant que je serai ici, c'est moi qui veillerai sur lui.

– Tu ne parles pas sérieusement ?

– Ah non ? dis-je en le toisant d'un regard sévère. Tu maintiens que je suis Csaba-ur, le künde ?

– Oui.

– Alors voici ce que je te dis : moi, le künde, je t'ordonne, à toi, Keve, d'amener ici sur-le-champ ce gamin, Kolpány, ou quel que soit son nom ! Nous verrons bien si tu crois vraiment que je suis le künde !

Je ne reconnaissais pas ma propre voix. Ni les mots que je venais de prononcer. Keve et moi nous dévisagions avec une égale incrédulité.

Tandis que nous nous regardions en chiens de faïence, Keve était visiblement en proie à une lutte intérieure, puis son regard se détendit.

– Qu'il soit fait selon ta volonté… Csaba-ur.

– Ah, tout de même !
– À une condition.
– Est-il d'usage de poser des conditions au künde ?
– Tu n'es pas encore künde, Csaba-ur, le chamane ne t'a pas encore initié. Tu n'es künde que pour nous, ce qui suffit en soi car notre croyance est vraie et forte, mais cette certitude n'est malgré tout que notre croyance, rien de plus, tu le comprends, n'est-ce pas ? Si je dis à ces gens que tu n'es pas le künde, demain tu seras de nouveau un moine dont la vie ne vaut pas plus ici que les hardes qu'il porte.

Il avait parlé à mi-voix, mais avec une force de conviction qu'il était impossible de ne pas percevoir.

– Quelle est cette condition ? demandai-je en me raclant la gorge.
– Dorénavant, tu es effectivement Csaba-ur. Tu oublies ton nom de moine et tu ne contestes plus tes origines. Surtout en présence de tiers.
– Et le message que…
– Cela n'intéresse plus personne. Personne ne veut savoir ce que dit le pape de Rome. Les temps ont changé. Tu es le künde, et moi, je ferai ce que le künde m'ordonne.

Le marché était simple et sans équivoque. La vie de l'enfant et la mienne en échange de mon nom. Ce n'était pas trop cher payé. Et je n'avais pas le choix. Je hochai la tête.

– D'accord. Et qu'adviendra-t-il après ?
– Après quoi ?
– Que je serai devenu künde.

Les yeux de Keve brillèrent d'un éclat soudain.

– Nous bâtirons un nouvel empire !

Il fit signe au jeune Türk qui m'avait jeté à terre.

– Voici Jutas, mon fils. Désormais, c'est lui qui répond de ta sécurité.

Je remerciai le jeune homme de m'avoir sauvé la vie.

– C'était mon devoir, Csaba-ur.

– Jutas va te reconduire à la tour, et des archers monteront la garde devant ta porte. On te procurera une tenue appropriée. Quant à toi, ne dissimule plus le médaillon de Togrul sous tes vêtements, mais expose-le, afin que tous puissent le voir. Cette nuit sera longue, je l'ai dit, dors si tu le peux, mais reste habillé, nous aurons fait le plus dur avant le lever du jour.

Agolcs, qui dirigeait l'enlèvement des cadavres, s'approcha de nous. Il ôta sa toque et s'inclina devant moi.

– À ton service, Csaba-ur. Je suis heureux de te revoir.

Je ne pus décider si son hommage était sincère ou si une certaine ironie ne pointait pas sous sa longue moustache noire.

– Et dehors ? lui demanda Keve.

– Cela avance. Deux mille cavaliers devant le campement. Les autres à l'intérieur. J'y vais.

– Bien, je viens avec toi. Jutas, occupe-toi de Csaba-ur.

Ils se dirigèrent vers la porte, mais je les rappelai :

– Et l'enfant ?

– J'ai donné ma parole, répondit Keve.

Jutas m'escorta à la tour. C'était un tout jeune homme, peut-être encore imberbe. Mais ses cheveux couleur de lin étaient réunis en trois tresses. En montant l'escalier en colimaçon, je lui demandai :

– Où sers-tu ?

– Dans l'armée d'Agolcs, Csaba-ur. C'est-à-dire dans la tienne, à présent.

– La mienne ? demandai-je avec étonnement.

– Quand tu seras künde après avoir été initié par le chaman, toutes nos troupes occidentales seront sous tes ordres.

Doux Jésus, où étais-je tombé !

Dans le couloir de ma chambre, une dizaine d'hommes nous attendaient. Des guerriers türks à l'allure farouche, armés d'arcs ou de sabres. Comme nous approchions d'eux à la lueur de notre torche, le silence se fit. Ils me regardèrent à la dérobée, évitant mon regard.

Quand nous fûmes entrés dans ma chambre, Jutas fit un signe de tête vers l'extérieur :

– Ils veilleront sur toi, au prix de leur vie s'il le faut.

– Crois-tu que cela sera nécessaire ?

– Mon père n'a-t-il pas dit que la nuit serait longue ? Verrouille ta porte, et si tu as besoin de quoi que ce soit, mes hommes sont à ta disposition. Demain, nous te trouverons une tenue plus digne de Csaba-ur.

– Celle-ci me convient, je m'y suis accoutumé.

– Non, Csaba-ur, il n'est pas convenable que le künde aille vêtu comme un simple cavalier. Je t'enverrai aussi une femme, elle donnera un air plus magyar à ton visage et à tes cheveux.

– Une femme ? Qu'est-ce qui ne va pas avec mes cheveux ?

Je portai la main à ma tête, et hormis le fait que mes cheveux avaient poussé, je n'y trouvai rien de particulier.

– Ta coiffure est un peu trop religieuse, et ta barbe ressemble à un balai, cela ne convient pas à un seigneur magyar. Mais la femme saura quoi faire.

Ainsi commença ma première nuit au fort de Zelind-ur, plus exactement de feu Zelind-ur. Bien entendu, je ne pus trouver le sommeil et passai la nuit à faire les cent pas, ou, assis au bord du lit, à guetter les bruits extérieurs par la fenêtre. En entendant les cris, les lamentations, les cliquetis d'armes retentir dans le campement, j'aurais voulu croire que j'étais le jouet de mon imagination aiguillonnée par l'obscurité et l'insomnie. Je songeai à Hérode et ma conscience était à la torture, car je ne pouvais m'empêcher de penser que j'étais la cause de ce massacre. Si à Saint-Gall j'avais pu me douter que je serais à l'origine de tels événements, je n'aurais jamais franchi le portail du monastère, même si j'avais dû nettoyer le poulailler jusqu'à la fin de mes jours en châtiment de ma désobéissance. Mais comment aurais-je pu le savoir ? Et tandis que je comptais les minutes dans la pénombre humide de ma chambre, des pensées confuses se bousculaient dans mon esprit, j'étais hanté par ce qu'avaient dit Ejnek et Keve : celui qui m'avait envoyé ici avec le maudit médaillon devait savoir ce qu'il faisait, car tout ce qui s'était passé ne pouvait être dû au hasard. À moins que, par sottise et aveuglement, je ne me fusse aventuré dans un fleuve dont je ne connaissais pas le lit, et je m'étonnais à présent de ne pas avoir pied. Notre destin est-il écrit quelque part ? N'avons-nous donc d'autre choix que de nous résigner à l'inévitable ? Ou bien pouvons-nous influer sur le destin d'autrui ? Nos actes peuvent-ils, à dessein ou par hasard, déclencher des processus qui changeront le cours de la vie de nombreux autres êtres ? Ou qui la leur feront perdre ? Notre âme peut-elle être entachée de cette faute ? Il a coulé beaucoup de sang cette nuit-là. Les fidèles de Zelind-ur ont mené un combat désespéré contre les troupes d'Agolcs. Ce ne fut pas une bataille traditionnelle. Les hommes d'Agolcs ont parcouru le campement en exterminant tous ceux qui leur résistaient. Cela ressemblait plus à une chasse à l'homme qu'à une bataille. Quelques-uns ont pu s'échapper, sans doute pour se réfugier auprès du prince. Là où les hommes d'Agolcs tuaient un père, ils tuaient aussi le fils, afin que nul ne puisse se venger par la suite. La nuit d'Hérode. Et j'étais Hérode, même si je n'en avais pas donné l'ordre. Je n'avais fait qu'apporter le maudit insigne que Virgile m'avait remis avant mon départ.

À l'aube, le silence régnait dans le camp. Je regardai par la fenêtre mais ne vis rien dans le brouillard qui s'étendait à ras du sol. Je m'allongeai et fus aussitôt la proie de cauchemars. Je rêvai que j'étais de nouveau au monastère : c'est l'hiver, il neige, je suis dans la cour où je dois tuer le cochon, je tiens dans la main le long couteau effilé avec lequel les bouchers saignent les porcs d'un seul geste adroit, sans dommage apparent ; c'est à moi que cette tâche revient, je suis entouré de mes frères, Jeromos, Virgile et les autres, toi aussi, Alberich, et tous m'encouragent : allez, Stephanus, tu vas y arriver, tu sais t'y prendre, allez, pique ! crient-ils, pique-le ! Je m'avance, plante mon couteau, mais je frappe toujours à côté, je ne trouve pas la veine, l'animal pousse des cris perçants sous la douleur, et je continue de le poignarder, il y a du sang partout, la neige en est toute rougie…

Je m'éveillai en entendant tambouriner à la porte. M'extirpant du lit, je titubai jusqu'à l'épaisse porte en chêne. J'entendis la voix assourdie de Keve :

– Ouvre, Csaba-ur, c'est moi !

Je tirai le verrou.

– Je te croyais déjà mort dans ton sommeil, dit-il en entrant.

– Je n'ai pas eu cette chance.

Il avait l'air épuisé, les yeux rougis par le manque de sommeil. Il s'arrêta au milieu de la pièce, ôta son bonnet et regarda quelques instants par la fenêtre. Son sabre courbe à la ceinture, ses cheveux tressés, une lourde cotte de mailles sur son torse maigre.

Puis il hocha la tête, comme pour donner son approbation.

– Désormais, je suis Keve-ur, le maître des terres du couchant.

Il dit cela sans me regarder, comme s'il adressait sa déclaration aux nuages.

– Eh bien ! En effet, la nuit a été longue.

– Longue et pénible.

– Sans doute. Sanglante aussi.

– L'ordre est rétabli.

– Ton ordre, en l'occurrence.

– Le nôtre, Csaba-ur. L'ordre ancestral.

– Que va dire le prince de tout cela ?

– Il faudra qu'il s'y fasse. Tar est mort, le prince ne peut laisser les marches occidentales sans maître. Ou il m'accepte, ou il en nomme un autre. Et dans ce cas, il devra aussi faire ce que j'ai fait cette nuit. Il n'est pas sûr que cela en vaille la peine.

J'appris alors que pendant que j'étais au village des Túrs à chasser le canard avec les gamins ou à écouter les contes d'Ejnek, Keve tramait un complot contre Zelind-ur. Il avait œuvré des semaines durant pour obtenir que tous les fidèles de Tar Zelind se trouvent ensemble en un même lieu, en l'occurrence la salle du banquet. Il serait ainsi plus facile de les exterminer tous. Et à présent, il était maître des terres occidentales.

– Et l'enfant ? demandai-je.

– Il est en bas, avec les femmes. Elles s'occuperont de lui, ainsi que de toi. J'ai tenu parole, on ne lui a fait aucun mal. Mais je t'avertis une fois de plus, ce que tu fais est stupide. Quelqu'un en paiera un jour le prix.

– Si tant d'hommes sont morts par ma faute, qu'au moins un seul reste en vie grâce à moi.

– Sottises chrétiennes !

– C'est cela. Zelind-ur n'avait-il pas d'autres enfants, ou des frères, des sœurs ?

– Si. Il en avait.

Je fermai les yeux et murmurai : *Dominus misereatur animis nostris !* Puis je lui demandai :

– Tu as parlé d'un empire. De quoi s'agit-il ?

– De celui que nous allons édifier. Toi et moi. Nous réunifierons ce peuple qui a perdu son âme, nous ferons marcher côte à côte les tribus qui se querellent.

– Qu'ai-je donc à voir avec tout cela, moi le moine de Saint-Gall ?

– Tu es künde, Csaba-ur, l'as-tu oublié ? Togrul oblige, c'est toi qui le portes. Tu es le mortier qui réunit les âmes. Mais auparavant, nous devons aller voir le taltos.

– Qui ?

– Le chaman. Quelqu'un comme toi. Disons, notre prêtre. Tu dois subir l'initiation afin d'être vraiment considéré comme künde.

– Est-ce absolument indispensable ?

– Je ne te le demanderais pas si ce n'était pas le cas. J'ai tout préparé.

– C'est donc si urgent ?

Il me tendit ma pelisse sans répondre.

Nous nous mîmes en chemin pour aller chez le chaman. Tout semblait mort, la citadelle comme le campement. Le paysage inerte baignait dans la brume du petit matin, comme si la terre avait englouti tous les hommes.

– Où sont-ils tous ? demandai-je.

– Ils attendent sous leurs tentes. Aujourd'hui est un grand jour. La naissance du künde.

– Dis plutôt qu'ils ont peur.

– La crainte, Csaba-ur, est la source du respect.

La tente du chaman se distinguait des autres. Plus grande, elle n'était pas d'un gris ou d'un blanc uni, mais rouge et verte, et des fanions accrochés en haut des mâts pendaient dans l'air immobile. Une grande ramure de cerf étendait ses branches au-dessus de l'entrée. Quand nous entrâmes, Keve me dit :

– Voici Vezek, notre taltos.

Le chaman était un vieil homme tout ratatiné, il semblait plus âgé qu'Ejnek, et sa peau, comme l'écorce d'un vieil arbre, était sèche et plissée sur les os. Il était assis au milieu de peaux étendues sur le sol, devant lui toutes sortes de plats et de flacons. Il leva les yeux vers nous sans bouger de sa place.

– Es-tu prêt ? lui demanda Keve.

– Comme tu l'as ordonné, seigneur, répondit Vezek d'une voix rauque. Alors ce serait lui, Csaba-ur ?

– Montre-lui l'insigne, me dit Keve.

J'ôtai ma pelisse, et le médaillon suspendu à mon cou apparut. Le chamane se leva, vint vers moi et se pencha pour examiner l'oiseau. Il sentait l'ail et le vin.

Il tendit la main vers le médaillon mais se ravisa. Sa bouche édentée se tordit en un rictus.

– C'est l'oiseau Togrul, il n'y a aucun doute. Retourne-le.

Je retournai le médaillon, et le vieillard examina les caractères en forme de bâtonnets.

– L'œil de Dieu.

Il se redressa, autant que son dos voûté le lui permettait, et scruta mon visage. L'odeur d'ail se fit plus forte.

– Ainsi, tu serais Csaba-ur ?

– Mon avis vous intéresse-t-il ? demandai-je en guise de réponse.

– Ton avis ne compte pas. Mais tu répondras quand même. Car il y a des choses que seul le künde peut faire. J'ai jadis connu Kurszán-künde. Je me souviens aussi du petit Csaba-ur. Mais c'était il y a longtemps, bien longtemps.

– Ne perds pas ton temps, lui rappela Keve.

Le chaman se tourna vers lui.

– Tu peux partir à présent, seigneur. Je n'ai pas besoin de toi. Je te ferai prévenir.

Keve semblait hésitant. Avant de partir, il me dit encore :

– Mes hommes resteront devant la tente. S'il y a quoi que ce soit…

Quand nous fûmes seuls, le vieux chaman me sourit de nouveau de sa bouche édentée.

– Assieds-toi là.

Je m'installai en face de lui, curieux de voir ce qui allait suivre. Pendant un moment, il ne fit que m'observer en souriant, comme s'il ne savait pas encore ce qu'il allait faire de moi.

– Tu as grandi en Occident ? demanda-t-il enfin.

– Keve vous a sans doute tout raconté.

– Je dois tout savoir de toi. Keve décide de ce qui regarde le peuple, mais pour ce qui me concerne, c'est moi qui décide. As-tu connu ton père ?

– Non. En tout cas, je ne me souviens pas de lui.

– Tu parles assez bien notre langue. Pour la parler ainsi, il faut l'avoir apprise parmi les siens, dans sa petite enfance.

– C'est possible.

– T'arrive-t-il de faire des rêves étranges ?

– Pourquoi ? Tu n'en fais pas ?

– Assurément pas les mêmes que le künde. As-tu déjà vu en rêve quelque chose qui s'est produit par la suite ?

– Je n'en ai pas le souvenir.

– Tu as grandi parmi les religieux, il n'a rien pu t'arriver que tu eusses vu en rêve auparavant. Mais nous allons y remédier.

Parmi les récipients placés devant lui, il prit une petite cruche en terre et en versa le contenu dans un gobelet qu'il me tendit.

– Bois ceci.

Je n'en avais pas la moindre envie.

– Qu'est-ce que c'est ?

– Cela aide à trouver le chemin qui mène au Dieu-Ancêtre.

– Pour le moment, je n'ai pas l'intention de le rencontrer.

– Ce n'est pas ce que tu crois. Mon père était aussi taltos, j'ai grandi près de lui, je sais tout ce qu'il savait. Ce breuvage est le philtre des künde. Kurszán, comme tous ses prédécesseurs, y a souvent eu recours pour rencontrer le Dieu-Ancêtre. Je l'ai préparé comme mon père le faisait autrefois.

– Si Keve t'a tout dit de moi, tu dois savoir que je suis un religieux chrétien, et que je ne crois pas à la magie païenne…

– Le dieu des chrétiens a-t-il une objection à ce que tu le rencontres ? Tu n'as pas peur de lui, tout de même ?

– Balivernes. Nous ne pouvons voir Dieu qu'après notre mort, lors de la résurrection.

– Alors considère que tu peux entrevoir un instant ce qu'il en sera quand tu ressusciteras. N'aie crainte, si tu n'es pas le véritable künde, il ne peut rien t'arriver de grave, tout au plus quelque relâchement intestinal… Mais si tu es vraiment künde, tu verras des choses extraordinaires. Et n'oublie pas, il faudra ensuite raconter ce que tu as vu, afin que nous sachions avec certitude qui tu es.

– Comment sauras-tu que je n'ai pas inventé ce que je raconterai ?

– Ne t'inquiète pas. Je le saurai.

En fait, qu'avais-je à perdre ? Je savais parfaitement qui j'étais : Stephanus de Pannonie, moine de Saint-Gall, donc dans le pire des cas, j'aurais droit à une purge. À condition, bien sûr, de faire confiance à ce vieux mage édenté. Mais le pouvais-je ? Si ce gobelet contenait du poison ? Le chaman pouvait être resté fidèle à Zelind-ur, et vouloir se venger... Mais puisque Keve avait besoin de moi, il ne m'aurait pas exposé inutilement au danger.

Je pris le gobelet et humai le liquide noir. Il sentait l'anis.

– Qu'est-ce qu'il y a dedans ?

Il éclata de rire.

– Beaucoup d'anis, pour masquer le goût écœurant. Et bien d'autres choses encore, qui doivent s'y trouver. Si tu es künde, je te montrerai comment le préparer, car tu en auras souvent besoin.

– Seigneur Jésus, viens à mon secours ! soupirai-je avant de prendre une petite gorgée.

– Non, non ! Il faut tout boire d'un coup !

Prenant mon courage à deux mains, je vidai le gobelet d'une traite. C'était à la fois aigre et amer, mais j'avais connu pire, il suffisait de penser à certaines potions que m'avait administrées Septimus, notre herboriste. Tout en lui rendant le gobelet avec une grimace, je demandai au vieux chaman :

– Et maintenant, que va-t-il se passer ?

Il prit un tambour, le cala sous son aisselle et dit :

– Reste tranquille et attends. Regarde le tambour, écoute-le.

Il frappa la peau tendue avec une baguette courbe, je regardais docilement sa main en écoutant le battement monotone. Puis il se mit à chanter, dans une langue que je n'identifiai pas, mais peut-être était-ce un chant sans paroles, une mélopée qui montait et descendait au rythme du tambour. À force de regarder sa main et d'entendre sa voix, mon appréhension disparut, je me détendis. Je n'étais plus gêné par l'inconfort de ma position, comme si mon corps avait perdu toute sensation, seuls mes yeux et mes oreilles restaient en éveil mais j'entendais le chaman de plus en plus faiblement, comme s'il s'éloignait, et bientôt je ne le vis plus. L'intérieur de la tente s'estompa, devint transparent, et je sentis le souffle du vent. Un vent fort, porteur d'embruns, mais secs et froids, comme d'épais flocons de neige dont la tempête nous cingle le visage. Cela n'était pas désagréable, mais cela ne m'est revenu que par la suite, sur le moment je ne pensais pas à me demander si c'était agréable ou non, je flottais dans ce courant, et quand j'ouvrais les yeux, ou peut-être les avais-je gardés ouverts, je ne voyais que du blanc autour de moi, une masse aérienne qui m'enveloppait de ses volutes. Étais-je devenu sourd ? Je n'entendais plus le tambour du chaman, mais dans le silence total de cette blancheur laiteuse, je percevais des mouvements, des ombres soyeuses passaient, insaisissables comme les gens que l'on aperçoit dans le brouillard, et disparaissaient dans l'infini. J'aurais voulu savoir ce qu'il y avait derrière moi, mais j'eus beau m'efforcer, j'étais incapable de me retourner, alors je me rendis compte que je voyais à la fois devant et derrière moi... J'eus très longtemps l'impression qu'il n'y avait rien d'autre que cette blancheur immuable qui baignait mon visage. Crois-moi, j'étais parfaitement conscient, je me suis même demandé ce que penseraient mes frères s'ils me voyaient plongé dans la magie païenne, et tandis que je songeais à cela, le brouillard commença à se dissiper, la blancheur disparut peu à peu, révélant le monde qu'elle dissimulait. Alors, à la fois stupéfait et émerveillé, je vis apparaître le scriptorium, l'image en était floue et incertaine, mais j'y vis tout ce qui devait s'y trouver, tu étais là, ainsi que d'autres copistes, devant vos pupitres, les rayons du soleil tombaient en oblique par les fenêtres. Je voyais tout en même temps, ton dos courbé sur le parchemin, mais aussi ton visage dans la lumière, ta main qui tenait la plume, la crasse sous tes ongles ; t'étant assuré que personne ne t'observait, tu t'es glissé vers une brèche du mur pour en sortir une cruche où tu bus à longs traits… J'ai voulu te dire que j'étais là, que tu pouvais me voir, mais je n'avais pas de voix, seul mon regard se trouvait entre les murs du scriptorium. Je me suis cru un instant de retour chez nous, au monastère, mais la réalité me revint à l'esprit, ce n'était pas ma place, je n'avais rien à faire parmi vous, cela ne pouvait être vrai, et soudain la blancheur recouvrit tout de nouveau. J'eus peur de vous avoir perdus, puis juste devant mes yeux, la blancheur devint plus éclatante et un objet prit forme, brillant comme l'argent, je vis bientôt apparaître un sabre, tout près de moi, jamais je n'en avais vu de si près. Je fus presque ébloui par l'éclat de sa lame effilée ornée de fines gravures, puis l'arme commença à s'éloigner, à rapetisser, alors je vis la main qui la tenait, puis celui dont c'était la main, et je reconnus Keve. Devant lui, deux hommes maintenaient par les épaules une femme agenouillée. Alors Keve leva son sabre et la transperça sous le sein gauche, puis lui porta un autre coup… J'eus l'impression de pleurer, mais je n'avais pas de visage où mes larmes eussent pu couler. Je partis en quête de moi-même, afin de sortir de ce rêve, de ce voyage dans l'épouvante, j'aurais voulu crier mon nom, mais horreur ! je ne m'en souvenais plus… Enfin je retrouvai celui que j'étais, je me vis au sommet d'une colline, de lourds nuages noirs s'amoncelaient comme avant l'orage, des éclairs déchiraient le ciel à l'horizon. Mon visage était dissimulé, je ne le voyais pas, mais je savais que c'était moi et nul autre. Je portais une ample cape qui touchait terre, et devant moi une immense armée se rassemblait au pied de la colline, d'innombrables troupes de cavaliers à perte de vue et même au-delà, se fondant avec l'horizon… L'instant suivant, tel un oiseau, je volais parmi les nuages, porté sur les ailes du vent. Je vis des hommes traverser une rivière, un chariot avec un enfant aux mains attachées dans le dos, je savais que cet enfant avait peur, je ressentais la terreur qui s'était emparée de tout son être. Je lui criai de fuir tant qu'il le pouvait encore, l'enfant leva les yeux vers le ciel, j'avais la certitude qu'il me voyait, mais ne comprenait pas ce que je lui disais… Le monde se volatilisa de nouveau, puis l'obscurité m'envahit. Tout disparut, comme si je venais de mourir.

Revenant à moi, j'ouvris les yeux, je me sentais comme après un accès de fièvre, grelottant de froid. Keve se pencha sur moi et dit quelque chose que je ne compris pas. Puis Vezek, le chaman, apparut à son tour.

– Tout va bien, l'entendis-je marmonner, sans savoir s'il s'adressait à Keve ou à moi. (Je voulus me redresser, mais il m'en empêcha :) Reste allongé, repose-toi un peu.

Il me fit boire quelques gorgées de koumis.

– Tu es épuisé comme si on t'avait donné la chasse.

Je cherchai Keve du regard.

– Qui était cette femme ? lui demandai-je.

– Quelle femme ?

Je lui racontai ce que j'avais vu en rêve. Il m'écouta en ouvrant de grands yeux.

– Tu as vu cela ?...

– Oui, tu lui as donné deux coups d'épée. Pourquoi ? Qui était-ce ?

Il échangea un regard avec le chaman.

– Est-ce vrai ? lui demanda celui-ci.

– La première épouse de Tar, la mère de Kolpány. Je devais le faire.

Ils me regardèrent tous deux.

– Qu'as-tu vu d'autre ?

Je leur racontai la scène du monastère et la dernière, le rassemblement des armées. Le chaman avait les yeux exorbités de stupéfaction.

– Mais alors...

Je regagnai le château en titubant, dans un état second. Je ne saurais dire si j'ai vraiment marché ou si on m'a porté, je revois confusément les tentes, le porche de la citadelle et l'escalier de la tour, mais cela pouvait aussi bien être un rêve, je ne sais pas.

Quelqu'un m'attendait dans ma chambre. Une femme, tête baissée, regardant devant elle, se tenait à côté d'une grande cuve d'eau fumante. J'étais encore fort étourdi, cela peut expliquer ce qui s'est passé ensuite... je ne me rappelle pas bien à quel moment mon escorte me laissa seul avec la femme. Elle s'approcha de moi, en gardant les yeux baissés, et m'ôta l'habit de cavalier. Je sentais ses doigts sur ma peau comme dans un rêve coupable, j'en avais certes déjà fait l'expérience, mais jamais avec une telle intensité. Ai-je besoin de t'expliquer, cher Alberich, quelles sensations s'emparent de nous, quand... enfin tu sais ce que peuvent faire des mains de femme. Cependant je n'ai rien fait, je suis entré dans l'eau bouillante, cédant à la douce volonté de ses mains, et je l'ai laissée faire... Allons, ne ris pas, prends cela comme une confession. Il faut dire pour ma défense que je n'avais pas tous mes esprits. Et en sortant du bain, tout propre et purifié, je ne ressentis nulle honte tandis que les mêmes mains me séchaient. Le breuvage du chaman faisait sans doute encore effet, car je ne protestai pas quand elle me coupa la barbe, me tressa les cheveux et me passa un habit de soie verte brodée d'or, des bottes souples et un manteau rouge. Ensuite, je ne me souviens plus de rien, j'ai dû être terrassé par le sommeil, car à mon réveil, ma chambre était plongée dans la pénombre et je ne savais pas si c'était le soir ou le matin. Je restai étendu sur le lit, habillé, botté, essayant de mettre de l'ordre dans mes idées.

Ce qui me préoccupait le plus était de savoir ce qui m'était arrivé. Non seulement ce jour-là et la veille, mais depuis le début. Qu'étais-je devenu malgré moi en ces quelques semaines ? En voyant le ciel gris par l'étroite fenêtre, je me demandai si celui qui regardait ce petit bout de ciel était encore le moine qui avait quitté Saint-Gall, ou s'il était devenu quelqu'un d'autre. J'avais les idées claires, la confusion due à la potion de Vezek s'était dissipée, je ne dirais même pas que je me sentais dans l'état que je connais parfois quand il m'arrive de trop apprécier le vin. Chaque souvenir m'apparaissait avec une grande netteté. Autrement dit, je savais parfaitement qui j'étais, d'où je venais et dans quel but. Mais par-delà mon bon sens, ou plutôt en deçà, plus proche, un autre moi semblait prendre vie et considérer le monde d'une hauteur qui m'était jusque-là inconnue. Il n'est pas facile d'exprimer cela de telle sorte que d'autres, à part moi, puissent le comprendre, mais je dirais que ce nouveau moi avait apporté une vision élargie. Tout ce qui me faisait penser que j'étais moi et nul autre, Saint-Gall, ma foi, ma religion, les cinquante années passées au monastère, tout cela vivait encore en moi, mais il y avait désormais ce nouvel horizon mental, si vaste qu'il embrassait aisément Saint-Gall et bien d'autres choses, et qu'il restait assez de place pour tout ce qui m'était advenu depuis et m'adviendrait encore. C'était comme un immense terrain vide prêt à accueillir des constructions, où Saint-Gall n'était qu'un minuscule édifice dans le paysage infini. Ma personne avait changé, comme pour être à la mesure de cette immensité, était-ce l'effet du philtre ? Qu'est-ce qui rendait le monde si différent à mes yeux, bien plus complexe qu'il ne me paraissait la veille ? Ce nouvel horizon m'ouvrait des possibilités infinies, mais si depuis l'enfance je m'étais senti sûr de moi, conforté en cela par ma foi qui, tel un jeune arbre à l'écorce résistante, avait gagné en force au fil des ans, cette assurance avait à présent disparu, cédant la place à l'incertitude de la voie à choisir. Je fus un instant terrifié à l'idée d'avoir perdu le paradis. Je restais seul, sans la protection du bastion inexpugnable de la foi. Je me trouvais seul dans ce paysage infini. Et ces mots : je suis seul, se répétaient à l'infini en moi.

… s'il était possible de mesurer le poids de la bêtise, et si je chargeais sur mon dos tout ce que l'on aurait mesuré en moi, je m'enfoncerais si profondément dans le sol que ma tête ne dépasserait même pas. Comment a-t-il pu me venir à l'esprit – en vérité, je devais l'avoir perdu – de préciser au début de ma chronique qu'il me fallait écrire l'histoire véridique de Stephanus de Pannonie afin de démentir les rumeurs malveillantes selon lesquelles il n'était pas mort en martyr, mais avait été banni, et vivait en païen parmi les incroyants. Virgile d'Aquilée manqua d'étouffer de rage en lisant mes premières pages, et m'abreuva de questions, d'où tenais-je tout cela, qui me l'avait dit, il voudrait bien voir en face celui qui prétendait de telles choses, comment pouvait-on prétendre que Stephanus n'était pas mort en martyr, et que ce saint homme serait retombé dans le paganisme ? Mais si tout était de mon invention, il m'expédierait hors du scriptorium en me bottant si bien le cul que j'avancerais sans toucher terre, et j'irais nettoyer la soue à cochons, je pourrais ainsi raconter toutes ces sottises à ces bêtes, au moins trouverais-je une oreille qui me comprenne. J'eus aussitôt des sueurs froides en me rendant compte de ma niaiserie, en effet, je n'étais pas censé connaître le sort réel de Stephanus, et j'avais failli me trahir par cette erreur. Dans ma grande confusion, je me mis à transpirer et à bredouiller devant l'abbé, j'eus l'idée de tout mettre sur le dos des paysans, ce qui n'était pas un si grand mensonge puisque je tenais d'eux toutes sortes de nouvelles, et il y avait peu de chances que l'abbé les interrogeât tous ; pour mon excuse j'invoquai ce que j'avais exposé dans les Annales, à savoir que je visais seulement à réduire à néant les viles allégations mensongères, afin de favoriser la canonisation de mon maître. Autrement dit, selon mon habitude, je me montrai devant l'abbé encore plus bête que je n'étais, ce tour était toujours efficace, car on pardonne volontiers à ceux que l'on croit plus stupides que soi. C'est ce que fit Virgile, tout en qualifiant de perversion maladive le fait que dans ma chronique j'eusse fait retomber Stephanus dans le paganisme, il me traita de stupide gamin qui ne comprend pas les choses compliquées, et m'expliqua que le meilleur moyen d'étouffer les rumeurs mensongères était de les ignorer, car ce que nous n'écrivons pas n'existe pas. En hochant vigoureusement la tête, je lui dis que j'avais pieusement bu ses paroles, et que je considérais son enseignement comme une révélation, il devait le croire… Et pour couronner le tout, je le priai même de me conseiller pour la suite de mon travail, ce qui n'était pas tout à fait infondé, car jusque-là je n'avais guère avancé dans ma chronique, me plaignant d'un air innocent que si j'y avais noté ce qu'avait fait Stephanus au monastère, et à quel titre il avait été envoyé chez les païens, je n'avais pas la moindre idée de ce qu'il lui était advenu là-bas par la suite, je ne saurais donc relater son martyre, puisque j'en ignorais tout. Je m'efforçais de prendre l'air le plus benêt possible, et cela aussi fut efficace, car Virgile d'Aquilée reconnut qu'il n'avait pas songé à cette question, j'avais mis le doigt sur un point essentiel, puis après un bref instant de réflexion, il déclara que des intérêts majeurs exigeaient que nous rapportions le martyre de Stephanus comme si, contrairement à la réalité, nous disposions d'informations sûres et précises sur la nature de son trépas. Louant cette excellente idée, j'avouai que je ne comprenais toujours pas comment je devais m'y prendre. Il m'expliqua avec une grande condescendance : Il faut inventer un personnage, petit imbécile, quelqu'un qui, se trouvant là-bas, aurait vu avec quelle barbarie les païens ont occis frère Stephanus, et s'étant ensuite échappé à la faveur d'un miracle, nous aurait appris la béatification de notre frère bien-aimé. Une fois que nous l'aurons écrit, ajouta le père en pesant sur les mots, cela deviendra aussitôt réalité. Mais oui, dis-je, quelle idée remarquable, nul autre que lui n'aurait pu l'avoir ! Il se radoucit à mon égard, et dans un soudain élan de magnanimité, observa qu'il y avait aussi de très beaux passages dans les pages que j'avais rédigées pour les Annales Sanctgallenses, notamment celui où je raconte que le Seigneur lui avait inspiré l'idée d'envoyer quelqu'un évangéliser les païens. Cela lui avait fort plu, assurément. Puis, indiquant la porte : Va, remplis ta tâche, mais fais disparaître les passages où il est question de Stephanus banni et redevenu païen ! Je sortis en grommelant des termes qu'il me serait plus pénible de répéter en confession que d'avouer ma luxure, car pour quelques lignes à supprimer, j'étais obligé de recopier tout le premier feuillet. Puis je songeai que j'avais aussi mon propre récit, à savoir celui que j'écrivais pour moi nuitamment, d'après ce que me racontait Stephanus, et que pour obéir aux exigences officielles des Annales, je n'avais qu'à modifier légèrement les protagonistes, à déplacer certains noms en d'autres lieux comme il me convenait, c'est-à-dire comme il convenait à Virgile d'Aquilée. Je pensai notamment aussi au chevalier Gulbert qui avait guidé Stephanus en pays tyrc, un personnage parfait, il me fallait juste le parer d'un peu plus d'abnégation, il y avait aussi le païen dénommé Aguts, qui devait se montrer assoiffé de sang, et Armand, l'esclave franc, je ne pouvais trouver meilleur témoin du martyre de Stephanus qu'un autre chrétien vivant parmi les païens. Tous feraient bel effet dans ma chronique si je m'y prenais bien. Virgile serait fort étonné de mes trouvailles... J'ai repris hier la rédaction des Annales, mais mon esprit vagabondait sans cesse, car j'attendais le soir, c'était mercredi, Elsi restait la nuit au monastère sous prétexte de s'occuper du levain, l'idée de la pâte à pain me faisait penser à la souplesse de son sein blanc comme neige, ce qui décuplait l'énergie dépensée à mon pupitre. Pensant que si j'écrivais deux fois plus vite, le temps passerait deux fois plus vite, j'inventai nombre d'inepties propres à satisfaire le père Virgile... Voilà que mon esprit repart à l'aventure tandis que j'évoque la nuit passée en compagnie d'Elsi... Je n'ai pas balancé à retourner voir le bon Portifio, car de par son âge, c'est lui qui a le plus de souvenirs du temps où mon maître Stephanus est arrivé au monastère. Je lui ai demandé s'il avait entendu parler de cet insigne représentant un oiseau que mon maître évoquait sans cesse, et que les abbés, selon notre père Virgile, avaient conservé de longues années. Mais Portifio ne me fut d'aucun secours, il ne se souvenait de rien, il observa cependant qu'il devrait en être question dans les Annales de Saint-Gall, où l'on avait aussi dû consigner l'arrivée de Stephanus au monastère, et il était fort étonné que ce ne fût pas le cas. Comme il me demandait d'où je tenais cela si ce n'était pas dans nos Annales, je me rendis compte que j'avais manqué de me trahir derechef, alors je m'empressai de lui dire que mon maître m'en avait parlé avant de partir en terre tyrque. À son air pensif, j'ai bien vu que le père Portifio ne me croyait pas, puis il me dit à mi-voix qu'il ne voulait rien savoir de ce qui ne le regardait pas, et que je devais être prudent en étudiant l'histoire de Stephanus, car à l'époque ce n'était un secret pour personne au monastère, en particulier parmi les copistes, que pour une raison inconnue, Virgile nourrissait une aversion certaine envers mon maître dès le jour où il avait été transféré de Passau chez nous, et qu'il ne manquait pas une occasion d'agir contre lui. Dès qu'il s'était fait nommer abbé, il avait interdit à Stephanus de se rendre dorénavant dans d'autres monastères pour y chercher des livres, et peu après, il l'avait exclu du scriptorium pour l'affecter au soin de la vigne… Je fis remarquer à Portifio que la vue de mon maître avait baissé, et pour autant que je sache, c'était pour cette raison qu'il avait dû abandonner l'écriture. Il répondit que c'était possible, mais dans ce cas Virgile aurait dû lui confier le librarium, car chacun savait que le père Hilarius en avait décidé ainsi avant sa mort. Quelque chose me disait que la venue de Virgile dans notre monastère était liée à la mission future de Stephanus, mais il se peut que mon imagination se soit emballée, car en fin de compte c'était justement l'abbé Virgile qui avait diligenté la sanctification de mon maître… Stephanus m'avait dit lui aussi qu'il n'était pas dans les meilleurs termes avec Virgile d'Aquilée, et qu'il avait le sentiment de ne pouvoir rien attendre de bon de sa part. J'ai dû fournir un travail bien épuisant avant de découvrir en quelle année le père Virgile était venu dans notre monastère, j'ai cherché l'année où son nom figurait pour la première fois dans le registre des moines (il eût été plus simple de le lui demander, mais comment justifier ma curiosité ?), c'était en 927. Bien que je n'en voie pas la raison, quelque chose me dit que les trois événements, à savoir l'arrivée de mon maître en 904, celle de Virgile en 927, et la mission de Stephanus en 963, sont liés… Ma lampe ne va pas tarder à s'éteindre, il fait froid, je n'ai pas de pupitre ici, mes genoux s'ankylosent dans ce coin, mais ce qui compte, c'est que j'ai noté l'essentiel, à savoir de quels événements sanglants mon bien-aimé maître Stephanus a été à l'origine contre son gré, en se rendant enfin du village païen au campement de ce Selendour. Ma lampe s'éteint, je poursuivrai demain…

… malheureusement les choses ne se passèrent pas exactement comme Keve l'avait prévu. On apprit que le prince Taksony, ou plutôt son fils Gezüja-ur, qui paraît-il régnait déjà à la place de son père, s'apprêtait à venger Zelind-ur, son parent, et tout indiquait qu'il nous déclarerait la guerre au cours de l'hiver. Les habitants du campement le savaient aussi. L'éventuelle survenue du prince les emplissait de crainte, ils étaient de plus en plus nombreux à démonter leurs tentes et à partir vers le sud, où ils espéraient être davantage en sécurité. Le temps tourna au froid et les pluies commencèrent. La pluie tomba à verse pendant des jours, transformant la contrée en une mer de boue. Keve ne se sentait pas menacé par Butond-ur, le harka méridional, tout au moins dans la mesure où les armées du Sud resteraient neutres jusqu'au dernier moment et ne se retourneraient pas contre nous. Il fallait partir vers l'est afin de nous rallier le plus tôt possible les tribus qui y vivaient… Mais au lieu de cela, que se passa-t-il ? Un départ honteux.

Ai-je avancé trop loin ? Si tu as du mal à suivre, dis-le-moi, je raconte ce qui me vient à l'esprit, et je ne suis pas du tout certain de le faire dans l'ordre chronologique. Ta dernière visite remonte déjà à quinze jours, comment veux-tu que je me rappelle où j'en étais resté ? Deux semaines, c'est une éternité pour moi. Je commençais à craindre que tu ne reviennes plus, qu'on ait découvert pourquoi tu allais si souvent dans la forêt. Tu me diras ensuite pourquoi tu es allé à Passau. Je vois bien que tu es malade, ne vaudrait-il pas mieux retourner au monastère et te reposer ? Il ne faudrait pas que la fièvre te prenne…

Qu'ai-je raconté en dernier ? Ah oui, l'initiation… Tu veux aussi savoir ce qu'est devenu l'enfant ?

Puisque tu me le demandes, je n'ai plus si mal aux dents, mais c'est mon estomac qui me tourmente à présent. Retourne voir l'herboriste et à ta prochaine visite, apporte-moi une petite fiole d'huile de lavande. Vivement le printemps…

Bon, remontons le cours du temps. Le lendemain de mon initiation, dis-tu ?… Ah oui, l'enfant nommé Kolpány, qui me devait la vie, mais aussi la perte de ses parents, n'a pas parlé pendant des semaines, il demeurait sans mot dire avec les femmes dans la cuisine, recroquevillé dans un coin, les yeux dans le vide. Il ne s'éloignait jamais d'elles. Quand elles quittaient la cuisine, il les suivait, ne restant jamais seul. Chaque fois que je le voyais, mon cœur se fendait et ma conscience se révoltait, je me sentais responsable de son sort. Rends-toi compte, Alberich, sa mère et ses frères avaient été tués sous ses yeux ! J'en arrivais presque à avoir l'idée sacrilège qu'il eût peut-être mieux valu que Keve ne cédât point à mes objurgations, et que cet enfant subît le sort de sa famille... Il restait seul au monde, tout comme moi. Parfois je m'asseyais près de lui et je lui parlais. Je lui disais tout ce qui me passait par la tête. En fait, peu importait ce que je pouvais lui dire, rien ne l'intéressait. Et il ne disait pas un mot non plus. Quand on lui donnait à manger, il mangeait ; si on lui disait : « Va là-bas », il y allait. Il faut dire aussi que les femmes et les serviteurs avaient à son égard une étrange attitude. Quelques jours plus tôt, ils auraient guetté la moindre de ses paroles, l'enfant de Zelind-ur vivait parmi eux comme un prince. À présent ils n'avaient pas plus de considération pour lui que pour les chiens qui se glissaient parfois de la cour dans la cuisine. Ils ne le maltraitaient certes pas, mais ils ne lui prêtaient aucune attention et ne savaient que faire de lui. Il n'avait plus sa place nulle part.

Keve, désormais Keve-ur, m'enjoignit de ne jamais sortir seul de l'enceinte du fort, de ne pas aller flâner au-delà des murailles.

– Tu es künde, me dit-il, et le künde ne traîne pas tout seul parmi les autres mortels.

De longs jours durant, la citadelle et la cour devinrent ma prison, et leurs occupants, les serviteurs et la tribu de Keve qui avaient pris la place des parents de Zelind-ur, ne savaient pas toujours quelle attitude adopter à mon égard. L'ancienne coutume transmise par les légendes ancestrales, selon laquelle le regard des hommes ordinaires ne devait pas se poser sur le künde, sembla survivre un moment parmi eux, et ils détournaient la tête à mon approche. J'avais parfois l'impression d'être un fantôme que nul ne voit, j'étais là et je n'y étais pas, je pouvais aller et venir dans les couloirs, j'aurais pu faire n'importe quoi, même me tenir sur la tête, je n'aurais pas davantage attiré leur attention. Mais au fil du temps cela changea, surtout parce que, n'étant pas disposé à endosser le rôle qui m'était imposé, je vaquais parmi eux comme n'importe quel autre homme, de sorte qu'ils ne pouvaient pas feindre de ne pas me voir. Je ne leur ai jamais fait sentir que j'étais différent d'eux, et je ne leur ai jamais permis de me le faire sentir. Quand l'envie m'en prenait, je descendais à la cuisine, je demandais ce qui rôtissait dans les fours, comment allaient les serviteurs, je disais quelques mots à Kolpány, ou bien j'allais jeter un coup d'œil dans les ateliers et même, ce qui finit par tourner au scandale, j'ai actionné le soufflet dans la forge de Teremes, en voyant qu'il ne s'en sortait pas tout seul, le jour où son fils s'était brûlé la main avec du fer rougi. Il n'osa pas refuser mon aide, mon bras laborieux lui était manifestement utile, mais il me demanda à mi-voix :

– Cela ne va pas causer d'ennuis, Csaba-ur ?

Teremes était mince et vigoureux, le lourd marteau avec lequel il battait le fer ne semblait pas peser dans sa main. Il régnait une chaleur étouffante dans la forge, chaque coup sonore faisait voler une pluie d'étincelles. La main protégée d'un gant épais, je maintenais le morceau de métal qui prenait peu à peu la forme d'un sabre. Teremes façonnait l'étroite lame incandescente en la battant sans relâche, et quand il me le disait, je la plongeais dans l'eau où elle refroidissait avec un grand jet de vapeur sifflante. Nous travaillions sans mot dire, d'ailleurs, avec le marteau résonnant sur l'enclume, nous n'aurions pas pu nous comprendre. Son visage était noir de suie, la sueur faisait luire sa peau d'un éclat sombre. Ses cheveux étaient tressés sur la nuque, mais afin de ne pas être gêné en travaillant, il les relevait en une sorte de chignon au sommet de sa tête. Son regard, toujours triste, évitait le mien autant que possible. Quand nous faisions une pause, il m'offrait du vin et au bout de quelques jours, quand il fut enfin remis de son émotion et disposé à me traiter comme un mortel, sa langue se délia. J'appris ainsi qu'il ne versait pas de larmes sur Zelind-ur, tenait Keve en plus haute estime que son précédent maître, bien que, comme il le dit, sa joie se mêlât d'amertume. Il était prudent et craignait l'avenir.

– Je ne suis pas le seul, dit-il avant de reprendre son marteau. Les gens sont à la fois contents et inquiets. Nous savons que notre künde légendaire est revenu parmi nous, mais qu'adviendra-t-il ensuite ? Le prince n'apprécie pas que Keve-ur ait fait tuer son parent. Il va venir. Avec son courroux. Et son courroux, c'est nous qui en pâtirons.

– Je ne vous ai apporté que le malheur, reconnus-je tristement.

– Pouvais-tu savoir ce que le Dieu-Ancêtre avait prévu pour nous ? Tu es venu parce que tu devais venir. Ton chemin t'a ramené chez toi. Mais moi, j'avais deux fils, l'aîné est tombé devant Ogusbur. Maintenant, je n'en ai plus qu'un, je dois veiller sur lui.

– Il ne sera peut-être pas obligé de prendre les armes.

– Celui qui se bat par colère ne fait pas attention où il vise. Quand tu coupes du bois, les copeaux tombent aussi.

Il réfléchit quelques instants, puis reprit :

– Là-bas, en Occident, tu as connu un autre dieu. Ce dieu-là trouve-t-il normal que les fils meurent avant les pères ?

– Non. Ce dieu-là est un dieu d'amour. Il a même sacrifié son fils unique pour les hommes.

– Alors en quoi est-il différent du nôtre ?

Que répondre ?

– Il a sacrifié son fils sans qu'on le lui demande. Par ailleurs, c'est un dieu unique.

– Comment est-ce possible ? Ou alors, il se comporte de diverses manières. Ne vois-tu pas, Csaba-ur, la richesse des peuples d'Occident ? Il leur a donné de la terre, des pays puissants, alors que nous n'avons pas de pays, nous ne connaissons que l'errance sans fin.

– C'est tout de même curieux : là d'où je viens, les hommes se plaignent que Dieu les a abandonnés tandis qu'il vous a permis de dévaster leurs terres et de piller leurs cités.

Teremes se plongea dans ses réflexions.

– Alors, se peut-il que les dieux aient abandonné tous les peuples ?

– Crois-tu que les dieux ne s'occupent plus que de leurs affaires ?

– Pourquoi pas ? Tu as tort de sourire. D'après les légendes, il est certain que notre dieu nous a abandonnés il y a bien longtemps, quand Ugek a dérobé l'Arc d'or. Il est possible que les peuples d'Occident aient aussi été abandonnés par leur dieu et qu'ils l'ignorent. Et sans dieu, le crucifix que tu portes autour du cou ne vaut peut-être pas plus que l'insigne du künde, c'est-à-dire rien.

– Et moi je te dis ceci, Teremes, non seulement l'existence humaine n'a aucun sens sans Dieu, mais Dieu n'a nulle raison d'être sans l'homme. Sans l'homme, Dieu ne vaut pas plus que l'air sans les oiseaux ou l'eau sans les poissons. Ou que ta forge si on en dérobait le feu. Cela existe, mais à quoi bon ?

Teremes balaya la discussion d'un geste :

– Tu ergotes !

Quand il en eut vent, Keve me blâma d'aider le forgeron.

– Tu es künde, et tu dois te comporter comme tel ! Que dira-t-on si tu fais le travail d'un serviteur ?

– Que doit faire un künde, à ton avis ? Dois-je m'enfermer dans la tour et agiter la main par la fenêtre ?

– Pourquoi pas ? Le pape de Rome le fait bien. Il pourrait t'en apprendre en matière de dignité.

Keve aurait voulu me faire ôter mon crucifix, mais je ne voulais pas en entendre parler. Au début, il avait exigé fermement que je m'en débarrasse, on allait penser qu'un künde qui portait à la fois l'insigne de Togrul et la croix des bureux ne donnerait rien de bon…

– On va raconter que tu es encore sous l'influence des religieux. Cela nuira à ton autorité.

Je lui répliquai qu'hormis le vénérable chaman, qui ne savait pas lui-même quel était son âge exact, il n'y avait plus personne pour se souvenir du précédent künde, ni dire ce qu'il était convenable qu'il portât autour du cou. Je suis le künde que je suis, il faudra s'y faire, et dorénavant, c'est ainsi que doit être le künde.

– Avec une croix autour du cou ? dit-il d'un air incrédule.

– *Cruci-Künde*. En plus, cela sonne bien !

La citadelle ne tarda pas à s'animer. Des chariots arrivaient sans discontinuer, chargés de vivres et d'armes. Les Túrs, notamment Zaak, qui fabriquait des arcs, avaient dû voir leur sort s'améliorer. Agolcs ne quittait pas ses troupes, les stimulait, les hommes apportaient au camp des milliers de flèches rassemblées en faisceaux. La forge de Teremes produisait sans relâche des sabres, des pointes de flèches, des fers de lance.

Par un jour pluvieux, alors que je ne pouvais même pas sortir dans la cour, on frappa à ma porte. J'étais à la fenêtre et regardais les nuages vider leur ventre gonflé en déversant des torrents de pluie qui délavaient la terre. Je répondis que c'était ouvert et vis à ma grande surprise entrer une femme vêtue d'une longue robe rouge vif à motifs verts, celle qui m'attendait après ma visite au chaman. Je ne l'avais pas revue depuis, elle semblait ne pas résider dans le fort. J'avais bien pensé quelquefois demander à Keve qui elle était, sans oser le faire. Elle entra chez moi tête baissée, un large bandeau retenait sa chevelure châtain au-dessus de son front. Elle tenait à la main une étoffe rouge pliée.

– C'est toi ? dis-je en la regardant d'un air stupide.

– Keve-ur m'envoie raser ta barbe et peigner tes cheveux. Je dois aussi te donner ton manteau.

– Mon manteau ?

– La cape de künde.

Elle parlait si bas que je la comprenais à peine. Elle s'activa sans un mot, me fit asseoir et se mit à me peigner les cheveux. Me souvenant de notre précédente rencontre, je me réjouis de lui tourner le dos, ainsi ne pouvait-elle pas voir la rougeur qui envahit soudain mes joues.

– Comment t'appelles-tu ? lui demandai-je.
– Aruna.
Je savourai ce nom par-devers moi.
– Ce n'est pas un nom magyar ?
– Kabar.
– Je n'ai jamais entendu parler de ce peuple.
– Parce que mon peuple ne vit pas ici, mais loin vers le levant.
– Alors que fais-tu ici ?
– Quand les Magyars ont pris le chemin de l'Occident, il y a très longtemps, certains des nôtres, dont mes ancêtres, se sont joints à eux. Mon grand-père était au service du künde. Keve-ur a rétabli ma famille dans ses droits.
– Tu vis ici, au château ?
– Si c'est ton désir.
Tandis qu'elle me peignait, debout derrière moi, je sus aussitôt que la mélodie de ses paroles apaiserait toujours mon âme.
– Comment dit-on en langue kabare « ta voix est douce » ?
– *Nájdi bíje hán.*
À franchement parler, je n'ai pas longtemps résisté à ce projet. L'idée m'était venue si soudainement que le soir même, après le souper, je me plantai devant Keve et lui en fis part sans fausse honte.
– Tes désirs sont des ordres, Csaba-ur ! répondit-il avec un sourire grivois.
Le lendemain, Aruna s'installa au château. Très exactement dans la chambre voisine de la mienne. Afin d'apporter sa lumière dans mes sombres nuits.
Jutas, fils de Keve, autrement dit Kevefi, comme ses sujets se devaient de l'appeler, était le seul à me témoigner un intérêt qui n'était visiblement inspiré

ni par un respect craintif, ni par une foi aveugle en la puissance divine du künde, mais par une curiosité naturelle, instinctive. Lui seul s'intéressait à ce Stephanus de Pannonie que j'étais auparavant. Il me posait force questions sur nos coutumes, nos droits, notre manière de vivre. Il voulait savoir comment vivaient les seigneurs et les soldats, ceux qui travaillaient la terre, ceux qui vivaient dans les grandes cités ; si j'étais allé à Rome, s'il était vrai que l'eau y coulait des murs, et qu'il suffisait de placer un récipient pour la recueillir, et bien d'autres choses encore. Ses yeux presque noirs trahissaient à quel point il aspirait à connaître ce monde lointain. Trop jeune pour avoir pris part aux campagnes précédentes, il ne connaissait l'Occident que par ouï-dire. Il me pressait de questions sur ma vie au monastère, ce qu'avaient été mes jours entre ses hautes murailles, et bien que mon cœur fût de moins en moins souvent en proie à la tristesse, une sorte de nostalgie m'envahissait chaque fois que j'évoquais mon ancienne vie, il me semblait parfois raconter un rêve qui n'avait jamais été la réalité.

Keve n'ignorait pas que je supportais mal de rester enfermé, je le lui disais d'ailleurs souvent, c'est pourquoi il chargea quelquefois Jutas de m'accompagner à cheval hors des murs de la citadelle. Nos escapades me faisaient du bien, au moins pouvais-je me rafraîchir l'esprit. Jutas ne s'en plaignait pas non plus, car c'était pour lui une occasion de me submerger de questions. Ces sorties suivaient par ailleurs un cérémonial singulier. Deux sonneurs de cor se postaient devant le porche pour annoncer au campement que le künde allait quitter la citadelle. C'était toujours le même signal : un son profond, long, semblant déferler des entrailles de la terre, qui se répandait sur la plaine tout en montant vers le ciel avant de s'éteindre brusquement. Il était répété par trois fois, ensuite seulement nous franchissions le porche. Les sonneurs nous suivaient, ainsi qu'une douzaine d'archers désignés par Keve pour assurer ma protection, mais ils prirent l'habitude de se tenir en retrait afin de ne pas nous déranger par leur présence. Au retour, les sonneurs galopaient en avant pour annoncer que nous approchions du campement.

Keve espérait, il croyait même que les Magyars accueilleraient avec joie le retour du künde, et ressentiraient la venue de Csaba-ur comme une renaissance, mais il se trompait visiblement. Je voyais bien que les Magyars avaient peur. Jutas et moi allions souvent dans les villages türks des environs, et s'il est vrai qu'on ne nous y traitait pas en ennemis, nous n'y étions pas non plus accueillis par des cris de joie. On nous évitait plutôt.

Jutas n'avait pas caché la raison pour laquelle il m'y conduisait :

– Tu dois voir la déchéance de notre peuple.

Quand nous arrivions dans un village, les habitants se retiraient sous leurs tentes. Ils ne s'enfuyaient pas, ils disparaissaient simplement, en prenant leur temps. Avant d'avoir mis pied à terre, nous ne voyions plus âme qui vive.

– Quels pleutres ! grinçait Jutas.

– Pourtant, chez nous, ce n'est pas ce que l'on dit des Türks.

– Ils n'ont plus rien à voir avec ceux qui saccageaient les royaumes d'Occident. Regarde-les ! Ils attendent que tu leur donnes leur pitance, mais il ne faut surtout pas les déranger !

Dans certains villages, la situation était bien pire. Je crus d'abord à une étrange épidémie, ce qui ne manqua pas de m'effrayer. Mais je vis que ce n'était pas le cas, les gens ne mouraient pas, ils s'étiolaient, perdaient toutes leurs forces, devenaient apathiques.

– C'est ce que nous appelons la malédiction, m'expliqua Jutas d'un air impassible. On n'en meurt pas, mais on n'y survit pas non plus. Les anciens disent que c'est à cause de la mort de Kurszán. Regarde comme ils sont ramollis ! Si l'ennemi les assaillait, ils se laisseraient massacrer avec indifférence.

Les Türks éleveurs de chevaux ne construisaient pas de maisons, ils vivaient sous leurs tentes rondes été comme hiver. Dans les campements où sévissait cette malédiction, la saleté et la puanteur régnaient autour des tentes. Trop paresseux pour utiliser les latrines, les gens faisaient leurs besoins là où ils se trouvaient quand l'envie les prenait. Le regard vide comme celui des moutons, ils déambulaient comme des ombres, on ne les entendait pas parler. Où était le peuple qui faisait trembler tout l'Occident, les guerriers qui ignoraient la peur ? Ce n'était plus qu'une pitoyable peuplade brisée.

Je fis observer à Jutas que cela n'avait rien de commun avec le village de Keve, où j'avais pu constater que l'ordre régnait et que les gens étaient chaleureux.

– Pour le moment, répondit-il. Nous avons encore Ejnek, qui connaît les légendes et veille sur les âmes. Mais la maladie se répand. Elle sort de nos cœurs et finira tôt ou tard par gagner tout le pays magyar.

C'est ce que mon père veut empêcher. Et pour cela, il a besoin de toi.

Je considérai le campement délabré, les gens à l'air épuisé.

– Je n'y pourrai pas grand-chose, constatai-je amèrement.

Un jour que nous chevauchions dans la prairie, Jutas était étrangement silencieux. Lassé pour un temps du spectacle de cette misère, j'avais demandé que nous n'allions pas cette fois dans un village. Nous étions déjà à la mi-novembre, l'automne tirait à sa fin. Je sentais sur mon visage la caresse du vent frais et ne voulais rien de plus. Mais le temps passant, je sentis que le silence de Jutas signifiait davantage qu'une mauvaise humeur passagère. Comme nous arrivions à la forêt, je lui proposai de faire halte dans une clairière pour laisser reposer nos chevaux et boire un verre de vin. Il approuva de la tête.

– Qu'est-ce qui ne va pas ? lui demandai-je quand nous fûmes installés dans l'herbe.

– Cela se voit donc tant ?

– Tu n'es pas coutumier d'un tel silence. Tu dois avoir quelque chose sur le cœur.

Il ne se fit pas prier pour me révéler qu'il s'agissait d'une jeune fille. C'était évident, mais avec ma fichue tête de moine, il ne m'était pas venu à l'idée qu'un jeune homme à la barbe naissante ne pouvait avoir d'autre souci. Bien sûr, il était amoureux, tout comme toi, Alberich, à l'époque où Elsi a fait son apparition au monastère. Vous aviez le même regard troublé, les mêmes extases rêveuses, la même expression de souffrance infinie qui ne se compare à rien d'autre à cet âge. Il me raconta qu'au conseil du prince, auquel il avait assisté avec son père l'année précédente alors qu'il était encore au service de Zelind-ur, l'un des seigneurs avait dans sa suite une jeune fille. Jutas n'avait échangé que quelques mots avec elle, mais cela avait suffi pour que son cœur fût captif, et depuis, il ne pensait plus qu'à elle. Je lui dis que je l'avais cru tourmenté par un mal bien plus grave, mais je le regrettai aussitôt car chacun de nous croit toujours souffrir plus que les autres, et m'empressai de lui demander s'il avait revu cette jeune fille.

Il posa son gobelet et indiqua la direction de l'est.

– Le campement de son clan se trouve plus loin d'ici que je ne suis jamais allé, répondit-il tristement. (Puis il me regarda d'un air grave :) Tu la connais.

– C'est impossible, dis-je en secouant la tête. Comment connaîtrais-je une jeune fille de la noblesse magyare ?

Mais en regardant le jeune homme au fond des yeux, je crus voir apparaître un visage…

– La femme aux cheveux noirs…

– Oui, elle a les cheveux noirs. Agolcs m'a dit qu'elle t'avait emmené du village varègue. C'est Sarolt, la fille de Zubor-ur. Je t'envie, Csaba-ur, tu l'as vue plus récemment que moi…

– Si tu l'avais vue dans les mêmes circonstances, tu ne m'envierais pas, crois-moi…

– Comment était-elle ? Raconte !

– Je ne sais plus, j'étais si mal en point que je n'ai pas fait attention à elle.

– Pourtant, tu t'en souviens !

– C'est vrai. Je me souviens de mon odeur, je puais autant qu'un tas de fumier.

– Allons, Csaba-ur ! Dis-moi de quoi elle avait l'air !

– Que dire ?... Je crois qu'elle portait une robe bleue à parements d'or, ses cheveux noirs étaient rassemblés en une longue tresse qui touchait la selle de son cheval, et elle avait les yeux en amande...

– C'est elle, assurément.

– Mais dis-moi, n'est-elle pas plus âgée que toi ?

– Est-ce que cela compte ?

Je haussai les épaules.

– Au fond, non. Mais tu m'as dit que sa famille était plus noble que la tienne, tu n'as donc guère de chances avec elle. Alors pourquoi soupires-tu en vain ?

– Nous sommes égaux, répondit-il fièrement. Mon père est à présent le maître des marches occidentales, comme son père est celui des marches d'Orient. Le problème est ailleurs. Dans les lointaines montagnes, Zubor-ur est totalement sous la coupe des prêtres grecs. Il est presque aussi riche que Taksony, et s'il le voulait, il pourrait être élu prince. C'est sans doute ce qu'il vise, mais par un autre moyen que soutiennent les prêtres grecs, s'ils ne le lui ont pas suggéré : il veut à tout prix marier sa fille Sarolt au fils du prince. Ces fourbes de prêtres prévoient à long terme : quand Gezüja-ur succédera à son père, il sera prince des Magyars et, par l'intermédiaire de Sarolt, les religieux de Byzance auront la mainmise sur leurs tribus, qu'ils dirigeront à leur gré. De nombreux chefs de tribu ont vu ce qui se préparait dans l'Est et voudraient l'empêcher. Tout comme mon père. Cependant, ils ne sont pas tous du même avis. Mon père voit en toi la force susceptible de réunifier les tribus divisées, d'autres voudraient faire alliance avec Othon contre Constantinople. Quant aux seigneurs orientaux, leurs intérêts les attirent vers

Byzance. Actuellement, il semble qu'en donnant sa fille à Gezüja-ur, le fils du prince Taksony, Zubor-ur puisse conforter son influence. Et si sa puissance se renforce, la nôtre, comme celle des autres, s'affaiblira. Mon père ne va pas tarder à agir.

– Que va-t-il faire ?

Il garda le silence quelques instants, puis répondit :

– Il a l'intention de se rendre avec toi, le künde, auprès de Zubor-ur.

– Zubor-ur ? N'est-il pas justement son adversaire ?…

– La route est longue jusqu'aux montagnes. Pour y parvenir, il faut traverser le territoire de plusieurs tribus dont certaines nous sont acquises, ou dont on peut supposer qu'elles se joindront à nous en voyant l'insigne de künde. Ceux d'entre les rivières, les Ondes et les Taskandes du seigneur Csenke, ne sont pas réputés pour aimer particulièrement Constantinople, contre laquelle ils ont jadis guerroyé. Elle a même dû leur payer un lourd tribut et ils sont revenus chargés de trésors, mais depuis que Zubor-ur cherche à faire la paix avec elle, ils ne peuvent plus partir en guerre vers l'est. D'ici que vous parveniez chez lui, la situation de Zubor-ur pourra avoir changé. Comme s'amasse la neige balayée par le vent, ta renommée croîtra en te précédant, et sera sans doute considérable à notre arrivée.

Je réfléchis à ce qu'il venait de me dire.

– C'est donc ainsi que ton père veut bâtir un empire… et c'est pour cela qu'il a fait mettre à mort Zelind-ur…

Jutas m'interrompit avec véhémence :

– Tar n'était qu'un bon à rien d'ivrogne ! Son aïeul Torhos, à qui Árpád, l'assassin du künde, avait remis ces terres, avait réduit notre clan en esclavage. Mon père t'a sauvé la vie, s'il t'avait amené ici tout de suite après t'avoir repris sur son ordre aux hommes de Sarolt, tu ne serais plus de ce monde ! Tar craignait que le prince ne fasse alliance avec le pape dans son dos, ce qui lui aurait attiré des désagréments de la part de l'empereur. Depuis Ogusbur, il redoutait de devoir affronter de nouveau les armées d'Othon. C'est pourquoi il a empêché Sarolt de te conduire auprès du prince en ordonnant à mon père d'aller te quérir au village des Varègues. Nous avons tardé, il est vrai, mais nous sommes arrivés à temps pour te reprendre aux mains de Sarolt. Seulement mon père a trouvé sur toi le médaillon de Togrul et il a entendu dire que Zelindur voulait en finir au plus vite avec le moine, c'est-à-dire toi, afin que ton message ne parvienne pas au prince, alors il t'a mis à l'abri dans notre village en prétextant te faire avouer dans quel but tu étais venu parmi nous…

– Il semble que j'étais une marchandise très recherchée…

– Mon père n'avait pas d'autre choix. Il faut avoir l'avantage pour agir. Et tu lui as procuré cet avantage. Grâce à l'insigne de künde que tu portais. Nous avons eu beaucoup de chance que le petit serviteur le trouve dans tes vêtements alors que tu étais encore au campement. Si mon père avait attendu, d'autres auraient agi, peut-être même contre lui. Ne regrette pas Tar, la Terre n'a jamais porté d'être plus malfaisant que lui.

– Ne crains-tu pas que son fils dise un jour la même chose de toi ?

– Tu lui as laissé la vie.

– Ce n'est pas une raison pour qu'il meure.

Jutas me prit la main :

– Écoute bien, Csaba-ur. Si mon père parvient à gagner Zubor-ur à sa cause, c'en est fait du prince. Taksony, de même que Tar que tu regrettes tant, est un descendant du meurtrier du künde. Le descendant de celui qui a assassiné Kurszán-künde, ton père ! C'est un usurpateur. Et n'oublie pas, là-bas dans les lointaines montagnes du levant, ton peuple exilé par Árpád, ton sang, les tiens attendent ton retour ! Nous les rechercherons et quand ils entendront parler de toi, ils se rangeront tous à tes côtés, alors Zubor-ur n'aura plus le choix.

– Voilà donc le but de ton père ? Il veut devenir prince ?

Jutas me regarda avec indulgence :

– Tu ne comprends vraiment pas ? Quel que soit le prince, mon père ou un autre, il ne serait que gyula à tes côtés. Il y aura de nouveau deux princes, comme autrefois, le gyula et le künde. Ce que mon père fait à présent pour lui, il le fait aussi pour toi.

– Seulement je ne lui ai rien demandé.

– Mais si, voyons ! En venant parmi nous avec l'insigne de Togrul dans ta ceinture, tu as fait même plus que demander, tu as donné un ordre ! Tu as apporté un message du passé, comme le disent les chamans, un message du pays ancestral du levant, où on nous attend peut-être encore…

– Vous y retourneriez ?

– Si c'est notre destin, oui. Peut-être n'aurions-nous jamais dû en partir. Nous sommes des étrangers, tu le vois bien, nous faisons tache parmi ceux d'ici. Il nous faut retrouver les tiens, ils sont garants de notre succès. Nul doute qu'ils attendent ton retour, mais le prince les tient prisonniers par-delà les hautes montagnes. Il a peur d'eux, comme de toi.

– Donc la raison de ta tristesse est que Sarolt va bientôt épouser le fils du prince ?

– La raison de ma tristesse est que je ne puis être là pour l'empêcher.

– Mais si ton père parvient à ses fins, et si Zubor-ur devient votre allié, il ne donnera plus sa fille au fils d'un prince dont la venue au pouvoir sera alors fortement remise en question…

– Sans doute.

– … Il la donnera plutôt au fils du futur prince, du gyula, puisque c'est ce qu'il sera. N'est-ce pas vrai ?

– Si tu le dis.

– Donc à toi. Alors je ne comprends toujours pas d'où te vient cette soudaine tristesse, puisqu'il y a quelques mois, tu étais loin de pouvoir espérer de telles chances…

– Je te l'ai dit : je ne pourrai pas être là où la décision sera éventuellement prise. Je ne serai pas auprès de Sarolt pour influer sur cette décision s'il le fallait. Mon père ne veut pas que je vous accompagne. Je ne partirai pas vers l'est. Il m'a ordonné de rester ici.

– Voilà donc ce qui te tourmente. Ne crois-tu pas que ton père ait raison ? Il ne peut pas confier la citadelle à un étranger.

– Mais il ne m'a pas confié la garde du fort, il m'envoie au camp militaire. J'y serai, paraît-il, plus en sécurité. Comme si j'étais un enfant à la mamelle !

Il a dit que si le prince parvenait jusqu'ici, la citadelle serait de toute façon perdue. Il emmène Agolcs avec lui.

– Peut-être veut-il te ménager. C'est un long et périlleux voyage.

– Je ne suis plus un enfant !

– C'est vrai. Mais la décision revient à ton père. Jusqu'à présent, il a toujours su ce qu'il faisait.

J'avais dit cela en dépit de toutes mes convictions, juste pour apaiser Jutas.

Dès lors, l'idée de mon peuple attendant mon retour fit son chemin en moi. Existait-il encore ? Si c'était le cas, et s'ils se souvenaient vraiment de moi, n'était-il pas de mon devoir de les retrouver ? Je savais par expérience ce qu'était grandir sans racines, vivre sans savoir où est sa place, et j'apprenais soudain que quelque part vivait un peuple qui comptait sur moi et m'attendait ! Il y avait donc un coin de terre où je ne serais pas étranger ?

Le soir, après le repas, je m'assis près de Keve et le priai de me parler du voyage qu'il envisageait. Il sourit, nullement surpris de ma demande.

– Je vois que mon fils n'a pas tenu sa langue.

– Tu pourrais peut-être de temps en temps me faire part de tes projets !

Keve baissa la tête.

– Pardonne-moi, Csaba-ur. Je ne voulais pas t'ennuyer inutilement. J'ai pensé qu'il valait mieux d'abord préparer le voyage et ne t'en parler qu'ensuite. J'ai reçu des nouvelles au sujet du prince, qui ont accaparé mon attention.

– De mauvaises nouvelles ?

– Pas très bonnes. C'est pourquoi j'ai hâté les préparatifs de notre départ. Certain que nous allons l'attaquer, le prince Taksony a pris peur, ou plutôt son fils Gezüja-ur, qui, paraît-il, règne pratiquement à sa place. J'aurais préféré attendre le printemps, il ne fait pas bon voyager en hiver. Et j'aurais eu le temps de m'informer en détail sur la position des diverses tribus avant de nous mettre en route. Il est à craindre que le prince ou son fils n'attende pas jusqu'au printemps. Plus tôt nous partirons, mieux cela vaudra. Ce serait une erreur d'attendre ici l'arrivée de son armée.

– Donc tu te trompais en présumant que le prince se résignerait à la disparition de Zelind-ur ?

– Je ne pensais pas qu'il serait si pressé de nous exterminer. J'étais convaincu qu'il nous sous-estimait, mais je me trompais, il sait parfaitement ce que signifie pour lui l'apparition de Csaba-ur. Il veut prévenir le danger.

– C'est-à-dire…

– … qu'il veut être débarrassé de toi le plus tôt possible. Avant que ton renom n'ait trop grandi. Il s'efforce de répandre des rumeurs sur ton compte : tu es un imposteur, un homme de main à la solde de l'empereur, chargé de semer la discorde parmi les nôtres. D'ailleurs, il le croit peut-être, car ton retour de l'oubli tient du miracle, Csaba-ur.

– Et si on lui accorde crédit ?

– Celui qui te voit, qui voit l'insigne de künde, te croira, toi. C'est pourquoi nous devons partir. J'ai aussi reçu de bonnes nouvelles. Csenke-ur, le chef des cavaliers taskandes, m'a fait savoir secrètement qu'il nous attend et souhaite te rencontrer. S'il le veut, il peut mettre dix mille cavaliers à notre disposition.

– Ne courons-nous pas tout droit dans un piège ? Jutas m'a dit que tu recherchais l'alliance de Zubor-ur, n'allons-nous pas tomber dans les griffes du prince ?

– D'ici là…

– Oui, l'interrompis-je, ma renommée aura fait boule de neige ! À moins que cette renommée ne soit celle du religieux imposteur venu d'Occident, et non celle de Csaba-ur. Selon ton fils, Sarolt, la fille de Zubor-ur, est destinée au fils du prince…

Keve s'emporta :

– Sarolt est un serpent venimeux ! Je ne laisserai jamais mon fils s'approcher d'elle !

– Il en est pourtant amoureux…

– Jutas est encore un enfant. Il s'en remettra. C'est pour cela qu'il doit rester. S'il venait avec nous, il serait capable de se laisser aller à l'imprudence. Je le confie à quelques-uns de mes hommes qui l'emmèneront au camp militaire, ainsi il ne tombera pas entre les mains du prince. Il pourra éventuellement se retirer dans un des villages de notre tribu. Entre le prince et nous, Csaba-ur, ce sera une véritable course. Mais c'est nous qui avons l'avantage, car nous savons où nous allons. Nous devons partir en secret, afin qu'il continue de croire qu'il nous trouvera ici, à la citadelle. Et puisque tu es künde, le Dieu-Ancêtre veillera sur nous en chemin…

– Parle-moi de mon peuple.

Keve garda le silence un instant.

– J'ai toute confiance en eux. D'après la tradition, Árpád-gyula, redoutant la vengeance du peuple de Kurszán après qu'il eut livré celui-ci aux mains des Bavarois, a fait mettre à mort ses hadours. Mais ne pouvant agir de même avec des milliers de gens, il les a déportés vers l'est, au-delà des terres de Zubor-ur, en leur interdisant à jamais de revenir parmi les autres tribus magyares. Le père de Zubor-ur reçut la mission de garder les frontières orientales afin d'empêcher le retour du peuple de Kurszán. Depuis, nous n'avons pratiquement plus entendu parler d'eux. Tout ce que nous savons, c'est qu'ils n'ont pas oublié leur passé, et qu'ils attendent toujours le retour de Csaba-ur, le fils de Kurszán-künde qui leur fera justice.

– J'aimerais les retrouver.

Keve me regarda attentivement puis hocha la tête.

– C'est bon, Csaba-ur. Tu peux compter sur moi.

Je lui parlai alors de l'inquiétude que j'avais conçue en visitant les villages magyars des environs, j'avais l'impression de n'y être pas bien accueilli, ne me considéraient-ils pas comme néfaste ?

– Ils sont aveulis par des années d'impuissance et d'inactivité, répondit-il. Il n'y a personne pour leur montrer l'exemple. Mais ce n'est pas le bas peuple qui doit décider de l'avenir, c'est nous, car nous voyons plus loin que notre pitance du lendemain.

Grâce à mes aventures sous la tente du chaman, j'étais indubitablement devenu aux yeux de Keve un peu plus qu'un religieux de rien du tout qui s'était fourvoyé par ici en venant d'Occident et dont la vie, pour le citer, ne valait pas plus que les hardes qu'il portait. Il lui fallait évidemment faire croire que Csaba-ur, le künde, était de retour, cependant le respect calculé qu'il me témoignait depuis mon initiation était autre chose qu'un simple moyen d'étayer cette mystification, ce qu'étaient, en revanche, les cérémonies précédant chacune de mes apparitions. Sa prudence relevait également de la croyance païenne ancestrale : le künde était le lien entre Dieu et les hommes, il avait le pouvoir d'influer sur les choses de ce monde, et s'opposer à sa volonté revenait à s'opposer au Dieu-Ancêtre. Keve, qui aspirait à rétablir l'ordre ancestral, n'était manifestement pas certain que je dispose d'un tel pouvoir. Les légendes étaient là pour témoigner que les künde d'autrefois, ceux qui pendant des siècles avaient régné côte à côte avec les gyula, pouvaient communiquer avec le Dieu-Ancêtre, mais moi, ancien moine chrétien, je n'avais pas encore donné la preuve que ce don divin fût en ma possession. L'espoir et l'incertitude devaient se livrer une lutte continuelle dans l'âme de Keve.

Cependant, je m'efforçais de ne jamais perdre de vue que je n'étais pour lui qu'un moyen de parvenir à ses fins. Je n'étais même pas certain de ne pas subir un jour le même sort que Zelind-ur si je me mettais par trop en travers de son chemin…

Le soir, quand le silence se faisait dans la citadelle, je m'enveloppais dans la douce chaleur de la voix d'Aruna. Elle chantait parfois pour mon plaisir, j'écoutais ces airs évoquant des mondes lointains et inconnus. Blotti dans une peau d'ours auprès d'un braisier, je ne me lassais pas de regarder sa silhouette gracile aller et venir dans la pièce. Son chant bannissait la froidure des murs de pierre.

Chacun de ses mouvements était mesuré, réfléchi, elle semblait maîtriser le temps. L'odeur de jasmin de sa peau me faisait venir les larmes aux yeux si je n'y prenais pas garde. J'ignore encore pourquoi.

– Que sais-tu de mon peuple ? lui demandai-je un soir.

– Peu de chose. Seulement ce que disent les contes. Celui de la rose.

– Quelle rose ?

– Celle que ton peuple a conservée à travers les siècles, en prenant toujours des boutures du même rosier. Le Rosier de Künde.

Assise au pied du lit, elle tressait ses cheveux, la tête légèrement inclinée, et dans la faible lumière, le mouvement lent et répétitif de ses mains entrelaçant les mèches me sembla célébrer l'éternité de cet instant.

– On dit chez nous qu'au jardin de Künde, toutes les fleurs sont belles. Nous avons aussi un conte à ce sujet. Il y a très longtemps, lorsque nos peuples vivaient encore dans le lointain Pays du Levant, le château du künde était entouré d'une immense roseraie. Le künde de cette époque avait une passion pour les roses. Il n'y avait rien ni personne qu'il aimât davantage, et son jardin était aussi vaste qu'une forêt. On pouvait se perdre dans ses dédales, étourdi par le puissant parfum des roses. Elles indiquaient que cette terre était différente des autres régions magyares. En cet endroit, le Dieu-Ancêtre veillait sur le künde, voilà ce que disaient les roses. Il n'était pas permis de pénétrer dans la roseraie avec un arc ou une épée. Si des ducs ou même l'autre prince, le gyula, voulaient voir le künde, ils devaient laisser leurs chevaux et leurs armes à l'extérieur du jardin. D'ailleurs, nul cheval n'y serait entré, tant la senteur des roses était pénétrante. Et cette roseraie était si étendue, si compliquée qu'on pouvait s'y perdre et y errer des jours durant si on ne la connaissait pas. Le château du künde se trouvait juste au milieu. Les murailles étaient couvertes de rosiers grimpants, si bien qu'il semblait être fait de roses et non de pierres. Il resplendissait de tant de couleurs qu'on venait de très loin pour l'admirer. Le künde qui y vivait alors, épris de ses roses, s'appelait Kelendi. C'était Kelendi-künde.

– C'est un beau nom, dis-je.

– Oui, répondit Aruna en souriant. Les petits enfants le connaissent par une comptine : *Kelendi-künde de mauvais bois s'est chauffé, Kelendi-künde à une épine s'est piqué…* Or, Kelendi-künde était très difficile, et n'avait jamais trouvé de femme qui lui convienne. En vain ses ducs et ses hadours lui présentaient-ils leurs plus belles filles, aucune ne lui agréait. L'une était trop maigre, l'autre trop grasse, celle-ci trop petite, celle-là trop grande, l'une avait le teint trop pâle, l'autre trop hâlé… Il consacrait tout son temps à ses roses et disait qu'il ne prendrait femme que lorsqu'il en trouverait une qui fût aussi belle que ses fleurs. Les années passant, les nobles et le peuple s'inquiétaient que le künde reste sans descendance, et disaient entre eux que s'il persistait à être aussi difficile, il ne trouverait jamais de femme, il n'y aurait un jour plus personne pour être künde, et le Dieu-Ancêtre se fâcherait contre eux parce qu'ils auraient laissé s'éteindre la branche du künde. Les seigneurs magyars se concertèrent et se rendirent au château de roses pour faire part à Kelendi-künde de ce qu'ils avaient décidé. Voici ce qu'ils lui dirent : « Kelendi-künde, écoute-nous. Si tu ne trouves pas de femme qui te convienne, cela va mal finir. Ta branche s'éteindra, et nous serons privés du regard du Dieu-Ancêtre, il n'y aura plus personne pour lui transmettre nos plaintes. Alors voici ce que nous avons décidé : si tu ne peux trouver parmi ton peuple une jeune fille susceptible de gagner ton cœur, nous irons te chercher une femme en terre étrangère, elle donnera naissance à tes fils, ainsi la lignée du künde ne s'éteindra-t-elle pas. Nous irons par le vaste monde, au nord, au sud, au levant, au couchant, pour te ramener la plus belle fille qui soit sur terre. Et lorsque la plus belle fille du monde sera devant toi, tu sauras qu'il est inutile de chercher davantage, car tu n'en trouverais pas de plus belle. Et c'est elle que tu devras prendre. » Les seigneurs magyars firent comme ils avaient dit. Ils se mirent en route vers le nord, le sud, le levant et le couchant, à la recherche de la plus belle fille du monde. Dans son château entouré de roses, Kelendi-künde attendait impatiemment de voir cette jouvencelle à la beauté inégalée. Le temps passa, les seigneurs revinrent, accompagnés d'une multitude de jeunes filles, blondes, brunes, minces, graciles, sages, à la voix mélodieuse. Le gyula les invita toutes à un grand festin afin de décider laquelle serait présentée au künde. Les seigneurs étaient également conviés, et chacun jura que la plus belle était celle qu'il avait lui-même trouvée. Ils ne purent se mettre d'accord, disputèrent, se querellèrent, en vinrent presque aux mains. Aucun ne voulait convenir que la jeune fille ramenée par un autre était plus belle que la sienne. Trois jours passèrent sans résultat. Alors le gyula en eut assez de ces vaines palabres et réclama le silence. Voici ce qu'il dit aux seigneurs : « Nous sommes ici depuis trois jours et trois nuits sans pouvoir décider laquelle est la plus belle. Et même si nous restions encore trois jours et trois nuits, nous ne pourrions choisir celle que nous mènerons au château de Künde. Cependant, il nous faut prendre une déci-

sion, nous ne pouvons paraître devant Künde et lui dire que nous ne savons pas laquelle est la plus belle, celle qui est faite pour lui, sinon Künde n'aura pas de femme, et s'il n'a pas de femme, il n'aura pas de fils qui perpétue sa lignée, et si la branche du künde meurt, le Dieu-Ancêtre nous abandonnera. Voici donc ce que je vous propose, afin de mettre un terme à notre querelle : la première servante qui entrera dans cette salle pour nous servir du vin sera proclamée la plus belle fille du monde. Il n'y aura plus de discussion, c'est elle que nous présenterons à Künde, et nous lui dirons que nous sommes d'un avis unanime. Aucun d'entre vous n'aura gagné, aucun n'aura perdu. Nous ne tromperons pas non plus Künde, car il aura vraiment la jeune fille que nous avons choisie pour lui d'un commun accord. »
Les seigneurs, également lassés de leurs disputes, acceptèrent sa proposition et attendirent en silence qu'une servante entre avec une cruche de vin. La première qui entra était belle, au moins aussi belle que toutes les belles, mais elle n'apportait pas de vin, elle venait chercher les plats vides. La seconde, un peu moins belle, n'apportait pas non plus de vin, mais des pâtisseries. La troisième était un laideron, son corps n'était pas gracile, sa voix n'était pas mélodieuse, elle boitait même, mais elle avait à la main une cruche de vin et les servit tous. Force leur fut de présenter cette fille à Künde. Mais par prudence, ils choisirent pour cela une salle où la lumière du jour pénétrait à peine, si bien qu'ils ne se voyaient presque pas l'un l'autre, et furent assurés que Künde ne remarquerait pas la laideur de la jeune fille. Ils le firent entrer et lui dirent en termes choisis qu'ils avaient trouvé dans le vaste monde un nombre

incalculable de magnifiques jouvencelles, mais nulle ne pouvait être comparée à celle-ci, aucun d'entre eux n'avait trouvé en elle le moindre défaut. Künde fut heureux d'avoir enfin devant lui la plus belle fille du monde, mais en dépit de tous ses efforts, il ne put distinguer ses traits dans la pénombre, et demanda aux seigneurs de la conduire dans la roseraie, à la lumière du jour, où il pourrait admirer sa beauté. Les seigneurs se montrèrent réticents, mais force leur fut d'obéir. Ils accompagnèrent la jeune fille dehors en tremblant, car ils redoutaient le moment où le prince verrait à quel point elle était laide. Mais quel ne fut pas leur étonnement quand elle se trouva dans la forêt de roses ! Elle était plus belle que toutes les belles étrangères venues du monde entier, et quand elle se mit à chanter, les fleurs s'épanouirent. Les seigneurs magyars la contemplaient, stupéfaits, se demandant comment cette laideronne pouvait être à ce point merveilleuse. Elle avait embelli parmi les roses, était devenue aussi belle que les fleurs. Et Kelendi-künde versa des larmes en voyant son jardin se couvrir de fleurs au son de cette voix, plus douce que toutes les mélodies qu'il avait jamais entendues. Il ne se lassait pas de regarder la jeune fille au milieu des roses, admirant la beauté de ses traits dont chacun lui semblait parfait, et remercia les seigneurs de lui avoir véritablement amené la plus belle fille du monde…

– C'est un joli conte.

Aruna me regarda du coin de l'œil.

– Il n'est pas encore fini. Kelendi-künde s'éprit tant de la jeune fille présentée par ses ducs qu'il ne connut plus ni jour ni nuit. Jaloux de tous ceux qui l'approchaient, il ne la quittait pas un seul instant. Il demanda à son taltos de lui préparer le breuvage magique qui lui faisait voir le monde par les yeux du Dieu-Ancêtre, afin de connaître le moindre mouvement, la moindre pensée de la jeune fille. Quand le philtre fut épuisé, il en demanda encore, et encore, toujours plus, car il redoutait chaque heure qu'il ne passait pas auprès d'elle… Le taltos l'avertit que ce n'était pas sans risques, s'il en abusait, il pouvait rester prisonnier du regard du Dieu-Ancêtre et ne jamais revenir… Et c'est ce qui arriva. Un matin, Künde ne se leva pas, il avait tant bu de potion magique qu'il ne pouvait plus revenir d'entre les deux mondes. Mais même là, il ne fut point délivré de sa passion, et son âme rongée de jalousie se vengea de tous ceux qui avaient seulement osé poser un regard sur elle. Ainsi périrent le cuisinier, le palefrenier, les serviteurs, et peu à peu le château se vida. Seul le jardinier qui s'occupait des roses resta en vie. On évitait les alentours, et la jeune fille demeura seule entre les hautes murailles, plus personne n'osa s'approcher du maléfique château de roses, et peu à peu, au fil des ans, la jeune fille se fana parmi les admirables fleurs… C'est ainsi que ce künde n'eut pas de descendance, l'entreprise des seigneurs était restée vaine, et les Magyars durent élire un nouveau künde. Mais quand notre peuple quitta le Pays ancien, ils ne purent emporter la roseraie de Kelendi-künde. Ils arrachèrent tous les rosiers à l'exception d'un seul, que le clan de Künde conserva, boutura, protégea au fil des ans. Ils l'apportèrent même en Pannonie, et le remportèrent quand Árpád les bannit vers le levant. Depuis, plus personne n'a vu le Rosier de Künde.

– Connais-tu beaucoup de contes ?

– Non. Ma mère elle-même ne connaissait plus de contes kabars. Et les contes magyars, le peuple de Künde les a emportés avec le rosier. Nos souvenirs se sont épuisés.

Les jours raccourcirent, il commença à faire froid. Parfois, quand je n'avais rien d'autre à faire, j'allais voir Vezek, notre vieux chaman. Assis sous sa tente, je le regardais touiller ses potions de sa vieille main tremblante. Il m'avait enseigné comment préparer le philtre qui donnait aux künde la faculté de voir par les yeux du Dieu-Ancêtre : quels ingrédients faire sécher, par quel moyen, lesquels broyer ensemble, faire infuser ensemble ou à part. Ce que j'avais vu la dernière fois, je n'étais pas certain de l'avoir vu par les yeux du Dieu-Ancêtre, ces visions n'étaient peut-être que l'effet de la fièvre qui se jouait de moi. Quoi qu'il en soit, je n'avais pas osé faire de nouvelle tentative. Vezek lui-même m'avait averti :

– Il faut user avec une grande prudence de ce breuvage. On dit qu'il y a bien longtemps, un künde est devenu esprit. Ce qu'il voyait sous l'effet du philtre l'avait si bien ensorcelé qu'il en prenait toujours plus, de plus en plus souvent. Et un beau jour…

– Je sais, on me l'a raconté.

Au pied de la citadelle, le campement se vidait peu à peu. Ceux qui avaient une résidence d'hiver partaient les uns après les autres. La soif de vengeance du prince n'était pas pour retenir quiconque. Quant à Agolcs, le hadour, je ne le voyais pratiquement plus. Il parcourait sans relâche la contrée pour annoncer mon retour aux Magyars. La nouvelle se répandait sans aucun doute, car une délégation des marches méridionales vint s'assurer que Csaba-ur était effectivement là. Avant de recevoir les émissaires, Keve-ur m'expliqua qu'ils étaient envoyés par Butond-ur, le harka du Nord, et qu'il serait bon de faire preuve de prudence à leur égard, car ils étaient également apparentés au clan du prince. Toutefois, il ajouta que cela n'aurait pas d'influence sur ce que ferait Butond-ur, surtout s'il trouvait intérêt à se ranger à nos côtés.

– Il ne faut pas perdre de vue que les Magyars des marches méridionales ne sont pas aveulis comme ceux d'ici. Ceux qui gardent les frontières se battent jour après jour.

Butond-ur était cantonné loin au sud, là où le Danube faisait un coude vers l'est. Perchée à flanc de montagne, sa forteresse, également héritée des anciens Romains, était pratiquement imprenable. Ses émissaires étaient conduits par un chaman et un hadour.

– Puisque nous irons vers l'est, expliqua Keve, ce sont eux qui rapporteront dans les marches du Sud la nouvelle de ton retour. Bien des choses dépendront de l'état d'esprit dans lequel ils nous quitteront.

Les émissaires arrivèrent avec une somptueuse escorte par un bel après-midi de novembre. Keve les accueillit en personne au portail et selon la coutume magyare donna par trois fois l'accolade au chaman. À en juger par leurs riches habits et leurs manteaux de brocart tout scintillants d'or et d'argent, les neuf émissaires devaient être de grands seigneurs. J'observais la scène d'en haut, à la fenêtre de la tour, car Keve m'avait averti de ne pas paraître avant qu'il m'eût fait signe. J'attendis patiemment, et le soir était tombé quand on frappa à ma porte.

Je descendis dans la salle, escorté par douze archers. Le manteau pourpre qu'Aruna m'avait donné descendait jusqu'à terre, je devais veiller à ne pas marcher sur les pans afin de ne pas m'étaler à plat ventre. Keve avait fait préparer la grande salle à la mode magyare, une table basse entourée de coussins remplaçait la grande table, si bien que le lieu où Zelind-ur et ses notables avaient été tués quelques semaines auparavant ne semblait plus le même. Ce que je ne regrettais pas le moins du monde. Nous prîmes place autour de la table et tandis que les serviteurs déposaient devant nous les mets les plus fins, le chaman, qu'on appelait Urszu et qui devait être à peu près de mon âge, me dévisageait d'un air soupçonneux. Au cours du repas, on parla de tout, mais pas de moi. Selon une règle tacite des Magyars, il convient d'éviter tout sujet épineux au cours des repas que l'on offre à ses hôtes. (Cependant, rien n'empêche de s'entretuer ensuite, comme j'en avais récemment fait l'expérience.)

Le hadour, guère plus âgé que le fils de Keve, pouvait à peine dissimuler son émotion d'avoir été chargé d'une aussi importante mission. Il s'avéra qu'il était le fils aîné de Butond-ur, et que sa nomination était récente. Il parlait peu, laissant l'initiative au chaman. Les autres émissaires faisaient de même. La seule raison de leur présence était manifestement d'assister Urszu par leurs yeux et leurs oreilles. Celui-ci, contrairement à notre vieux taltos qui empestait l'ail, portait avec distinction un habit où tintinnabulaient force médailles d'or et d'argent. Il avait même de petits ornements d'or accrochés dans sa chevelure, ce qui me parut ridicule, car chez nous, ce sont les dames de la noblesse qui se parent les cheveux de la sorte.

Obéissant à Keve, je ne pris nulle part à la conversation pendant le repas. Il avait désigné ma place au bout de la table et avait habilement disposé braisiers et torches de sorte que je n'en sois pas trop proche, ainsi mon visage restait-il dans la pénombre. On parla beaucoup de la chasse, à laquelle Butond-ur semblait se livrer avec prédilection dans les marches méridionales. On parla aussi des ours, fort nombreux dans ces forêts, si denses et si profondes que le jour n'y pénètre pas. Les ours, ainsi que les loups à la saison pluvieuse, sont si téméraires qu'ils font de fréquentes visites aux réserves des villages, allant jusqu'à attaquer les hommes qu'ils rencontrent seuls. Il fut ensuite question des Bulgares de la frontière, ils étaient parfois en bons termes avec eux, mais il leur arrivait aussi d'en découdre, bien que de l'avis d'Urszu il s'agît davantage de démonstrations de force que de véritables batailles. Sans le dire vraiment, il nous fit ainsi savoir que l'armée de Butond-ur, prête au combat, s'ennuyait dans l'oisiveté, et que la chasse ou les escarmouches avec les Bulgares distrayaient et maintenaient en mouvement l'armée inactive. « Il faut faire bouger l'épée dans son fourreau, dit-il, sinon il devient difficile de la tirer. »

Puis quand les convives, après les viandes, s'intéressèrent aux pâtisseries au miel, le chaman entama un nouveau discours. Il passait aux choses sérieuses. Il me jeta de nouveau quelques regards inquisiteurs, comme il l'avait fait auparavant à plusieurs reprises, puis se servit de vin et dit :

– Tout ce que je sais en qualité de taltos, je l'ai appris de mon père, Zovard. Lui-même le tenait de son père, mon aïeul Süvek, à qui Jelek, mon bisaïeul, avait transmis son savoir… et ainsi de suite jusqu'aux tout premiers temps… C'est pourquoi je dois me souvenir de tout ce dont se souvenaient mes ancêtres. Leurs mémoires se confondent dans la mienne, et je transmettrai tous ces souvenirs à mon fils qui fera de même pour son fils, afin que le flot reste ininterrompu et suive le même cours jusqu'à la fin des temps. Il y a dans ma mémoire un guerrier boiteux. Il y est présent avec les autres souvenirs, mais depuis quelque temps, je pense à lui de plus en plus souvent. J'étais encore enfant quand je l'ai connu. Mon père le connaissait, lui aussi, mais il ne l'aimait guère. Il disait que cet homme avait vu le crime et portait la malédiction sur lui. Blessé à la jambe par un coup d'épée, il avait des difficultés à se tenir en selle. On le tolérait au campement, il s'occupait des chevaux, leur donnait à boire. Dès que l'occasion s'en présentait, il racontait son histoire. Il suivait les gens, mais ceux-ci l'évitaient autant que possible, et il avait beau parler, ils faisaient la sourde oreille. Ils craignaient ses paroles, comme si elles allaient répandre une maladie. Seul mon père l'écoutait quelquefois, car il devait le faire. Il disait que cet homme était obligé de raconter, c'était son destin, il lui fallait avouer sa faute, et son châtiment, pour lequel il était resté en vie, était qu'hormis mon père, personne ne l'écoutait. Dès mon enfance, j'ai parfois écouté le guerrier boiteux avec mon père, et le temps passant, cela a aussi fait partie de mes attributions. J'ai bien souvent entendu la même histoire, racontée de diverses manières, transformée et retravaillée au fil des ans par la mémoire du guerrier boiteux. Depuis qu'Árpád a banni le clan de Kurszán, il n'y a plus personne pour noter nos histoires par écrit. Il y a longtemps que, chez nous, plus personne ne connaît les runes. Cette histoire n'a pas été consignée, nous ne faisons que nous en souvenir. Toutes ses variantes remontent à une seule histoire originelle, c'est celle que j'ai retenue, en fondant les différents récits. Et voici ce que dit cette histoire unique : le guerrier boiteux était un archer d'élite d'Árpád-gyula. Il était de ceux qui avaient découvert cette contrée qu'ils allaient ensuite conquérir par les armes, et fut l'un des premiers à s'aventurer sur ces terres avec l'armée d'Árpád. Et quand notre peuple s'y fut établi, le guerrier boiteux, qui avait nom Uzdi, occupa un haut grade dans l'armée, il commandait la garde personnelle d'Árpád-gyula. En ce temps-là, les choses allaient très mal, nous tourmentions fort nos voisins bavarois, qui ne savaient pas comment se protéger de nos flèches mortelles et de nos rapides cavaliers. Ils étaient vaincus lors de chaque affrontement, et nos pères s'emparèrent aisément des trésors de leurs châteaux et de leurs églises. Selon Uzdi, c'est alors que la mésentente divisa Árpád-gyula et Kurszán-künde. Celui-ci considérait cet état belliqueux comme transitoire, car il attendait le moment favorable pour reconduire son peuple au Pays du Levant, ce à quoi il aspirait pardessus tout, tandis qu'Árpád-gyula, fasciné par la richesse du pays et voyant la faiblesse de ses habitants, était certain de pouvoir fonder un nouvel empire sur ces terres, et même, devant la faible résistance opposée à nos troupes, il imaginait que cet empire s'étendrait à l'infini vers l'occident. Or il était rusé, et pour gagner du temps, il engagea des pourparlers avec les seigneurs bavarois. Il s'efforça de les convaincre que s'ils acceptaient de lui verser un tribut annuel, et en outre de laisser ses armées traverser librement la Bavière quand il déciderait d'aller guerroyer vers l'ouest, il les laisserait en paix et épargnerait leurs provinces. Les Bavarois acceptèrent, conscients que leurs divisions et leur faiblesse les rendaient au demeurant incapables de résister. Mais ils posèrent une condition draconienne. Ils exigèrent en contrepartie que nous leur livrions en otage des personnages de haut rang. Et ils ne réclamèrent pas n'importe qui, mais un enfant de chacun des deux souverains, Árpád et Kurszán. Le pacte était valable pour deux ans : si les princes respectaient leurs engagements, l'un des fils recouvrerait la liberté à la fin de la première année, l'autre serait libéré l'année suivante. À cet endroit, le récit du guerrier boiteux devenait confus, ce qu'il n'avait pas vu de ses yeux ne reposait que sur des conjectures. Une fois il dit qu'Árpád-gyula avait scellé le pacte à l'insu du künde, et promis aux Bavarois de leur livrer Tahas, son fils aîné, mais aussi Csaba, le fils unique de Kurszán, sans même le dire à celui-ci. D'autres fois, il affirmait que Kurszán-künde avait consenti à cette alliance et même accepté l'idée des otages, car la paix ainsi assurée lui aurait permis de réaliser ses projets, mais lorsqu'il fut question de livrer son fils, la crainte inspirée par l'amour paternel l'emporta et il changea d'avis. Selon une troisième variante, c'est Árpád-gyula qui avait tout imaginé, dans le seul but de se débarrasser de Kurszán-künde avec l'aide des Bavarois et de régner seul. Quoi qu'il en soit, les deux enfants, Csaba-ur et Tahas-ur, faisaient partie de la délégation invitée par les Bavarois. Voici comment Uzdi, le guerrier boiteux, racontait cet événement : par une froide journée d'automne, la délégation s'est mise en route vers la Bavière pour conclure le traité de paix lors d'un banquet officiel. Les Bavarois avaient insisté pour que les deux princes magyars, le gyula et le künde, fussent présents à cette occasion. Csaba-ur, vêtu d'un habit de brocart, chevauchait auprès de son père Kurszán, de même que Tahas-ur auprès d'Árpád. Il était un peu plus jeune que Csaba, sa selle était plus petite et ses étrivières plus courtes, à la mesure de ses jambes d'enfant. À ce moment, Uzdi ignorait encore ce qui se préparait, selon lui tous croyaient qu'un festin les attendait vraiment. Cependant, il soupçonnait quelque chose, car avant de partir, Tonozub, le hadour d'Árpád, l'avait fait venir en qualité de commandant de la garde princière, et lui avait fait jurer que quoi qu'il arrive, il ne ferait rien, ni lui, ni les autres archers de la garde, sans son ordre, sous peine d'être décapité. Mais quoi qu'il lui ordonne, il devrait le faire.

– Selon Uzdi, poursuivit le chaman en me jetant de nouveau un regard dans la pénombre, les princes magyars furent reçus avec magnificence. Le repas devait avoir lieu dans la cour, car les Bavarois avaient entendu dire que les Magyars n'aimaient pas se tenir dans une salle, entre des murs de pierre. De grandes tentes avaient été dressées afin de les abriter de la pluie froide. Les Bavarois insistèrent pour qu'aucune troupe armée ne pénètre dans la cour, à l'exception des gardes personnelles. Comme ils donnèrent eux-mêmes l'exemple, Árpád et Kurszán ne purent faire autrement que de laisser hors des remparts les quelques centaines d'hommes qui formaient leur escorte, et seuls les archers, dont Uzdi, les accompagnèrent à l'intérieur du château. Tout semblait se passer à merveille. Les deux délégations prirent place à des tables différentes, les Bavarois d'un côté, les Magyars de l'autre. On leur servit les mets les plus délectables et du vin en abondance. À plusieurs reprises, les convives de chaque groupe levèrent leurs coupes vers les autres. Puis à la fin du repas, les interprètes esclavons, qui jusque-là n'avaient guère été sollicités, informèrent les princes que les seigneurs bavarois estimaient le moment venu d'honorer le pacte. Árpád-gyula hocha la tête en guise d'assentiment et murmura quelque chose à son fils assis près de lui, puis il se leva pour sortir de la tente. Tahas-ur, qui en raison de son jeune âge ne comprenait sans doute pas ce qui se passait, suivit son père d'un regard effrayé, mais il resta à sa place car son éducation l'avait accoutumé à obéir. Kurszán se leva à son tour, son fils Csaba-ur également, et tous deux s'apprêtèrent à sortir. Alors les serviteurs bavarois, qui jusque-là avaient servi les viandes et le vin, bondirent vers la desserte derrière laquelle ils avaient dissimulé des épées, se saisirent des armes et encerclèrent Kurszán. Les gardes d'Uzdi portèrent machinalement la main à leurs carquois, et même Uzdi, oubliant l'ordre de Tonozub, se précipita au secours de Kurszán. Le hadour lui cria de s'arrêter, mais il sauta par-dessus une table pour rejoindre plus vite le künde. Au même moment, un chevalier bavarois déguisé en serviteur lui trancha le jarret d'un coup d'épée et Uzdi s'effondra sur la table. Il vit les Bavarois tuer Kurszán à coups d'épée redoublés, l'un d'eux, frappant par-derrière, blessa grièvement au cou Csaba-ur, qui voulait bondir au secours de son père. Quelqu'un arracha Uzdi de la table et l'emporta hors de la tente. Des cris retentissaient de toutes parts, mais sa douleur était telle qu'il ne percevait plus rien, sinon qu'on le hissait à cheval et qu'il quittait le château au galop. Il ne se rappelait plus très bien combien de temps il chevaucha, employant toutes ses forces à se maintenir en selle. Sa blessure le torturait et l'horreur à laquelle il avait assisté, le meurtre du künde, l'homme du Dieu-Ancêtre, lui emplissait le cœur d'effroi. De mémoire d'homme, ce qui venait de se produire était sans précédent, aucune légende ne racontait qu'un künde eût jamais péri de mort violente. Le soir tombait lorsqu'ils parvinrent à l'orée d'une forêt. Ils firent halte, mirent pied à terre et s'étendirent dans l'herbe, épuisés. Personne ne dit mot pendant un long moment. Chacun essayait de digérer ce qui venait de se passer. Alors Uzdi s'aperçut qu'Árpád-gyula n'était pas avec eux. Il demanda ce qu'était devenu le prince, ses compagnons lui répondirent qu'il était parti seul et que Tonozub leur avait ordonné de rester sur place. Les langues se délièrent peu à peu, les hommes purent enfin exprimer ce qu'ils ressentaient. L'un d'eux se mit à pleurer, s'accusant d'avoir abandonné le künde aux mains des Bavarois, et de ne l'avoir pas suivi volontairement dans la mort. Personne ne comprenait pourquoi Árpád-gyula avait permis que de telles choses se passent, pourquoi il avait abandonné son propre fils à son sort. Tous étaient persuadés que les Bavarois avaient occis non seulement Kurszán, mais aussi les deux garçons, ceux qui s'étaient enfuis les derniers de la tente croyaient même avoir assisté à leur mort. La peur et la confusion s'emparaient peu à peu de tous. Uzdi entendit alors le murmure d'un torrent non loin de là ; comme il mourait de soif et voulait laver sa blessure, il se dirigea vers ce bruit en claudiquant et en gémissant de douleur. Le torrent se trouvait à une cinquantaine de pas. Il descendit avec précaution vers l'eau, mais le sol jonché de feuilles mortes était humide, il glissa, tomba à la renverse en se cognant la tête et perdit conscience. C'est du moins ce qu'il racontait. Il ne pouvait dire quand il était revenu à lui, mais il avait dû passer toute la nuit dans cet état, car lorsqu'il ouvrit les yeux, il lui sembla que le soir tombait, mais il s'aperçut bientôt que le faux jour était celui de l'aube et non du crépuscule. Il s'étonna que personne ne fût venu à sa recherche. Ses compagnons l'avaient-ils abandonné ? Oubliant la douleur et la soif, il rassembla toutes ses forces pour se traîner sur la rive et retourner auprès des autres. Il les trouva allongés par terre. Il crut qu'ils dormaient encore, mais en s'approchant, il vit avec effroi que tous baignaient dans leur sang, massacrés. Ayant dépassé le stade de l'horreur, Uzdi ne réfléchit pas, il retourna en hâte au torrent, lava et pansa sa blessure comme il le put et s'enfuit dans la forêt, le plus loin possible du lieu où gisaient ses compagnons. Il se cacha des jours durant dans la montagne, n'osant pas revenir parmi les Magyars. Puis il trouva refuge dans un village carantanien. Personne ne lui demanda d'où il venait, et lui ne dit rien non plus. Sa plaie finit par guérir, mais il resta boiteux. Il devint cultivateur, bûcheron quand il le fallait, faisait tout ce que lui permettait son infirmité. Au bout de deux ans, la nouvelle parvint en Carinthie que le prince magyar Árpád-gyula était mort.

Alors il eut le courage de retourner parmi les siens, et après avoir marché des jours durant en faisant de grands détours, regagna le campement de sa tribu dans les marches méridionales. Il ne fut pas bien accueilli. On savait à quoi il était lié, on savait où il avait servi, mais lui, comme s'il ne se souciait pas de ce qu'on pensait de lui, racontait sans relâche la mort de Kurszán-künde, encore et encore, même si personne ne voulait l'écouter. Lorsque j'ai fait sa connaissance, il vivait chez nous depuis plusieurs années. Voilà l'histoire d'Uzdi, le guerrier boiteux.

Keve prit la parole à son tour :

– Cette histoire, les Magyars la connaissent à peu près sous la même forme. Mais selon notre tradition, c'est Árpád lui-même qui a envoyé Kurszán aux Bavarois en prétendant que ceux-ci ne voulaient conclure la paix qu'avec lui. Ejnek, qui conserve la mémoire de ma tribu, raconte qu'Árpád-gyula voulait vraiment faire alliance avec les Bavarois, bien qu'il fût loin de rechercher la paix. Seul Kurszán aspirait à la paix – et sur ce point, nous rejoignons l'avis de ton guerrier boiteux – afin d'avoir le temps de préparer son peuple à retourner au Pays du Levant. Il avait en effet appris que le royaume des Kalgares était près de s'effondrer, si bien que nous pourrions reprendre possession des terres d'où ils nous avaient chassés des centaines d'années auparavant. Au même moment, Árpád-gyula, qui ne voulait pas retourner au Pays du Levant, concluait en secret un accord avec les Bavarois : s'ils exterminaient Kurszán et son clan, il épargnerait leurs provinces et cesserait de saccager leurs monastères et leurs châteaux. Cependant, il n'avait pas l'intention de tenir parole, et au printemps de l'année suivante, il les agressa de nouveau. Mais il en reçut le châtiment, car il succomba à une maladie un an plus tard. Csaba-ur disparut sans laisser de traces, on a cru que les Bavarois l'avaient tué en même temps que son père. L'insigne du künde, l'oiseau Togrul, disparut également. Mais vois, Urszu, Togrul est réapparu en même temps que Csaba-ur.

Il me fit un signe, j'ôtai de mon cou le médaillon et le tendis au chaman. Urszu se leva, décrocha un flambeau du mur et s'approcha pour l'examiner. Mais il ne le toucha pas.

– Les Bavarois n'ont pas tué Csaba-ur, poursuivit Keve. Ils l'ont emmené, qui sait dans quelle intention, et l'ont enfermé dans un couvent. Csaba-ur, élevé en chrétien et baptisé Stephanus, ne se souvient pas de ses origines. Mais le sang reste le sang. Il a conservé la langue qu'il a apprise en tétant le sein de sa mère, et quand il est arrivé parmi nous, les mots ont ressurgi en lui. Csaba-ur est de retour, et l'ordre ancestral exige que le künde retrouve sa place.

Urszu ne regardait plus le Togrul, mais moi.

– Oui, dit-il à mi-voix, bien des gens se souviennent de bien des manières des mêmes événements.

– N'oublie pas, ajouta Keve, tu as dit toi-même en citant Uzdi qu'Árpád avait fait tuer sa propre garde, afin qu'il ne restât pas un témoin de sa faute. Et il a dispersé le clan de Kurszán vers l'est dans les hautes montagnes. J'ignore s'il a proposé aux Bavarois de leur livrer son propre enfant, mais il a pu le faire, car il avait cinq fils, et l'aîné, Zoltasz, aurait de toute façon hérité de son titre. À la mort d'Árpád-gyula, quand Zoltasz lui a succédé, il s'est à son tour efforcé d'effacer le moindre souvenir.

Urszu ne cessait de m'examiner.

– Uzdi, le guerrier boiteux, se souvenait que Csaba-ur avait été grièvement blessé par les Bavarois. S'il a survécu à une telle blessure, il doit en rester une trace.

Soutenant son regard, je lui répondis :

– Uzdi s'est trompé. Je n'ai pas de cicatrice.

Keve se leva et vint se placer près de moi.

– Il a confondu avec Tahas. C'est le fils d'Árpád qui a été abattu dans la tente, non celui de Kurszán. Tu as dit toi-même qu'Uzdi racontait tantôt d'une manière, tantôt d'une autre.

Tous deux me regardaient, l'un à droite, l'autre à gauche.

– Si tu es Csaba-ur, dit Urszu, tu dois bien te souvenir de quelque chose.

– Il était encore jeune, que pourrait-il se rappeler ?

– Il n'a pas oublié sa langue.

– Personne n'oublie sa langue maternelle.

– Si, répondis-je. On peut oublier sa langue. La signification des mots s'estompe peu à peu. Je n'avais jamais su que je portais en moi les mots d'un autre peuple. Il est vrai, ils surgissaient parfois en moi, tels des oiseaux égarés, venus d'îles inconnues. Mais au monastère j'ai eu à lire et à copier un grand nombre de livres, en grec, en latin, les langues cohabitaient en moi, se mêlaient. Je devais souvent tracer sur le parchemin des mots que je ne connaissais pas. Mais ils ne me surprenaient pas non plus.

– Tu es devenu un bureux chrétien…

– Je suis devenu tel qu'on m'a permis de vivre.

– Le taltos l'a initié, dit Keve. Et il a fait ses preuves.

– J'aimerais lui parler.

– Mon premier souci, demain matin, sera de te conduire chez lui.

Urszu s'approcha de nouveau.

– Peux-tu retourner le Togrul ?

Je fis ce qu'il demandait. Il examina attentivement l'inscription.

– L'œil de Dieu, murmura-t-il.

Il ne me dit pas un mot de plus et alla se rasseoir. Il vida sa coupe, attendit qu'on la remplît, et lâcha enfin :

– Je suppose qu'auprès du künde, il faut un gyula.

– C'est l'ordre ancestral, répondit Keve.

– Je suppose également que puisqu'il y a à présent un künde, il doit aussi y avoir un gyula.

– L'un ne va pas sans l'autre. J'accepterai ce sacrifice.

– Dans ce cas, à mon retour, Butond-ur me demandera assurément : « Dis-moi, Urszu, pourquoi irais-je à un banquet où toutes les coupes sont déjà distribuées ? »

– Alors tu pourras lui répondre que là où les coupes sont nombreuses, il y a aussi de grands tonneaux. Celui qui se contente de sa coupe manque le tonneau.

Urszu se caressa la barbe d'un air songeur. Le jeune hadour, qui avait écouté en fronçant les sourcils sans mot dire, intervint soudain :

– Ce n'est pas très clair, je…

Mais Urszu le fit taire d'un geste.

– Où se trouve le tonneau ? demanda-t-il.

Keve se pencha sur la table :

– À Constantinople.

Urszu fronça les sourcils.

– À Constantinople ?

– À moins que tu ne te réjouisses de voir les religieux de Byzance envahir les marches de l'Est, construire des églises et bafouer nos croyances. De voir, comme je l'ai entendu dire, que sur les terres de Zubor-ur, même les plus infimes chefs de tribu suivent l'avis des bureux et non celui des chamans ? Veux-tu devenir comme eux ? Si nous sommes forts, si nous sommes unis comme jadis, Constantinople sera de nouveau à nos pieds. Les Bulgares sont faibles, seuls ses subsides leur permettent de tenir, et si les Magyars remontent en selle, si par milliers ils accrochent à leur ceinture le lourd carquois, ils les balaieront de leur chemin comme la tempête disperse les feuilles mortes, et nous dicterons de nouveau nos conditions à Constantinople. Il n'y aura plus de prêtres ni d'églises chrétiennes sur la terre des Magyars !

Les paroles de Keve agréaient visiblement à Urszu. Il poursuivit :

– Petrus, le prince des Bulgares, reçoit chaque année de l'argent simplement pour retenir nos armées. Il y a trois ans, tu le sais bien, Taksony a tenté de s'emparer de Constantinople, mais ses troupes ont été vaincues. Nos hommes n'avaient pas assez de foi ni de confiance pour remporter la victoire. Ceux que nous avions tant malmenés jadis étaient animés d'une force bien supérieure à la nôtre. Nous sommes rentrés chez nous tête basse, vaincus, et depuis, nous laissons Byzance agir dans nos marches de l'Est comme si elles étaient ses provinces. Et si nous n'y prenons garde, ce sera bientôt le tour des marches du Nord, les terres de Butond-ur, et la croix y fera aussi son apparition ! Mais si un chef puissant, soutenu par le pouvoir divin du künde, réunit de nouveau les tribus, personne ne pourra nous résister ! Et Butond-ur, réputé fier guerrier, pourrait se couvrir de gloire s'il conduisait de nouveau les armées contre Byzance comme il l'a fait dans sa jeunesse. Souviens-toi, il en a fait trembler les portes, et pendant des années, l'empereur nous a versé un tribut.

– Le problème, c'est qu'à présent Zubor-ur est le plus puissant dans les marches…

Keve leva une main rassurante :

– En ce qui concerne Zubor-ur, remets-t'en à moi. Quant à Butond-ur, ne t'inquiète pas, je ne lui demande rien pour l'instant qui puisse le mettre en danger. Tout ce que je lui demande, c'est d'attendre, de ne pas intervenir. Il vaut mieux qu'il reste en retrait, il me suffit de savoir que je peux compter sur lui le moment venu. Qu'il ne laisse personne se retourner contre nous, et ce sera déjà beaucoup. Qu'il fasse comme s'il était en dehors des événements.

Les émissaires repartirent le lendemain. Auparavant, comme Urszu l'avait demandé, ils rencontrèrent Vezek, notre chaman. J'ignore de quoi ils parlèrent, Keve les laissa seuls et tout ce que Vezek lui révéla par la suite, c'est que ses paroles avaient dissipé les doutes d'Urszu comme le soleil fait s'évaporer la rosée du matin. Keve était satisfait.

– S'il en est ainsi, me dit-il, Butond-ur attendra, au cas où le prince lui enverrait un message. Cela ne peut qu'être bon pour nous.

Tu vois, Alberich, je me laissais porter par les événements comme un morceau de bois par le courant. Si tu me demandes ce qui m'y obligeait, je ne puis te donner de réponse tranchée. Pourquoi ne me levais-je pas pour nier haut et fort toute cette histoire de künde et de monde païen, moi, clerc chrétien que des vœux liaient à Rome et à l'Église du Christ pour la vie entière ? J'aurais pu me défendre en alléguant que j'étais engagé devant le Seigneur par l'accord que j'avais conclu avec Keve afin qu'il épargnât la vie de Kolpány, le fils de Zelind-ur, en échange de ma loyauté. Peut-être cela eût-il suffi, puisque j'aurais pu dire que grâce à ce marché, j'avais sauvé une vie. J'aurais pu me complaire dans le rôle de victime, sacrifié aux païens pour le salut d'autrui. Je l'aurais pu, mais je ne l'ai pas fait. Je m'accordais suffisamment d'amour-propre pour renoncer à cette hypocrisie facile. En vérité, au fil des semaines et des mois, c'est moi qui me suis adapté au rôle que j'avais endossé et non l'inverse. Nous sommes tous faillibles, la vanité nous habite depuis que nous avons été chassés du paradis terrestre, et si nous voyons que notre personne prend soudain de l'importance pour les autres, si les autres se mettent à nous vénérer, voire à nous craindre, et à nous placer au-dessus d'eux, il peut nous arriver d'être impressionnés par cette nouvelle tournure de notre sort – surtout si, jusque-là, notre vie était exactement le contraire ; si, constamment soumis à la volonté d'autrui, nous ne vivions pas, nous ne faisions que nous mouvoir comme des ombres sur le mur, sans cesse obligés de protester de notre petitesse. Je mentirais en disant que je n'étais pas empli d'inquiétude jour après jour. Mais cette inquiétude même était la vie. Et mon corps était empli de vie de la tête aux pieds.

Quand les choses allaient enfin évoluer à mon gré, le destin intervint sous la forme de nouvelles venant du campement du prince. Keve jugea soudain que le temps pressait. « En selle », dit-il un jour. Il dépêcha un messager pour annoncer notre arrivée à Csenke-ur ; celui-ci lui avait fait savoir auparavant qu'il accueillerait volontiers le künde. Il débattit longtemps avec Agolcs sur l'opportunité d'emmener l'armée, la troupe de Keve et les quatre mille cavaliers, car il n'y aurait pas de retour, désormais nous irions de l'avant, jusqu'au bout. Mais il ne suffit pas de conduire une armée, il faut aussi nourrir les hommes, s'occuper d'eux. Et si les Magyars éleveurs de chevaux se sentaient menacés par cette arrivée en nombre, cela ne mènerait à rien de bon. Agolcs penchait pour emmener l'armée, Keve préférait qu'elle restât sur place. C'est lui qui l'emporta, les troupes resteraient au campement de l'Ouest, à l'exception d'un détachement qui viendrait renforcer la défense de la citadelle. Keve pensait qu'Agolcs pourrait rejoindre l'armée au bout de deux ou trois jours en y ajoutant les dix mille cavaliers de Csenke-ur. Quant à nous deux, nous poursuivrions notre route vers Zubor-ur, afin de savoir avant l'hiver si nous pouvions compter sur le harka oriental, si le prince n'arrivait pas ici entre-temps.

Cette nuit-là, dans ma chambre en haut de la tour où il faisait froid, car le braisier était éteint depuis longtemps, Aruna et moi nous réchauffions mutuellement, pelotonnés sous les couvertures ; je lui annonçai alors que nous partirions le lendemain. Tu sais, je ne comprenais pas grand-chose au cœur des femmes, et en lui disant que je devais la laisser ici, je m'attendais à devoir la réconforter, la rassurer, lui dire que ce n'était pas pour longtemps, je reviendrais quelques semaines plus tard, et d'autres choses de ce genre… Mais Aruna tourna simplement la tête vers moi et dit :

– C'est que tu dois le faire.

Je devinais à peine les contours de sa tête dans l'obscurité, sans voir son visage :

– Je reviendrai bientôt, dis-je.

– Assurément.

Je ne décelai nulle tristesse dans sa voix. Peut-être sa sérénité était-elle feinte, et son cœur rongé de chagrin…

Je cherchai mes mots.

– Seras-tu là à mon retour ?

Sa réponse fut froide, pondérée :

– J'appartiens au künde, Csaba-ur. Tout comme ton manteau. Quand tu l'ôtes, il reste là jusqu'à ce que tu le revêtes de nouveau.

Le lendemain, Keve, Agolcs et moi attendions que nos chevaux fussent sellés, quand Teremes, le forgeron, s'approcha de moi. Il tenait une dague à la lame étroite, dont la poignée était en os.

– Je sais, Csaba-ur, que le künde ne doit pas porter d'arme, c'est la loi, car le Dieu-Ancêtre lui-même veille sur lui. Mais nous vivons des temps déplorables et, tu te souviens, un jour nous nous sommes demandé si les dieux veillaient encore sur nous, alors j'ai fabriqué ceci pour toi, on ne sait jamais. La lame est fine, tu pourras la glisser dans ta botte, et ce n'est pas une arme, elle peut servir à dépecer un lièvre, s'il le faut. Prends-la !

Quand je fus seul un instant, je fis signe à Jutas, qui avait pris congé de son père.

– Tu t'es plaint que ton père ne te confiait pas de mission, lui dis-je. Eh bien, moi, je t'en propose une.

Il me regarda avec dévouement, et hocha la tête.

– Que veux-tu de moi ?

– Prends soin d'Aruna en mon absence. Veille à ce que je la retrouve à mon retour.

Nous avons mené nos chevaux vers l'est toute la matinée, et sommes arrivés sur les terres de Csenke-ur quand le soleil fut à midi.

Peux-tu imaginer mon sentiment, Alberich, devant ces milliers de cavaliers rassemblés sur la plaine, en pensant que cette multitude n'avait d'yeux que pour moi ? Les couleurs des drapeaux, le somptueux harnachement des chevaux. Les deux plus grandes tribus de cavaliers magyars, les Taskandes et les Ondes, étaient venues ensemble rendre les honneurs à Csaba-ur, le künde. Quand nous avons arrêté nos chevaux au sommet de la colline, ou plutôt de la butte, car elle n'était guère plus élevée qu'une grosse meule de paille, j'ai frissonné en voyant cette foule devant moi. Des bannières de toutes les couleurs flottaient dans le vent porteur de pluie. Dix mille Türks à cheval avec leurs arcs et leurs carquois, par détachements d'un millier, précédés de leurs commandants sur leurs montures richement harnachées, avec leurs lances, immobiles, farouches.

Je n'étais pas le seul à être figé de stupeur. Agolcs aussi ouvrait de grands yeux, Keve souffla bruyamment, tout cela dépassait visiblement ses espérances. Au bout de quelques instants, il se reprit et murmura :

– Eh bien, essaie à présent de leur dire que tu n'es pas le künde !

L'un des commandants se détacha et s'avança vers nous au pas compassé de son cheval. Agolcs galopa à sa rencontre. Ils échangèrent quelques mots à mi-chemin, puis Agolcs revint vers nous.

– Tomaj, le hadour de Csenke-ur, demande au künde Csaba-ur de faire à Csenke-ur l'honneur de le visiter dans son campement.

– Dis-lui que ce sera un plaisir pour le künde, répondit Keve.

– Les Ondes sont également présents. Csenke-ur parle aussi en leur nom.

Quand Agolcs fut reparti, Keve se tourna vers moi.

– Le manteau !

Je sortis d'une sacoche la grande cape rouge et la posai sur mes épaules en veillant à ce que l'insigne de künde soit bien visible, mais je laissai la croix à l'intérieur. Ce faisant, je pensai à Aruna, qui m'avait apporté ce manteau, et ressentis soudain un fort désir de la revoir. L'angoisse qui ne m'avait pas laissé de repos pendant toute la chevauchée se raviva aussi : qu'adviendrait-il d'elle si le prince nous devançait et s'emparait de la citadelle ?

Ainsi frère Stephanus démontra au mage tyrc que Notre-Seigneur Jésus-Christ était beaucoup plus puissant que leur dieu païen, qu'ils appelaient Altgott. Ce faisant, notre frère s'attira encore plus de malheurs et de souffrances, car le mage, craignant que la puissance de Jésus-Christ n'anéantît son dieu païen, l'envoya dans les montagnes auprès d'une autre tribu de Tyrcs…

… Là, en haut des montagnes, Stephanus fit la connaissance d'un Franc appelé Armand de Nouvion, que les Tyrcs tenaient en esclavage depuis de longues années. Cet homme raconta à Stephanus comment il était tombé en captivité chez les païens. De noble lignage, il servait dans sa jeunesse à la cour d'un duc, où il reçut un jour, en sa qualité de capitaine de cavalerie, la mission d'escorter l'épouse de son maître qui se rendait en Bourgogne chez ses parents. Le duc, qui aimait fort sa femme, était empli d'appréhension, et il avait pour cela de bonnes raisons car il entendait sans cesse parler de toutes parts des exactions des cavaliers tyrcs qui sévissaient cette année-là dans la province, mettant à mal le monde chrétien. Il s'était opposé à ce voyage, mais sa femme, fort désireuse de revoir ses parents, voulait partir.

Le duc choisit force braves pour l'accompagner, dont les hommes d'Armand de Nouvion, et leur ordonna de protéger leur maîtresse au prix de leur vie, car s'il lui arrivait le moindre mal, ils ne devraient plus reparaître vivants devant lui. Il ne s'était pas trompé, à peine deux jours après s'être mise en route, la duchesse fut assaillie dans une forêt par une bande de pillards tyrcs qui décochèrent aussitôt force traits sur son escorte. Armand tira son épée pour défendre sa maîtresse. Il chevauchait sans relâche autour de la voiture, et s'il semblait qu'un païen allait parvenir à s'emparer de la belle duchesse, Armand se trouvait aussitôt là et jetait le barbare à bas de sa monture. Cependant, l'escorte ne cessait de diminuer, les flèches tyrques semaient la mort, mais Armand résista tant qu'il le put, fauchant l'ennemi à coups d'épée, et seul son sens du sacrifice permit à la duchesse de prendre la fuite au dernier moment, car en voyant qu'il ne pourrait plus retenir longtemps l'ennemi, Armand frappa du plat de l'épée le cheval attelé qui partit au grand galop, emportant la voiture et sa passagère loin du combat. Armand ne fut pas aussi chanceux, il reçut au visage une terrible blessure qui le défigura à jamais et fut capturé par les païens. Au lieu de le tuer, ceux-ci l'emmenèrent, ainsi qu'Armand le raconta à Stephanus, parce qu'ils le prenaient pour un riche seigneur et pensaient l'échanger contre une forte rançon. Mais leurs noirs desseins échouèrent car Armand, résistant à toute torture et violence, refusa obstinément de révéler son nom afin d'éviter que sa famille fût persécutée. Ensuite, les Tyrcs l'emmenèrent dans leur pays où il fut esclave de longues années, et c'est ainsi qu'il rencontra Stephanus, que le sort avait conduit au même endroit. Stephanus fut fort étonné en voyant que cet ancien noble franc vivait désormais comme les Tyrcs. Il était vêtu à la mode tyrque et parlait leur langue mieux que la sienne. Quand un homme est arraché *à sa terre natale, ses racines meurent tôt ou tard, lui expliqua Armand en guise d'excuse, mais à présent il était heureux de pouvoir de nouveau parler avec un chrétien. Stephanus prit peur à l'idée que le même sort l'attendait peut-être, qu'au fil des années il oublierait tout ce qui avait compté pour lui, le monastère, la foi, la langue…*

… je ne mettrais jamais en doute la mémoire de quiconque. Mais que je ne m'appelle plus Csenkeur, que dans cette coupe, et dans toutes les outres là-dehors le vin se change en eau boueuse, et que je sois moi-même transformé en crapaud, si je ne tiens pas ce récit de quelqu'un dont je n'aurais jamais l'idée de mettre les paroles en doute. Tomaj, qui est assis là, près de moi, et qui est non seulement mon hadour, mais aussi un parent cher à mon cœur, ne pourra que confirmer mes paroles car en revenant de la cour du prince Künde, son aïeul Onód, lui-même cousin de mon grand-père Turzó le Borgne, a raconté qu'en l'occurrence il ne s'agissait pas seulement de lutte pour le pouvoir, mais qu'il y avait également une femme dans cette histoire. Les Bavarois étaient assurément des chiens, mais ils étaient en même temps nos ennemis, et force est de reconnaître qu'à leur place nous n'aurions pas agi autrement contre nos ennemis si l'occasion nous en avait été offerte. Onód, le grand-père de Tomaj, était l'intendant de Kurszán, et il a rempli cette charge jusqu'à la mort du künde. Il connaissait bien l'entourage du prince, ses serviteurs, et il était l'un des rares à pouvoir rencontrer le künde en personne malgré les sévères exigences de la tradition. Où que le künde se rendît avec ses gens, qu'il allât prendre ses quartiers d'hiver ou d'été, ou visiter des chefs de tribu, Onód le précédait avec ses hommes et préparait le campement du künde et de son escorte. Il racontait qu'à cette époque, où nos tribus commençaient à s'établir dans cette contrée et à étendre leur pouvoir sur les peuplades environnantes, ceux qui reconnaissaient l'autorité de nos chefs témoignaient de leur loyauté en offrant aux princes leurs plus belles et plus nobles filles. Un chef carantanien décida de présenter en gage d'allégeance à Árpád-gyula sa fille unique, une jeune fille d'une grande beauté nommée Umróza. Il se mit en route avec sa fille, accompagnés d'une escorte d'honneur, mais comme le campement de Kurszán-künde se trouvait sur leur chemin, il jugea bienséant de s'y arrêter en témoignage de respect, et d'y attendre que des gens d'Árpád-gyula viennent chercher la jeune fille. Or Kurszán-künde appréciait fort la gent féminine, ce n'était un secret pour personne. Ne pouvant contenir sa curiosité, il voulut à tout prix voir qui se dissimulait sous les voiles, à quoi ressemblait cette vierge destinée à Árpád. Le chef carantanien cacha sa fille tant qu'il le put, cherchant toutes sortes de prétextes pour ne pas la lui présenter, mais une nuit, Kurszán, qui ne pouvait plus se dominer, fit venir la jeune fille en secret dans sa tente et lui ôta ses voiles. Dès qu'il vit Umróza, Kurszán-künde fut comme ensorcelé, et en tomba aussitôt amoureux. Il éprouva pour elle un désir si violent qu'il ne put le maîtriser. Selon Onód qui l'avait souvent vu en personne, Kurszán-künde était véritablement un bel homme, grand et élancé, il avait une chevelure abondante, des yeux étincelants, et en raison de son avidité, nombreuses étaient celles qui avaient eu la chance (ou la malchance) de poser les yeux sur lui, mais bien peu l'avaient quitté le cœur indemne. C'est ce qu'il advint à Umróza. Bien que destinée à Árpád, elle succomba au charme de Kurszán, et dès qu'elle le vit, elle éprouva à son égard ce qu'il éprouvait pour elle. C'était l'hiver, il neigeait fort et les émissaires d'Árpád qui devaient venir chercher la jeune fille étaient retardés. Les jours passaient, les deux amants étaient de plus en plus attachés l'un à l'autre. Par la suite, d'aucuns, dont le père d'Umróza lui-même, prétendirent que Kurszán retenait la jeune fille contre son gré, mais Onód ne le croyait pas, car un jour, il les avait vus à l'aube sortir de la tente à la froide lueur des étoiles, et les tendres murmures qu'ils échangèrent ne laissaient guère penser que Kurszán eût dû forcer la jeune fille d'aucune manière. Le chef carantanien prit peur. Bien qu'à l'évidence il fût au fait de cette aventure indésirable, il n'avait pas le courage de s'y opposer, se demandant sans doute ce qu'il adviendrait quand tout cela reviendrait aux oreilles d'Árpád-gyula. Et cela, il en était certain, se produirait tôt ou tard, de telles affaires restaient rarement secrètes. Et si Árpád-gyula en déduisait que le père de la jeune fille s'était ravisé et destinait sa fille non à lui, mais au künde ? Alors une nuit, pour assurer son salut avant qu'il fût trop tard, le chef carantanien s'échappa du camp et se précipita auprès d'Árpád-gyula. Là, il se plaignit de ce qu'il était arrivé à sa fille et jura ses grands dieux qu'elle n'était pas devenue la maîtresse de Kurszán de son plein gré, mais que celui-ci avait usé de force. Árpád-gyula, qui n'avait jamais vu la jeune fille en personne, et ne pouvait en imaginer la beauté que par les descriptions que d'autres lui en avaient faites, se sentit blessé dans son orgueil princier de ce que son coprince lui eût ravi ce présent. Il se mit en colère et, sans se soucier du gel ni de la neige, expédia aussitôt ses émissaires, et afin que Kurszán ne se mette pas en tête de refuser de leur remettre la jeune fille, il leur adjoignit un détachement armé. Bien entendu, Árpád-gyula n'aurait pas porté la main sur le künde, il savait bien ce qu'un tel acte aurait de funeste aux yeux des Magyars, mais il pouvait faire démonstration de sa force. De même, bien que son cœur n'eût de plus cher désir, Kurszán-künde ne pouvait garder pour lui celle qui était destinée à l'autre prince, sans mettre son honneur en jeu. C'est ainsi qu'arriva ce qui devait arriver. Les émissaires emmenèrent la jeune fille chez Árpád-gyula. Onód dit qu'ensuite on ne vit plus Kurszán pendant plusieurs semaines. Non seulement les gens du commun, qui de toute façon ne le voyaient jamais, mais ni lui-même, ni ses serviteurs personnels. On murmurait dans son entourage qu'il s'était retiré parce qu'il avait le cœur brisé. Il ne réclama pas ses femmes, et Penteka la Kabare, sa première épouse et mère de Csaba-ur qui était encore petit, allait et venait dans la cour en poussant des cris de fureur, et traitait de tous les noms cette Carantanienne, cette barbare qui avait ensorcelé son époux et le tenait encore en son pouvoir. Les nouvelles et rumeurs se répandaient plus vite que le vent parmi les Magyars, et Árpád-gyula ne tarda pas à apprendre quel effet Umróza avait produit sur Kurszán. Lui-même dut faire l'expérience du contraire, car personne dans son entourage n'ignorait qu'il ne trouvait nul plaisir avec la jeune Carantanienne qui lui avait été offerte, et qui vaquait autour de lui la mine perpétuellement triste et les yeux rougis de pleurs. Il dut aussi convenir que Kurszán ne l'avait pas faite sienne par la force, car outre sa virginité, Umróza avait laissé son cœur à la résidence du künde. Malgré tout, son orgueil de prince, mais aussi d'homme, lui interdisait de la laisser rejoindre Kurszán. Les mois passèrent et au printemps, le bruit courut qu'Umróza était grosse. Personne ne le dit à voix haute, mais tous ceux qui vivaient dans l'entourage des princes pressentaient que l'enfant auquel elle donna le jour à la fin de l'été n'était sans doute pas le fils d'Árpád. Et qui le savait mieux qu'Árpád-gyula lui-même ? Umróza ne survécut pas à l'accouchement. Elle mourut, paraît-il, de fièvre. Mais on dit aussi qu'Árpád l'avait supprimée car il ne pouvait supporter de voir auprès de lui cette beauté qui ne lui témoignait que froideur et lui restait inaccessible. Kurszán fut encore plus accablé en apprenant son trépas. Selon Onód, ses cheveux se mirent à grisonner et en quelques semaines sa chevelure noir de jais devint blanche comme neige. Avec le temps, cette histoire tomba dans l'oubli, de nouveaux événements survinrent. Ceux qui allaient et venaient entre les cours des deux princes racontaient, même s'ils ne le faisaient qu'à voix basse, que l'enfant grandissait, et qu'en grandissant, il ressemblait de plus en plus à Kurszán, son véritable père. Tout cela vint aux oreilles non seulement de Kurszán-künde, mais aussi d'Árpád-gyula, et tandis qu'à ces nouvelles, l'âme de l'un s'emplissait de tristesse mêlée de fierté, l'autre ressentait honte et colère. Par la suite, Kurszán envoya lui-même des espions à la cour d'Árpád afin qu'ils le renseignent sur son petit garçon. Et chaque fois qu'un espion revenait, il lui faisait raconter, non une ou deux fois, mais encore et encore, ce qu'il avait vu, quelle était la taille de l'enfant, et s'il lui ressemblait vraiment. Les campagnes se succédaient, les saisons aussi, et quand l'occasion se présenta de faire la paix, même temporairement, avec les Bavarois, bien peu se souvenaient de ces événements. Cependant, certains n'avaient pas oublié. Selon Onód, Árpád-gyula était l'un d'eux, et quand les Bavarois réclamèrent que les princes leur livrent des otages en échange de la paix, cette exigence vint à point nommé : elle lui offrait la possibilité de laver son honneur. Comment n'aurait-il pas accepté, puisqu'il savait qu'il ne livrerait pas l'enfant de son sang, mais le fils de Kurszán et d'Umróza, et ainsi ce ne serait pas un, mais deux enfants du künde qui tomberaient aux mains des Bavarois : Csaba-ur, le fils que Penteka avait donné à Kurszán, et celui auquel Umróza avait donné le jour à la cour d'Árpád. Quelle excellente occasion pour lui de se débarrasser de l'enfant qui constituait la preuve de son humiliation, et de planter en même temps le poignard de la vengeance dans le cœur de Kurszán ! Comment les Bavarois auraient-ils pu se douter de la supercherie ? Pour eux, tous les petits Türks se ressemblaient, il leur suffisait de savoir que cet enfant avait été mis au monde par l'une des femmes d'Árpád. Quand les deux princes se rendirent chez les Bavarois, Onód faisait naturellement partie de la suite. Il se souvenait que Kurszán eut beaucoup de peine à se maîtriser en voyant quel enfant Árpád avait l'intention de livrer en otage. Mais qu'aurait-il pu faire ? Il ne pouvait lui dire en face : « Celui-ci n'est pas l'enfant de ton sang, mais le mien, ainsi deux de mes descendants serviront de gage aux Bavarois, et pas un des tiens ! » Kurszán était obligé de tenir ses engagements, mais Onód a bien vu sur son visage qu'il avait peine à endurer la félonie dont il était victime. Árpád-gyula tirait de lui une cruelle vengeance. Kurszán n'avait jamais vu l'enfant d'Umróza, auquel Árpád avait donné le nom de Tahas après la mort de sa mère, et ce nom, qui signifie « corneille » en langue kabare, était en soi humiliant pour celui qui le portait. On dit que les liens du sang ne connaissent point d'obstacles, et entre parents et enfants, il n'est de si grand éloignement qui ne disparaisse en un instant quand le sort les réunit. Dès que Kurszán aperçut le petit, deux fois moins âgé que Csaba-ur qu'il livrait en gage aux Bavarois, il pensa à Umróza, son amour, et ses sentiments passés ressurgirent. Onód lut tout cela sur son visage tandis qu'ils pénétraient à cheval dans l'enceinte du château où ils devaient sceller le pacte avec les Bavarois. Il put suivre son maître jusqu'à l'intérieur des remparts, mais non dans la tente dressée au milieu de la cour. Seuls les princes, les deux garçons et leurs gardes du corps y étaient admis. Les Bavarois ne laissèrent pas entrer l'escorte armée. Cependant, Onód vit que les traits de Kurszán n'exprimaient rien d'encourageant tandis qu'il entrait sous la tente avec Csaba-ur. C'en était trop pour lui de remettre aux Bavarois non seulement Csaba-ur, mais aussi l'enfant d'Umróza, le fruit de leur amour. Pendant un temps, tout sembla se dérouler sans accroc. On n'entendait que les bruits normaux d'un repas. L'escorte retenue dans la cour ne restait pas non plus sur sa faim, on avait régalé les hommes de toutes sortes de bonnes choses, et ils avaient du vin en abondance. Ils commençaient à être rassurés, racontait Onód, et chaque fois qu'il en venait à ce point de son récit, il baissait le ton, comme pour mieux se souvenir dans le silence de ce dont il ne pouvait en fait se souvenir, puisqu'il n'en avait pas été témoin. Le vin leur était aussi un peu monté à la tête, disait-il toujours, c'était l'automne, il pleuvait, ils avaient froid, mais le vin les réchauffait un peu. Ils s'étaient abrités sous une bâche tendue au pied de la muraille quand ils entendirent un grand vacarme dans la tente, un bruit de lutte, des cliquetis d'armes, des cris. Puis Árpád-gyula sortit dans la cour à la tête de ses gardes qui traînaient un des leurs, blessé. Quelqu'un s'écria : « Ils ont tué le künde ! » Il s'ensuivit une grande confusion tandis que, sans un regard à droite ni à gauche, Árpád bondissait en selle et quittait le château au grand galop avec ses gardes, laissant sur place le reste de l'escorte. Alors l'un de ceux qu'il avait laissés derrière lui et qui ne se hâtaient pas de disparaître, un brave homme qui connaissait Onód, savait d'où il venait et quelle était sa charge auprès du künde, s'approcha de lui, le secoua pour le dégriser et lui dit : « Pour votre salut, partez tout de suite d'ici, et ne retournez jamais à la résidence de Kurszán, fuyez le plus loin possible et cachez-vous du mieux que vous le pourrez. » Onód ne comprit pas. Comment pouvait-on tuer le künde, les yeux du Dieu-Ancêtre qui voyaient le monde ? Qui oserait faire cela ? Il avait oublié que cela ne gênait nullement les Bavarois, puisqu'ils ne connaissaient pas le Dieu-Ancêtre. Alors il songea enfin à fuir, sauta sur le premier cheval sans même chercher le sien. Il le força trois jours durant, dormant en selle quand le soir tombait, et ne mit pas pied à terre avant d'être chez lui. Et quand il arriva, le cheval creva sous lui. Mais tant que la nouvelle ne parvint pas jusqu'à son pays, il ne dit à personne ce qu'il avait vu là-bas au nord, dans le château des Bavarois. Alors il révéla, mais brièvement et à contrecœur, ce qu'il jugea nécessaire, et c'est seulement un ou deux ans plus tard, à la mort d'Árpád-gyula, qu'il raconta tout ce que je viens de vous rapporter. De tous ceux qui se trouvaient dans la tente, il ne croyait pas un instant qu'un seul fût resté en vie, il était même convaincu que les Bavarois avaient occis Kurszán et les deux enfants. Mais aujourd'hui il se rendrait compte de son erreur, s'il était là pour voir que tu es revenu parmi nous, Csaba-ur, mais il aurait fallu pour cela qu'il vive bien longtemps, n'est-ce pas ? Que je ne m'appelle plus Csenke-ur…

Il leva sa coupe vers moi, puis après avoir bu, me demanda :

– Qu'as-tu l'intention de faire de ton peuple, quand tu l'auras retrouvé ?

Keve répondit pour moi :

– Nous les ramènerons ici. C'est là qu'est leur place.

Csenke ouvrit de grands yeux.

– Ici ? Mais où ? Il n'y a plus de terres libres, quelle tribu veux-tu chasser des siennes ? Nous sommes déjà bien nombreux pour si peu de terres. Imagines-tu que les Magyars les accueilleraient de bon cœur ? À mon avis, ils sont bien là où ils sont…

À la fin de son récit, Csenke-ur était complètement ivre. Nous étions entassés à plusieurs douzaines dans la grande tente où le banquet était donné en notre honneur, l'air était confiné, le vin coulait à flots, on parlait fort, des chants et des exclamations retentissaient. On entendait aussi une étrange musique, le son grêle d'un instrument ressemblant à un luth, accompagné d'un tambour. Csenke-ur, qui nous avait fait son récit en se penchant vers nous afin que nous puissions l'entendre dans ce vacarme, sembla soudain s'apercevoir qu'une fête avait lieu. Il leva les bras, bondit de son siège et se mit à danser, sautant d'un pied sur l'autre, tournant sur lui-même, poussant de grands cris rauques et se frappant le mollet ou le genou du plat de la main. Le sol tremblait sous son corps pesant. Bientôt, suivant son exemple, des seigneurs magyars ivres, au visage rougi et aux yeux vitreux, se mirent aussi à sauter ensemble au milieu de la tente. Je regardais avec un étonnement mêlé de crainte ces Magyars soudés dans un divertissement traditionnel, fruste, aux accents d'une musique primitive, brutale ; ils me rappelaient les Huns, le peuple d'Attila dont j'avais lu l'histoire dans les chroniques, et soudain quelque chose s'ébranla en moi, mes pieds ne tenaient plus en place, les battements de mon cœur suivaient le rythme du tambour, et si Keve ne s'était pas penché vers moi, je serais allé sauter en braillant parmi les seigneurs magyars.

– Allons nous coucher, me dit-il à l'oreille. Il vaudrait mieux que nous restions sobres.

Dehors, l'air piquant me rafraîchit l'esprit.

Le lendemain, Keve s'éveilla de mauvaise humeur. Malgré sa réception grandiose, Csenke-ur n'avait pas voulu engager les pourparlers le jour de notre arrivée. « Reposez-vous, nous allons donner une fête, avait-il dit à Keve. Demain, nous parlerons de cette affaire du prince Künde. » Demain était venu, et Keve s'impatientait dès le matin. Comme on ne nous servit pas de déjeuner, nous avons puisé dans nos provisions, en attendant un message de Csenke-ur.

Keve grommelait dans sa barbe.

– Cochon d'ivrogne, il nous a fait perdre tout un jour ! Il doit être en train de cuver, vautré dans sa tente... Quel bon à rien, il pourrait être le compère de Tar... deux beaux soiffards... Ça commande dix mille cavaliers, mais ça ne sait pas se tenir...

Le temps passait. Le soleil approchait de midi, c'est du moins ce qu'on aurait vu s'il n'était masqué par de lourds nuages. Un vent aigre se mit à souffler, le ciel devint uniformément gris, promettant de la neige.

On nous avait oubliés. Nous attendions sans rien pouvoir faire. Keve était près d'exploser. L'après-midi, il en eut assez. Il envoya Agolcs dire à Csenke-ur qu'il était grand temps d'en venir aux choses sérieuses.

Agolcs revint au bout d'un long moment et sauta de son cheval.

– Csenke-ur n'est pas au camp, dit-il brièvement.

Un instant, les mots manquèrent à Keve.

– Comment ? Il n'est pas là ? Où diable peut-il être ?

– Il n'est pas au camp. Sa tente est vide. Toute sa smala a disparu.

– Il doit être avec une de ses fumelles...

– Il n'y en a plus une seule au camp, je te l'ai dit. Il a déménagé avec ses femmes, tout son clan. Quelqu'un m'a soufflé qu'il était parti avant l'aube.

Le visage de Keve s'assombrit.

– Où ?

– Vers ses quartiers d'hiver, peut-être.

Keve se leva d'un bond et accrocha son sabre à sa ceinture.

– Va chercher les chevaux !

Nous nous mîmes en selle et traversâmes le campement. Il était grand, plus étendu même que certaines de nos cités d'Occident. Et tandis que nous galopions entre les tentes, je ne manquai pas de remarquer que la malédiction, comme les Magyars l'appelaient, avait manifestement frappé ici aussi. Tout était crasseux et à l'abandon, comme au village que nous avions visité, Jutas et moi. Cela ne m'avait pas frappé la veille, sans doute sous l'effet de la somptueuse réception. Partout des regards vides, des gens errant sans but. Le camp tout entier semblait être un seul corps, certes vivant, qui respirait, mais dont les membres entraient en décomposition...

En approchant de l'extrémité du campement, nous vîmes que l'on commençait à démonter les tentes. Des femmes décrochaient les peaux des pieux, les roulaient et les attachaient. Plus loin, à un jet de flèche de la dernière tente, se trouvait l'enclos. Keve y dirigea son cheval. Il contenait à peine une douzaine de bêtes. Un vieil homme sec et osseux se trouvait là, Keve l'interpella :

– Hé, vieil homme ! Où sont les chevaux ?

L'homme s'arrêta et leva les yeux vers nous comme si nous étions une apparition.

– Qué ch'vaux ? demanda-t-il, l'air ahuri.

– Quels chevaux, ceux à quatre pattes, idiot ! Hier il y avait dix mille cavaliers dans la prairie, avec leurs arcs et leurs carquois. Alors les chevaux, où sont-ils ?

Le vieux souleva son bonnet et se gratta la tête.

– Ceux-là ? Y sont r'partis au campement d'hiver, du côté d'la rivière, d'où qu'y v'naient. Où qu'ils seraient autrement ? Va pas tarder à neiger par icitte, on y va nous aussi…

– L'armée tout entière est partie vers les quartiers d'hiver ?

– Y était déjà, Csenke l'a fait r'venir hier, pis il l'a renvoyée.

– L'animal ! Il nous a trahis ! s'écria Keve.

Il fit demi-tour et retraversa le campement au galop, nous le suivîmes.

Arrivés devant notre tente, il s'adressa à Agolcs :

– Qui t'a dit que Csenke était parti ?

– Un de mes lointains parents.

– Va le chercher !

Quand Agolcs se fut éloigné, Keve, furieux, frappa un grand coup sur son sabre.

– Pourquoi ai-je fait confiance à ce soûlard ? J'aurais dû savoir ce qu'étaient pour lui le künde, Kurszán et la gloire passée, alors que lui, cupide, arrogant et lâche, ne vaut pas mieux que les bons à rien d'ivrognes avec lesquels il se vautre dans la poussière...

– Qu'allons-nous faire maintenant ? demandai-je. Sans armée...

– Nous n'avons pas moins de cavaliers qu'hier.

– Mais pas davantage non plus.

Nous gardâmes le silence. Nous sentant plus en sécurité perchés sur nos montures, nous restâmes en selle. Agolcs revint, accompagné de l'homme en question qui marchait à côté de lui, l'air sombre. Une longue et fine moustache pendait de chaque côté de sa bouche.

– Qui es-tu ? lui demanda Keve.

Devant un si grand seigneur, l'homme ôta son bonnet pointu. Il répondit sans regarder Keve :

– Je suis ton serviteur, seigneur, rien de plus.

– Quel est ton nom ?

– Obud.

– Tu es kabar ?

– C'est cela...

Keve jeta un regard circulaire, mais il n'y avait pas âme qui vive autour de nous. Le campement semblait totalement désert.

– Dis-moi, Obud, que sais-tu de Csenke-ur ?

– Juste ce que j'ai dit à Agolcs. Il est parti à l'aube.

– Avec tous ses gens, armes et bagages ?

– C'est cela.

– Au campement d'hiver ?

– Oui.

– Et que sais-tu au sujet de l'armée qu'il a fait venir hier ?

Obud garda les yeux fixés devant lui, l'air innocent.

– Comment je saurais, seigneur, je suis bouvier, moi, pas hadour, pour m'occuper de l'armée. Je ne peux pas savoir ce que Csenke-ur a en tête…

Keve tira son sabre.

– Est-ce que cela ne pourrait pas te revenir à l'esprit ? demanda-t-il à mi-voix.

– Comment veux-tu… protesta l'autre, effrayé. Et puis même, s'ils apprennent que j'ai trahi mon maître, moi, un Kabar, pour sûr, les Magyars me couperont le cou…

Keve ouvrit son escarcelle et en tira une petite bourse où cliquetaient des pièces.

– Cette bourse contient vingt solidus. Avec cela, tu peux aller vers le sud, sur les terres de Butond-ur. Personne ne te connaît là-bas, tu peux emmener une cinquantaine de bêtes, des veaux, et les élever à ton compte. Mais parle !

Alors seulement Obud leva les yeux vers Keve. Il avait le regard brillant. Et sa langue se délia.

– Ça faisait dix jours que les cavaliers avaient pris les quartiers d'hiver. Même qu'ils râlaient, faire revenir l'armée une journée alors que c'était pas la guerre, mais ils sont revenus, armés, comme pour aller au combat, et pis au soir, Csenke-ur leur a dit, c'est bon, vous pouvez repartir à la rivière… Ils ont demandé pourquoi tout ça, et il a répondu pour que le künde voie qu'on est là, mais si l'armée du prince venait, qu'il voie qu'on n'y est pas…

– L'armée du prince ? Que sais-tu à son sujet ?

– Ah ça, pour le coup, rien… seulement ce qu'a dit Csenke-ur, que quand ils viendraient, faudrait les accueillir comme il faut…

– Quand ils viendraient ? D'où ?

– Du couchant… parce qu'avant ils s'occupent du fort de Tar…

– Ma citadelle ! Les maudits !

Keve hurlait, hors de lui. Il lança sa bourse à l'homme qui se dépêcha de prendre le large.

– Qu'allons-nous faire ? demanda Agolcs, alarmé.

– Retourne tout de suite au camp et sauve l'armée pendant qu'il est encore temps.

– Et vous ?

– Nous partons vers l'est avec Csaba-ur. Chez Zubor-ur…

– Zubor-ur ? Ne vaudrait-il pas mieux que Csaba-ur reste avec l'armée ? Le peuple doit voir que le künde est à sa place.

– Cette armée est insuffisante contre Gezüja. C'est Csaba-ur qu'il veut, donc il nous suivra. Conduis l'armée au sud, chez Butond-ur, je t'enverrai un messager.

Agolcs hésitait, mais Keve réitéra son ordre, alors il partit vers l'ouest.

– En route ! me dit Keve en éperonnant son cheval.

Quand nous sortîmes du campement, la neige tombait déjà à gros flocons.

Au passage du Tisszó, les Sarrasins nous accueillirent avec force salamalecs, mais lorsque Keve leur dit que nous n'avions pas d'argent et qu'ils devaient nous faire traverser pour rien, ils se butèrent, rappelant qu'aux termes du privilège accordé par le prince, ils n'étaient pas obligés de faire traverser quiconque sans péage. Keve tira son épée et s'écria d'un ton menaçant :

– Ou vous nous passez sur-le-champ, bande de chiens cupides, ou bien je vous fends par le milieu !

Ils nous firent traverser.

… après les travaux à la cuisine, mon cher oncle, le frère Jeromos à l'âme bénie, occupe ses vieux jours au jardin, à une paisible contemplation parmi ses salades et ses légumes, malmenant au gré de ses caprices les novices armés de houes, viens biner par ici, va biner par là, il reste une mauvaise herbe ici, et là-bas, regardez-moi ça, ils coupent les carottes en les démariant… Les novices supportent tout, ils ne répliquent jamais à mon oncle qui grommelle dans sa barbe, ils sourient même, en le voyant parler aux plantes si chères à son cœur, il leur dit des mots gentils, appelle ses choux la farouche armée verte, ses herbes des cabrettes coquines. Cependant sa mémoire fonctionne encore parfaitement et il pourrait passer des jours entiers à me raconter la vie de Stephanus au monastère, car une étroite amitié les liait, ils ont bu quantité de vin ensemble dans la cuisine et Jeromos m'a dit qu'à Saint-Gall, Stephanus était le seul frère avec qui il pouvait s'entretenir de n'importe quel sujet. Contrairement à plus d'un de nos frères qui avaient revêtu la bure pour les raisons les plus diverses – car il y avait parmi eux des assassins, des voleurs, et même des nobles déchus, cherchant dans la règle de saint Benoît un refuge contre les dangers qui les menaçaient dans le monde –, Stephanus avait reçu du Seigneur une foi sincère et profonde, mais malgré cela, il ne jouait pas les dévots comme nombre de ces transfuges. Il parlait librement, pensait de même, c'est peut-être pourquoi Virgile d'Aquilée s'était si vite débarrassé de lui en l'excluant du scriptorium. Stephanus était incapable de se cadenasser la bouche, il exprimait toujours ce qu'il avait sur le cœur et avait dû lui tenir tête, pensait Jeromos, ce que Virgile ne supportait d'aucune manière… Oui, oui, reconnaissait mon oncle, il connaissait les origines païennes de Stephanus, peu de choses pouvaient rester secrètes au monastère, mais il n'y avait accordé nulle importance, car il s'y trouvait d'autres rejetons de païens, des Normands, des Saxons qui n'étaient pas retournés dans le Nord après une campagne, quelqu'un les avait pris en pitié et amenés au monastère. Il se rappelait aussi les circonstances étranges qui avaient présidé à l'arrivée inattendue de Virgile, et tout en s'efforçant de rassembler ses souvenirs, Jeromos avertissait les novices de ne pas s'en prendre aux salades, mais aux mauvaises herbes. Donc Virgile n'avait pas de lettre de recommandation, il avait déjà prononcé ses vœux, et on disait que des bandits l'avaient attaqué dans les montagnes, qu'ils avaient tué son compagnon de voyage, avaient dépouillé Virgile de tout ce qu'il avait, mais par miracle lui avaient laissé la vie sauve. Il avait frappé à la porte de Saint-Gall, épuisé, mourant de faim et de soif, disant qu'on l'envoyait de Passau. L'abbé de l'époque écrivit à Passau et reçut confirmation : on nous avait en effet envoyé deux frères pour quérir des livres, et on était fort attristé que l'un d'eux eût été victime d'un meurtre. Virgile ne retourna pas à Passau, il resta chez nous, où il se plaisait visiblement, et obtint une place au scriptorium ; le père Hilarius fut heureux de l'accueillir, car il écrivait fort bien, et vite, bien que le malheureux eût le bras gauche mutilé. Mais c'est vrai, dit Jeromos, il ne s'est jamais bien entendu avec Stephanus, on eût dit qu'ils se dérangeaient mutuellement, des étincelles jaillissaient dès qu'ils se trouvaient ensemble. Ensuite Virgile gravit rapidement les échelons, il devint doyen, supérieur, enfin abbé, de manière assez inattendue. Certains sont nés pour commander, dit Jeromos, Virgile est de ceux-là, il est opiniâtre, il sait aussi organiser, il faut le reconnaître, il a l'œil à tout, et depuis qu'il est notre abbé, il n'y a plus aucun problème au monastère, l'ordre règne parmi les moines. Jeromos dit aussi que si Virgile n'avait pas cette déplorable nature obstinée, il pourrait presque l'aimer, je lui répondis qu'il en allait de même pour moi. Quand je lui appris que j'étais chargé de consigner la vie de Stephanus dans les Annales, mon bon oncle Jeromos me considéra avec fierté, il manqua même de pleurer d'émotion, et me fit observer que le Seigneur disposait merveilleusement des choses de ce monde : c'était justement à moi que revenait d'écrire l'histoire de Stephanus, moi que mon maître aimait plus que tout autre, nul n'en était plus digne que moi. En écoutant les louanges de mon oncle, j'étais presque ému de ma propre grandeur, alors j'ajoutai que la semaine suivante, je devais aller à Passau pour le compte du scriptorium. Il me tapota l'épaule en disant qu'il avait toujours su que j'irais loin, Stephanus aussi lui avait dit à l'époque que j'étais un gamin doué… puis il ajouta, fais seulement attention à cette petite que tu lutines nuitamment dans l'obscurité du librarium, il ne faut pas que cela se sache, sinon, ce serait terminé. Je blêmis, comment le sais-tu, balbutiai-je, mais mon oncle m'interrompit d'un geste, je te l'ai dit, il est difficile de garder un secret au monastère. Je te comprends, dit-il, rayonnant, nous avons tous été jeunes, mais sois prudent... Je partis, honteux et confus, bon, me voilà découvert, mais mon oncle ne me trahira pas, j'en suis sûr, je le connais. Cependant si lui le sait, d'autres peuvent également être au courant... Chassant ces pensées, je me hâtai vers la tisanerie car mon maître Stephanus m'avait de nouveau demandé des simples aux noms impossibles, il invente sans cesse quelque nouvelle huile, potion ou onguent dont je ne parviens jamais à retenir le nom. Il fallait que je me dépêche pour le rejoindre le soir même dans la forêt...

… je vis le soleil poindre entre les nuages qui se déchiraient. La neige cessa de tourbillonner et il régna soudain un calme absolu. Je regardais la tache de lumière élargir la brèche dans le ciel gris, illuminant le champ de neige qui finit par nous aveugler. La fureur qu'éprouvait Keve d'avoir perdu nos chevaux s'apaisait peu à peu. Au pied de la montagne, le vieux berger l'avait pourtant averti que si nous voulions prendre le plus court chemin par le col, nous n'y parviendrions qu'à pied. Il avait raison, mais Keve ne l'avait pas cru.

– Peux-tu continuer, Csaba-ur ?

Je le regardai sans savoir que répondre. Continuer ? J'avais les pieds pratiquement gelés, la barbe couverte de givre, les côtes endolories par le froid glacial. Et ma cheville me faisait de nouveau souffrir.

– Il aurait fallu écouter le berger, lui répondis-je, et attendre la fin de la tempête.

– Nous aurions perdu deux jours.

– Mais pas la vie.

– Ne sommes-nous pas encore en vie, Csaba-ur ?

Certes, mais en même temps que les chevaux, nous avions perdu tous nos bagages. Et ce qui contrariait Keve, c'est que mon manteau de künde était aussi perdu. De quoi un künde a-t-il l'air sans son manteau rouge ? Moi, j'étais davantage préoccupé par la disparition des vivres. Le soir allait tomber, un froid de loup s'abattrait sur nous. Je fis part à Keve de mon inquiétude.

– Quittons le chemin, décida-t-il en montrant une forêt de sapins non loin de nous. Nous serons plus en sécurité sous les arbres. Comment va ton pied ?

– Je ne sens rien tant que nous marchons, mais je crains de m'arrêter.

– Alors ne nous arrêtons pas.

En montant vers la forêt, le versant devenait moins raide, jusqu'à devenir un plateau où la couche de neige était de plus en plus épaisse. Nous enfonçâmes bientôt jusqu'aux genoux, chaque pas était une lutte, mais dans la forêt, la couche était plus mince sous les arbres.

– J'aimerais bien savoir ce que devient Agolcs, dis-je après avoir repris mon souffle.

– Ne crains rien pour lui, il est coriace !

C'est curieux comme parfois nos pensées précèdent les événements. J'étais en train de me demander si mon compagnon avait de quoi allumer du feu, car sans cela, nous avions peu de chances de survivre à la nuit glaciale, quand il s'immobilisa soudain devant moi. Je faillis le heurter tant j'étais plongé dans mes réflexions.

– Qu'est-ce qui ne va pas ? demandai-je.

Keve humait l'air.

– Tu ne sens rien ?

Je hochai la tête.

– De la fumée.

– Il y a du feu quelque part.

Nous nous immobilisâmes. Le silence était total, on n'entendait pas un bruit. La forêt semblait figée par le gel dans le paysage enneigé, seule la vapeur de nos souffles dessinait des volutes devant nous. Keve se remit à avancer, je le suivis. Nous marchions à pas prudents. Quand nous touchions par mégarde une branche de sapin, un paquet de neige nous tombait dans le cou. Au bout d'une cinquantaine de pas, nous parvînmes au bord d'une clairière où se trouvait une cabane en bois. De la cheminée s'échappait une épaisse fumée qui retombait parmi les arbres en se dissipant dans l'air brumeux. Près de la cabane s'étendait un petit enclos au bout duquel se trouvait une autre hutte. Je n'avais rien d'autre en tête que la chaleur. Peu m'importait qui vivait dans cette masure, Keve ne devait pas s'en soucier davantage, mais à toutes fins utiles, il fit jouer son sabre dans le fourreau.

– Allons-y, dit-il enfin.

Alors que nous étions à mi-chemin, à quelques pas à peine de la chaleur prometteuse de sécurité, la porte s'ouvrit, un homme barbu et vêtu de peaux de bêtes sortit d'un bond dans la neige. Il tenait à la main la plus énorme hache que j'eusse jamais vue et la brandit en hurlant. Je ne comprenais pas un seul mot. Keve ne lâchait pas la poignée de son sabre.

– Que dit-il ? lui demandai-je.

– Je n'en ai pas la moindre idée. Il n'est visiblement pas ravi de nous voir.

– S'il ne nous laisse pas entrer, nous allons geler sur place.

– C'est juste. Mais je ne peux quand même pas le tuer…

– C'est tout à ton honneur.

– … Ils sont peut-être plusieurs là-dedans.

Le barbu gesticulait toujours avec sa hache. Il indiqua le sabre de Keve en criant quelque chose. Keve tira un peu plus l'arme de son fourreau. Je jugeai bon d'intervenir.

– Je crois qu'il veut ton épée.

– Que je m'en sépare ? Il est idiot s'il croit…

– Il a au moins aussi peur de nous que nous de lui.

– Tout juste. Il n'a qu'à déposer sa hache.

– Mais lui défend sa maison, tandis que nous, nous voulons entrer ! Courage, murmurai-je, rendons-nous !

– Tu es fou ?

– As-tu une meilleure idée ? Nous avons le choix : la fierté ou la mort.

Keve était désemparé. Il n'avait visiblement d'autre envie que d'abattre ce furieux. Alors il tira lentement son sabre. L'autre se tut, mais il leva sa hache plus haut. Keve saisit son arme par la lame et la tendit vers l'homme, la poignée en avant. Celui-ci s'avança lentement en criant à plusieurs reprises ce qui semblait être une question :

– Megeri ? Megeri ?

– Ne nous demande-t-il pas si nous sommes des Magyars ?

– On dirait. J'aimerais bien savoir quelle est la bonne réponse…

Keve s'avança à son tour vers l'homme qui nous menaçait toujours de sa hache. Alors celui-ci fit quelque chose qui nous surprit : il montra un crucifix, une croix grecque.

– Attends ! dis-je à Keve. C'est un chrétien.

J'avançai, dégageai de ma pelisse la croix de bois que je portais au cou et la lui montrai, tout en m'efforçant de retrouver dans ma mémoire les quelques mots de grec que j'avais appris au scriptorium.

– *Khristu… epi tó onomati Khristu…*

L'autre me regardait avec de grands yeux. Puis il abaissa sa hache.

– *Epi tó onomati Khristu…* répondit-il machinalement.

– *Met'eirenés.*

– *Met'eirenés ?* demanda-t-il comme s'il se parlait à lui-même. *Met'eirenés…*

Puis il désigna soudain Keve de sa hache et répéta sa question d'un ton qui n'avait rien d'amical :

– Meger ?

– Il est grec ? me demanda Keve.

– Autant que moi. (Puis, montrant Keve, je criai :) *Meger… meger kyrios !* (Et, me frappant la poitrine :) *Sacerdos… sacerdos romanus.*

Nous n'avions pas franchement gagné son cœur. Il brandit de nouveau sa hache en direction de Keve et cria :

– *Meger, begaï ! Meger, begaï !*

– Qu'est-ce qu'il braille ? (Keve commençait à perdre patience.) Il ne veut pas de mon sabre ?

– On dirait qu'il n'est pas prêt à faire la paix avec toi. On n'aime pas beaucoup les Magyars par ici.

– Ce n'est pas nouveau. Mais s'il ne nous laisse pas entrer, je retourne mon sabre et je le sépare de sa tête poilue…

– Du calme !

Je fis quelques pas en avant et repris :

– *Met'eirenés. Epi tó onomati Khristu.* (Je montrai la cabane, puis mon abdomen :) *Peinaleos... met'eirenés... Meger kyrios met'eirenés, hiereus rhómaios met'eirenés...*

– Qu'est-ce que tu lui as dit ?

– Que nous venons en paix et que nous avons faim. C'est tout ce que j'ai trouvé à dire en grec.

– Rien d'autre ?

– Pourquoi ? Tu peux faire mieux ?

– Cela se pourrait. De toute façon, la cabane semble un peu petite pour nous trois...

– N'essaie pas !

Je répétai mes phrases en grec, en bénissant la divine providence qui m'avait permis de copier des mots grecs au scriptorium. L'homme sembla tenir sa hache avec moins de fermeté. Il se balançait d'un pied sur l'autre, l'air hésitant. Puis il fit quelques pas en avant et tendit prudemment la main vers l'épée de Keve. Au dernier moment, il me sembla que celui-ci venait de se raviser quant à l'idée de se séparer de son arme.

– Donne-la-lui ! murmurai-je. Puisque tu la lui as offerte, donne-la-lui !

– Tu veux que nous entrions sans armes ?

Keve lâcha enfin la poignée et jeta son sabre dans la neige. L'homme se pencha vivement pour le ramasser puis nous fit signe de le suivre. Tandis que nous nous dirigions vers la cabane, il ne nous quitta pas des yeux. Arrivés devant la porte, il nous fit signe d'entrer et nous suivit au bout de quelques instants. Il avait laissé dehors l'épée de Keve.

La chaleur venait du coin opposé de la cabane, diffusée par un fourneau à la hotte rebondie où le feu crépitait généreusement. Ne pouvant résister, j'y courus, j'aurais voulu m'y pelotonner. Keve, lui aussi, oublia un instant sa méfiance. Il faisait presque noir à l'intérieur, la fenêtre obturée par des planches ne laissait pas passer la lumière. Seule une lampe à huile suspendue au plafond jetait une modeste lueur tremblotante. Après la froidure qui nous avait pénétrés jusqu'à la moelle des os, cette minuscule flamme était bien réconfortante. Nous ôtâmes nos pelisses et frottâmes avec satisfaction nos mains gelées devant le foyer. À ce moment, je n'éprouvais rien d'autre qu'une infinie reconnaissance envers cet homme des bois qui était notre hôte, sans me soucier le moins du monde de ce qu'il pensait de nous. Je me tournai vers lui et lui adressai ces mots que le soulagement m'avait remis en mémoire :

– *Kharis, kharis !...*

Il répondit dans une langue incompréhensible. Je tentai de lui expliquer, en mêlant le grec et le latin, que nous voulions juste passer la nuit dans sa cabane et que nous repartirions le lendemain matin. Je n'étais pas certain qu'il m'eût compris. Il n'entendait visiblement rien au latin, mais le grec lui semblait plus familier. Cependant, son hostilité se relâchait. Pour l'heure, je n'en demandais pas plus. Il s'assit à la table grossière sur un des billots de bois qui servaient de sièges, et déposa sa hache près de lui. Il fallut quelques instants pour que nos yeux éblouis par la neige s'accoutument à la lueur de la lampe. Notre hôte semblait ne pas avoir rencontré d'êtres humains depuis fort longtemps, ses cheveux lui descendaient jusqu'aux bras, la broussaille de sa barbe lui couvrait la poitrine. Il nous dévisageait de ses petits yeux noirs, surtout Keve, dont il avait visiblement peine à supporter la présence.

Je jugeai plus prudent de me présenter sous le nom que j'avais reçu au monastère. Je m'assis sur un billot de bois et me désignai :

– Stephanus. Stephanus Pannonia. *Monacus benedictinus.*

Il me regarda fixement et dit, d'un ton agressif :

– Virgán.

C'est seulement lorsqu'il pointa le doigt sur lui en répétant ce mot que je compris qu'il ne voulait pas me quereller, mais qu'il se présentait à son tour.

– Il s'appelle Virgán, dis-je à Keve, que rien n'aurait pu faire s'éloigner du fourneau.

– Quelle merveille ! Sa seigneurie a aussi un nom.

– Présente-toi.

– Moi ? Pourquoi diable ?

– Parce que c'est ce qui convient. Nous sommes chez lui.

L'homme des bois dénommé Virgán nous regardait tour à tour en clignant des yeux d'un air agacé. Keve se fit une raison à grand-peine, se tourna vers lui et dit de mauvaise grâce :

– Keve-ur. C'est mon nom, Keve-ur.

Les yeux de Virgán s'étrécirent.

– Ur ? Meger-ur ?

Il considéra la tenue de Keve puis répéta :

– Meger-ur ?

Je répondis à la place de Keve :

– Oui, meger-ur. Megas meger-ur !

Virgán poussa un grognement, dont on ne pouvait dire s'il exprimait mépris ou approbation. Puis il entreprit d'examiner ma coiffure, comme s'il venait seulement de se rendre compte que je portais des tresses. Il montra sa tête, puis la mienne :

– *Hiereus rhómaios ?*

– Tiens, explique-lui donc cela ! ricana Keve derrière moi.

J'écartai les bras dans un geste d'innocence :

– *Viae Dei inexplicabiles.*

Je ne crois pas qu'il ait compris. Il demanda ensuite autre chose que je ne compris pas. Il répéta sa question à plusieurs reprises en gesticulant et en montrant autour de lui.

– Tu comprends ? demandai-je à Keve.

– On dirait qu'il demande où nous allons. Ou bien d'où nous venons.

– Dois-je le lui dire ?

– Cela ne le regarde pas. Demande-lui plutôt s'il a quelque chose à manger.

Je montrai mon ventre.

– *Peinaleos*. Tu comprends, Virgán ? Faim. *Peinaleos*. Je fis semblant de mettre de la nourriture dans ma bouche. À manger…

Les gestes d'un homme affamé se comprennent dans le monde entier. Il nous fit signe de ne pas bouger et sortit. Il revint bientôt et posa devant nous un plat contenant du fromage de chèvre et de la viande séchée.

– Avons-nous de quoi le payer ? demandai-je à Keve en mangeant.

– J'ai donné tout mon argent à ce Kabar. Et nous n'avons même plus nos chevaux.

– Alors il devra se contenter de nos remerciements.

– Et de l'honneur que nous lui faisons de nous asseoir à sa table.

– Il ira loin avec ça !

– Et où veux-tu qu'il aille avec de l'argent dans ce pays sauvage ? Perejaszlavec est loin d'ici, et d'ailleurs notre ami n'a pas l'air de fréquenter les foires. Mais pour tes bottes, Csaba-ur, il nous donnerait assurément une autre ration de ce fromage de chèvre malodorant…

– Mes bottes ?

– Ou les miennes. Cette nuit, je ne dormirai que d'un œil. Maintenant que tu m'as obligé à lui donner mon épée…

Tandis que nous devisions, Virgán nous lorgnait en clignant des yeux et surveillait attentivement quelles quantités disparaissaient du plat. Plus tard, nous sommes allés dormir dans un coin de la cabane. J'ignore si Keve n'a dormi que d'un œil, car même dans la position malcommode où j'étais, à demi assis, je fus aussitôt terrassé par le sommeil, tel un nourrisson, et dormis tout d'un trait jusqu'au matin. C'est Keve qui me réveilla en me secouant.

– Qu'y a-t-il ? grognai-je après avoir repris mes esprits.

– Comment peut-on dormir si profondément ? S'il n'en tenait qu'à toi, ce ne sont pas seulement tes bottes, mais toute ta personne qu'on pourrait voler !

– On a volé tes bottes ? demandai-je en voyant que j'étais encore chaussé des miennes.

– Non, mais ton cher ami s'est volatilisé !

Je me levai, étirai mes membres engourdis. Le feu était éteint, la porte ouverte, il faisait froid. Je jetai ma pelisse sur mes épaules tandis que Keve ressortait en courant. Dehors, le soleil était radieux, mais il faisait un froid mordant. Je m'enveloppai plus étroitement dans ma pelisse.

– Il n'est nulle part ! cria Keve qui s'était déjà mis à la recherche de notre hôte.

Il avait parcouru la clairière et inspecté la remise au bout de l'enclos.

– Il est peut-être à la chasse.

– Et tu crois qu'il nous aurait confié sa maison ? Mon épée aussi a disparu.

Il montra des traces de pas dans la neige, elles s'enfonçaient dans la forêt.

– Il est parti par là.

– En effet.

– Mais sûrement pas pour chasser. Il a dû avoir une autre raison de partir précipitamment. Je pense…

Il n'acheva pas sa phrase, des aboiements retentirent soudain, venant de la forêt.

– Tu as entendu ? demandai-je.

Keve me prit le bras et m'entraîna vers la cabane.

– Des chiens !

Keve referma la porte derrière nous et mit la barre. Nous étions là, dans le noir, tandis que les aboiements se rapprochaient. Bientôt, ils encerclèrent la cabane, et des cavaliers arrivèrent peu de temps après avec force exclamations et hennissements.

– Qui sont-ils ? demandai-je.

– Comment veux-tu que je le sache ? Ce ne sont pas des Magyars, c'est sûr. Probablement des Oulaï. On dirait qu'ils croassent de la même façon que ton ami, tu sais, celui qui nous a laissés tomber.

– Il me semble que tu as raison.

– Je jurerais que c'est lui qui nous les envoie… J'aurais dû l'occire, ce malappris, au lieu de lui donner mon épée. Tu peux toujours attendre le jour où j'écouterai de nouveau tes divagations de chrétien !

On tambourina à la porte. Puis quelqu'un appela :

– Bureux ! Meger-ur ! Bureux, sortir !

– Tu vois, dit Keve, ils savent qui nous sommes. Si ce sauvage me tombe sous la main…

– Tu entends, bureux ? Sortir ! Si pas sortir, moi feu maison !

– Au moins, ils savent un peu le magyar, fis-je remarquer.

– C'est toi qu'ils veulent.

– Que dois-je faire ? demandai-je nerveusement. Si je ne sors pas, ils incendient la cabane !

– Et si tu sors, ils te tuent.

– Ce qui revient au même. Mais je préfère cela à être carbonisé.

Je me dirigeai vers la porte.

– Attends ! cria Keve. Tu n'iras nulle part sans moi !

Il passa devant et ouvrit la porte.

Une douzaine de cavaliers se tenaient dans la neige devant la cabane, tous armés d'épieux et portant un sabre à la ceinture. Avec leurs bonnets et leurs pelisses, ils avaient l'air d'ours à cheval. L'un d'eux s'avança, j'aperçus derrière lui Virgán qui nous lorgnait à une distance prudente.

– Toi, bureux ? me demanda celui qui s'était avancé.

C'était un homme colossal, dont les yeux disparaissaient sous des sourcils broussailleux.

– C'est moi.

– Et lui ? demanda-t-il en montrant Keve.

– Keve-ur, le maître des terres d'Occident.

Keve s'avança, bras croisés, et dit au cavalier :

– Pourquoi nous retenez-vous ? Nous sommes sur les terres de Zubor-ur, et nous nous rendons auprès de lui.

Le cavalier renifla bruyamment.

– Zubor-ur. Zubor-ur être puissant. Grand seigneur. Ami à moi, Zubor-ur. Mais ici montagne, meger-ur, pays à moi. Zubor-ur dire à moi : Dragus, ici à toi, veille comme prunelle tes yeux. Attention à qui entrer-sortir forêt. Vous deux entrer forêt, moi dire à vous : arrête ! Virgán venir dire à moi deux meger-ur dans maison. Moi (il se frappa la poitrine), réfléchir. Beaucoup. Deux meger-ur ? Pas escorte, pas beaucoup cavaliers, deux meger-ur, en tapinois dans forêt ? Bon pour moi ? Moi réfléchir. Pas bon. Aller voir qui eux. Virgán dire, l'un d'eux bureux, meger bureux. Moi penser pas possible, Dragus jamais voir meger bureux. Oulaï, oui ; grécos, oui ; meger, non. Alors moi demander : meger bureux ?

– Oui, répondis-je.

– Latinus ?

– Latinus.

Dragus me toisa un moment avec force « hum ! ». Puis, sans doute parvenu à une conclusion, il mit un point final à ses réflexions en se torchant le nez d'un revers de manche, avant de jeter quelques mots dans son rude langage aux hommes qui se tenaient derrière lui.

– Zubor-ur ne sera pas content d'apprendre que vous retenez le maître des terres d'Occident ! dit Keve.

Le dénommé Dragus se retourna, le toisa à son tour un moment et dit avec morgue :

– Toi pas connaître Dragus, meger-ur, toi croire Dragus bête. Dragus pas bête, lui penser : si Zubor-ur content deux meger-ur, alors moi dire : moi sauver eux, loups, froid, faim, nuit. Si moi voir Zubor-ur pas content, moi dire : moi attraper eux forêt. Toi voir, grand meger-ur ?

L'un de ses hommes amena deux chevaux.

– Meger-ur monter cheval.

– Rendez-moi mon épée, dit Keve. (Puis, montrant Virgán :) C'est lui qui l'a prise, je n'irai nulle part tant qu'il ne me l'aura pas rendue.

Dragus poussa un hennissement de rire :

– Meger-ur pas faire attention épée ! Virgán apporter. Épée dans maison moi. Pas peur, Dragus faire attention. Mieux que meger-ur.

Keve lâcha une bordée de jurons, mais il enfourcha le cheval qu'on lui avait amené. Je fis de même et nous partîmes au pas entre les sapins. Sans précipiter l'allure, nous gravîmes commodément la montagne, avant de redescendre par un sentier enneigé et glissant qui serpentait vers la vallée. Les chevaux connaissaient le terrain, ils ne bronchaient pas devant les précipices que nous longions. Moi, au contraire, je ne cessais de trembler qu'un faux pas de ma monture nous jetât dans l'abîme. Nous étions si haut que je voyais à peine le sommet des forêts en contrebas.

Quand nous fûmes dans la vallée, je soupirai de soulagement et vis que Keve n'avait pas plus apprécié ce voyage que moi. Un hameau apparut. Des rubans de fumée s'échappaient des petites maisons de bois couvertes de neige. Des gens vinrent à notre rencontre en nous saluant à grands cris. Plus exactement, ils saluaient leur chef Dragus, car ils ne nous prêtèrent aucune attention, à Keve et à moi. Ils se mirent à parler tous ensemble, nous ne comprenions pas un mot de ce qu'ils disaient en s'interrompant mutuellement, pas plus que des réponses laconiques que Dragus leur donnait d'un ton blasé. Nous nous arrêtâmes devant une maison un peu plus grande que les autres et pourvue d'une galerie. Un peu plus loin, quelques chevaux türks étaient à l'attache.

– Il y a aussi des Magyars ici, observa Keve.

Le cheval türk se reconnaît à sa petite taille, à sa selle incurvée et aux riches ornements de son harnais. Dragus dit quelques mots à un de ses hommes, puis se tourna vers nous :

– Entrer maison, seigneurs megers boire vin chaud, manger. Attendre. Toi comprendre, bureux ? Attendre, répéta-t-il avec un regard significatif.

Comme nous avancions, laissant derrière nous le géant nommé Dragus, Keve se remit à jurer à mi-voix :

– … que le cric le croque, ce maudit eunuque, ce chien de rien, que je le retrouve seulement à la pointe de mon épée…

J'interrompis sa tirade :

– Que font ici ces chevaux magyars ?

– Comment veux-tu que je le sache ? Est-ce qu'on peut savoir quoi que ce soit ici ? Quand en pays magyar des sauvages caquetants désarment un chef magyar ? Et en plus, sur les terres de Zubor-ur ?

– Tu l'as entendu, non ? C'est précisément Zubor-ur qui l'a ordonné…

– Je ne l'aurais pas cru si je ne l'avais vu de mes propres yeux !

La maison où on nous conduisit semblait en tout cas plus accueillante que la cabane de la forêt où nous avions passé la nuit. Il y avait une table et des sièges. Et il y faisait chaud. Dès notre arrivée, une femme se présenta, enfin, nous pouvions supposer qu'il s'agissait d'une femme, car elle était entièrement couverte d'un voile qui laissait à peine entrevoir ses yeux. Elle apportait une cruche de vin chaud et un plat contenant des petits pains et une pâte blanche et molle, une sorte de fromage frais. C'était délicieux, il faut le reconnaître.

– Comment peux-tu manger ? me reprocha Keve, tandis que je me précipitais sur la nourriture.

Son visage morose semblait inconsolable.

– Parce que ce n'est pas nouveau pour moi.

– Qu'est-ce qui n'est pas nouveau ?

– D'être prisonnier des barbares. Je commence à y être habitué. Ce fromage est excellent au demeurant. Tu n'y goûtes pas ?

Keve se leva et fit nerveusement les cent pas.

– Tu ne comprends pas, dit-il avec amertume, c'est en tant que künde que tu aurais dû arriver sur les terres de Zubor-ur, triomphant, glorieux, non en prisonnier humilié ! Csaba-ur est né pour la gloire, pour régner sur le peuple et le guider, mais toi ? Regarde-toi ! Tu t'empiffres avec ravissement de fromage de chèvre, et tu es content d'être en vie !

Pour le coup, le fromage me resta en travers du gosier et les objurgations de Keve m'incitèrent à la rébellion :

– Que me dis-tu là, noble seigneur Keve ! N'avons-nous pas agi en tout point comme tu le souhaitais ? Et n'est-ce pas précisément pour cette raison que nous en sommes là ? Où est l'armée promise, où sont les troupes de Csenke-ur qui devaient nous escorter vers le levant, et se ranger derrière moi quand je pénétrerais sur les terres de Zubor-ur ? Qu'y puis-je, si vous autres Magyars commencez par vous trahir mutuellement avant de vous jurer fidélité ? Où est l'armée, Keve-ur ? Où est l'armée qui ne nous aurait jamais laissés aux prises avec les caprices d'un sauvage des bois ? Tu nous as fait quitter le camp de Csenke-ur comme des voleurs, pourquoi donc ? Où est mon peuple dont tu m'as si bien conté la légende, où est-il, ce peuple qui est censé m'attendre ?

– Csenke-ur est une vile canaille, je m'en étais bien rendu compte. Quant à ton peuple, crois-moi, il est là, quelque part dans les montagnes.

– Et qui le trouvera ? Parce que ce ne sont sûrement pas eux qui me trouveront. Qui nous conduira auprès d'eux ? Est-ce qu'ils existent seulement ? Ou bien est-ce encore une de vos croyances, comme l'armée de Csenke-ur qui devait se ranger derrière moi ? Les a-t-on seulement jamais vus ?

– Ton peuple existe, Csaba-ur !

– C'est toi qui le dis.

– Ton peuple existe.

– Je le croirai quand je le verrai. À moins qu'il ne s'agisse justement de ces hommes des bois ? Hein, pourquoi pas ? Ils sont un peu velus, ils puent passablement, nous ne comprenons pas un mot de ce qu'ils disent, mais qu'est-ce que cela peut faire ?

– Imbécile de moine, c'est bien le moment de faire de l'ironie !

– Moine ? Je croyais que j'étais le künde.

– Peut-être que oui, peut-être que non.

– Il n'y a pas si longtemps, tu disais autre chose.

– Parce que je ne vois pas ton pouvoir. Tu cherches mon armée ? Moi, je cherche ton pouvoir. Le lien divin qui nous relie au ciel et nous protège des vicissitudes terrestres. Mais je ne vois nul pouvoir en toi. Je ne vois qu'un moine gras d'Occident qui, même au cœur du danger, n'a rien de plus pressé que de s'emplir la panse. Est-ce l'attitude d'un künde ? Écoute, je vais te révéler quelque chose : quand nous avons quitté le camp pour nous rendre au fort de Tar, avant même de changer de direction pour aller dans mon village, parce qu'on avait trouvé sur toi le Togrul, je me suis demandé toute la nuit si ce miracle était vraiment possible, si après tant d'années Csaba-ur était revenu parmi nous, même sans le savoir lui-même. Alors à plusieurs reprises, je suis ostensiblement parti à cheval, pour revenir en secret et t'observer, voir si quelque chose en toi me dirait que ce miracle était possible, et que le vent du hasard nous avait amené autre chose qu'un maladroit bureux d'Occident… Et vois-tu, peut-être ai-je été le jouet de mes désirs, mais quand je t'ai vu en selle, toi qui ne savais pas monter, ton attitude, ton port de tête, tout m'a dit que tu étais bien plus qu'un simple messager. Tu semblais t'élever au-dessus du sol, il n'y avait plus d'autres cavaliers, mais des ailes autour de toi. Et bien que tu ne sois jamais venu chez nous, tu n'avais pas peur, ou tu le cachais bien, alors j'ai cru de bon cœur que tu étais vraiment celui qui seul peut posséder le Togrul…

– Et à présent, tu me vois autrement ?

– Je ne sais plus ce que je vois, mon cœur me dit une chose, mon esprit une autre. Le désir de rétablir ce peuple dans sa grandeur occulte tout le reste à mes yeux, et peut-être suis-je incapable de voir des choses que je percevrais si j'avais tout mon bon sens. Je vois sans doute seulement ce que je voudrais voir. Mais quand je pense que le taltos t'a initié, que tu as eu la vision de choses que tu ne pouvais connaître, il me semble de nouveau que je ne me trompais pas en croyant que tu étais Csaba-ur…

Keve se tut et fixa le vide devant lui d'un air las.

– Pourtant, repris-je, Csenke-ur n'a pas hésité comme tu l'as fait entre ce que lui inspiraient son cœur et son esprit. En fin de compte, c'est la voix de son esprit qui l'a emporté.

La porte s'ouvrit, Dragus entra. Il sortit l'épée de Keve de sous ses fourrures et la déposa sur la table.

– Voilà ton épée, meger-ur. Belle arme !

Il se versa un gobelet de vin chaud qu'il vida sans un mot.

– Sieurs megers. Pas possible savoir ce que vouloir esprits, et ce que dire langues. Les deux aller séparément. Quelqu'un vient voir sieurs megers. Moi lui dire, meger-ur et bureux vivants, au chaud, manger, boire, pas dans forêt Dragus, peut-être loups manger eux. Hein, sieurs megers ?

– Pour sûr, grinça Keve en remettant son épée au fourreau. Mais à défaut de loups, tes molosses ont bien failli nous dévorer !

– Bureux, dit Dragus en secouant la tête, s'adressant à moi seul comme si Keve n'était pas là, être sensé, lui. Dragus toujours là, dans forêt. Chemins y vont, en reviennent. Pas colère Virgán, lui pauvre homme, pas aimer megers. Quand lui jeune, esclave chez grécos, chez bureux grécos. Beaucoup-beaucoup megers venir, tuer grécos, brûler couvent.

– Je comprends, lui dis-je.

– Sieurs megers beaucoup soucis entre eux. Parler par-ci, par-là. Dragus quoi faire ? (Il haussa les épaules.) Dragus faire attention, écouter.

– C'est clair, opinai-je. Qui donc veut nous voir ?

– Grand meger-ur. Homme venir tout de suite, emmener chez lui. Pas faim ? Encore manger ?

– Non merci. Nous préférons voir ce messager.

À peine avais-je dit cela, la porte s'ouvrit de nouveau. Au premier abord, je ne reconnus pas celui qui entrait. L'homme ôta son bonnet de fourrure et regarda autour de lui d'un air satisfait. Il fit signe à Dragus et celui-ci s'éloigna en inclinant légèrement la tête. Keve réagit le premier et s'écria :

– Le Franc ! Faut-il toujours que nous tombions sur toi ?

Armand, le Franc qui m'avait sauvé du village des Varègues, s'inclina courtoisement, à la mode occidentale.

– Je te salue, Keve ! Toi aussi, Stephanus. C'est bien ton nom ? Je m'en souviens bien, n'est-il point ?

J'approuvai de la tête.

– Keve-ur, corrigea Keve d'un ton sec. Pour un esclave, je suis Keve-ur !

– Pardonne-moi, seigneur ! répondit le Franc avec une humilité feinte. Keve-ur ! J'avais oublié à quel rang tu venais de t'élever ! Asseyez-vous, devisons un peu.

Comme nous ne bougions pas, il donna l'exemple.

– Prenez place, vous dis-je, et parlons !

Nous obéîmes de mauvaise grâce.

– Alors tu es ici, lui dit Keve. Sarolt ne doit pas être loin, peut-être même Zubor-ur ? Un esclave ne peut être seul.

– Tu te trompes, seigneur ! Je n'ai que quelques hommes avec moi. Et pour ta gouverne, je ne suis pas esclave. Un petit coup de vin ?

Il se servit, puis me regarda et sa balafre se transforma en une sorte de sourire :

– Qui eût cru, cher frère Stephanus, à l'époque où nous t'avons arraché à ta soue à cochons dans le village des Varègues, que tu serais cause de tels bouleversements dans le monde des Magyars ? Cette coiffure te va fort bien, on dirait un vrai Türk !

– C'est Csaba-ur, intervint Keve. Cet homme est Csaba-ur, le künde !

– Oui, bien sûr. J'ai aussi entendu cette légende. Csaba-ur… Hé, qui sait ? C'est possible. Mais est-ce que cela veut dire quelque chose ?

– Que nous veux-tu, Franc ?

– Quelqu'un souhaite voir le religieux. Le religieux qui prétend être le fils de Kurszán. Quelqu'un à qui il suffirait d'un mot pour que le religieux ne soit plus en vie. Mais ce quelqu'un ne veut pas seulement faire usage de sa puissance, il a aussi une âme et une singulière propension à rechercher la vérité.

– Parle plus clairement ! Qui est-ce ? Zubor-ur ?

Armand s'adossa et secoua la tête.

– Zubor-ur ne peut hélas pas intervenir.

– Il n'est pas…

– Non, pas encore. Mais il est miné par la maladie et n'en a plus pour très longtemps.

Keve baissa tristement la tête :

– Tout se ligue contre nous…

– Allons, Keve… pardon, Keve-ur ! Le cours des événements ne dépend pas que d'un seul homme. Excuse-moi, mais il y a quelque chose de ridicule dans la manière dont tu as manigancé ce complot et dont tu t'es hissé à un rang élevé... Vois-tu, j'aurais pu te pardonner la mort de Tar. Mais tu voulais toujours plus...

– Je voulais rétablir la justice !

– La justice ? Balivernes ! Écoute-moi bien, Keveur, je vais te révéler quelque chose : il n'y a pas de justice qui ne dépende de nous. La justice est toujours dans la main qui tient l'épée.

– Je te le redemande : qu'attends-tu de nous ?

– Avant de vous conduire auprès du personnage qui souhaite voir le moine, je voudrais que Stephanus réponde à une question.

– Quelle est-elle ? demandai-je.

Armand se tourna vers Keve :

– Tu permets, seigneur ?

Je crus un instant que Keve allait exploser de colère. L'indignation le laissa sans voix. Il fixait le Franc comme s'il n'avait pas compris ce que celui-ci venait de suggérer. Mais comme Armand soutenait fermement son regard, il se leva brusquement et quitta la pièce à grands pas furieux.

– Bien, pater Stephanus, me dit Armand quand nous fûmes seuls, je voudrais que tu me répondes franchement, sans aucune dissimulation, car il est capital que tu dises la vérité. T'a-t-on obligé à prendre le nom de Csaba-ur et à te présenter comme le künde ? Y as-tu été contraint ou l'as-tu fait de ton plein gré ? Autrement dit, crois-tu toi aussi que tu es le künde revenu parmi les Magyars, ou ne fais-tu qu'obéir à un ordre ?

Quelle question ! Si seulement j'avais su que répondre... La vérité se trouvait entre les deux. Il est vrai qu'en échange de la vie de Kolpány, j'avais promis de me soumettre aux desiderata de Keve, de ne plus m'obstiner à protester que j'étais Stephanus de Pannonie, émissaire du pape, mais il était aussi vrai qu'avec le temps, j'avais revêtu de moi-même et avec conviction le manteau rouge de künde.

– Je serai franc, Armand, simplement parce que je suis incapable de te répondre autrement. Regarde-moi. Que vois-tu ? Ou bien qu'as-tu vu quand vous m'avez découvert au village des barbares ? J'étais un religieux, n'est-ce pas ? Un moine. Et j'en étais convaincu. Cinquante années durant, à Saint-Gall, chaque mois de toutes ces années, et chaque jour de tous ces mois, je croyais être Stephanus de Pannonie, serviteur de Dieu. Lorsque certains rêves me parlaient d'un monde qui me semblait inconnu, ou s'il me venait des mots dont je ne comprenais pas le sens, je n'y prenais pas garde. J'avais devant les yeux les hautes murailles du monastère, puissantes preuves du présent et de la réalité. Mais ici, parmi les Magyars, c'est un autre visage de la réalité qui m'est apparu, la langue qui a ressurgi en moi m'a convaincu qu'il pouvait y avoir d'autres réalités, le monastère n'était pas la seule, je devais avoir une vie antérieure. Et un avenir. Alors on m'a raconté la légende de Künde, l'assassinat de Kurszán, le mythe d'un enfant appelé Csaba à la destinée mystérieuse, or au monastère je faisais toujours ce rêve qui revenait sans cesse, un chariot où je suis assis, les mains liées, et qui m'entraîne à travers une rivière… Puis quand notre abbé m'a confié cette mission – comme c'est curieux, j'ai presque oublié quel message je devais délivrer au prince –, il m'a remis ce médaillon, tu vois, cet aigle, en m'expliquant que c'était un ornement païen. Keve l'a découvert et c'est ainsi que tout a commencé. Est-ce que cela ne ressemble pas à l'accomplissement d'un destin, à un dénouement venu du ciel, où tout ce qui s'était défait au fil du temps se remet en place ?…

– C'est vraiment curieux, reconnut Armand. Donc, on ne t'a pas forcé à être künde ?

– Je ne sais pas s'ils m'ont forcé, c'est possible, ils voulaient simplement que je le sois, car l'accomplissement du destin qu'ils ont vu en moi, je l'ai vu moi-même par la suite. Leur volonté m'a seulement aidé à prendre ma décision… C'est dans les yeux d'Ejnek, le vieux sage du village de Keve, que j'ai vu pour la première fois cette certitude à mon égard. J'avais alors peine à le croire, mais je sais à présent qu'Ejnek était convaincu d'avoir raison, et qu'il ne se jouait pas de moi quand il m'appelait Csaba-ur. Au fil des jours, des semaines, des mois, le mal du pays s'est estompé, je n'ai plus regretté Saint-Gall, ni mon ancienne vie. J'ai changé, comprends-tu, Armand ? Il me semble être revenu chez moi.

– C'est étrange que tu parles cette langue. Cela nous a fort intrigués quand nous t'avons rencontré. Il eût peut-être mieux valu pour toi que Tar ne t'enlève pas à nous… Pour lui aussi, assurément. Ce que tu dis de ton mal du pays… moi aussi, j'ai connu cela, mais je n'ai jamais été un vrai Türk.

– Tu n'as pas envie de retourner chez toi ?

– À une époque, j'avais la nostalgie de nos vertes collines et de nos blés dorés… des tresses blondes des filles, des airs que ma mère me chantait dans mon enfance. Mais à présent, l'idée de partir m'est parfois une torture… (Il se perdit dans ses pensées.) Le son du luth, oui, cela me manque beaucoup. Mais cela n'a eu qu'un temps. D'ailleurs, je ne retrouverais plus ce que j'ai quitté. Tout est différent ici. Le présent et le passé semblent confondus. Les deux ruisseaux se rejoignent en une seule rivière, le cours du temps qui vient et qui passe. C'est ici et maintenant que les choses commencent, et il est plaisant d'assister à leur naissance. À la cour de Zubor-ur, on conserve un rosier dont l'origine remonte très loin, peut-être à l'époque où l'Empire romain était à son apogée chez nous. En regardant ses roses, tu sais que tu vois le temps, le temps qui est tien à jamais... Mais à présent, ce n'est pas de moi qu'il s'agit.

– Que va-t-il se passer ?

– Ce qui m'intéresse avant tout, enfin, ce qui intéresse celui qui m'envoie, c'est de savoir si tu penses être un imposteur. Mais je vois que ce n'est pas si simple. Pourquoi êtes-vous venus par ici ?

– Keve pense que mon peuple vit dans les parages. Le clan de Kurszán qu'Árpád a exilé dans ces contrées après avoir livré le künde aux Bavarois.

– Vous voulez les retrouver ?

– Aurions-nous fait tout cela pour rien ?

Armand ne répondit pas, mais je n'osai pas réitérer ma question.

– Et si je te réponds que je suis un imposteur, repris-je, qu'en me laissant transformer en künde, je n'ai fait que céder à la pression de Keve, afin de sauver ma vie ?

Armand sourit :

– En réalité, tu ne veux pas savoir, pas vrai ?

Il ne me révéla pas qui voulait nous voir. Nous sortîmes tous deux de la maison et dehors, où Keve nous attendait en faisant les cent pas dans la neige, il dit seulement : « En selle ! » Quatre cavaliers türks se joignirent à nous en nous serrant de près au cas où il nous viendrait à l'idée de nous échapper. Je voyais bien que Keve brûlait de savoir ce que voulait Armand, ce qu'il avait à me dire que lui n'avait pas le droit d'entendre. Mais il était trop fier pour m'interroger devant les autres et attendait sans doute le moment où nous serions seuls. D'ailleurs il était complètement abattu, ce n'était pas ainsi qu'il avait prévu notre voyage vers l'est.

Nous avancions entre des forêts de sapins, franchissant des cols au pas de nos montures, longeant des précipices que je préférais ne pas regarder. Puis nos chevaux ne firent plus que grimper, comme s'ils voulaient nous emmener au ciel. Le soleil était déjà sur son déclin quand notre sentier s'élargit en une terrasse surplombant un ravin. Nous nous arrêtâmes et Armand désigna un point en contrebas, de l'autre côté du ravin.

– C'est là que nous allons.

Sur la neige qui couvrait le versant opposé, un château fort se distinguait à peine. Parfaitement intégré au paysage, il semblait avoir poussé dans la roche. C'était moins une forteresse qu'une sorte de palais, ses murs de bois et de pierre s'étageaient le long de la pente, ses contours s'estompaient dans la brume légère. Un chemin sinueux s'élevait de la vallée vers le large portail. Je n'avais jamais vu si étrange bâtisse. Il fallait d'abord descendre dans la vallée, puis escalader l'autre versant vers le château. Bien qu'il semblât tout proche, il était à des heures de marche, et le soir tombait déjà quand, parvenus au fond de la vallée, nous commençâmes à remonter de l'autre côté. Tandis que nous traversions un pont jeté au-dessus d'un torrent gelé, je levai les yeux vers les hautes parois qui nous entouraient, et vis des aigles tournoyer dans le ciel de plus en plus sombre. Des aigles ? C'est ce que j'imaginai, mais ce n'étaient peut-être que des corneilles.

Le château était construit sur une vaste terrasse en surplomb. On n'aurait pu concevoir forteresse plus imprenable, car malgré ses éléments en bois, je ne pouvais imaginer qu'une armée puisse s'emparer par la force de cet édifice construit si haut à flanc de montagne. La cour était exiguë, en raison de la forme et des dimensions du plateau, les divers corps de bâtiment étaient si serrés qu'ils semblaient imbriqués les uns dans les autres. En mettant pied à terre, je jetai un regard en arrière vers l'autre montagne, d'où nous avions découvert le château. Le sommet était couvert de nuages.

Le bâtiment central dépassait tous les autres. Il avait trois étages dont chacun était entouré d'une sorte de galerie de bois sculpté. Les ornements ne manquaient pas, on eût dit que le bâtisseur de ce palais n'avait pas voulu manquer une seule occasion de mettre en valeur la nature façonnable du bois. Les bas-reliefs de feuillages aux arabesques enchevêtrées sur les murs extérieurs et les portes, les chapiteaux en forme de têtes d'animaux, les balustrades bordées de pétales de tulipes offraient à mes yeux d'Occidental un spectacle parfois surprenant, je l'avoue, mais d'une étrange beauté.

– C'est ici que Zubor-ur réside l'hiver, expliqua Armand quand on eut emmené nos chevaux.

– Allons-nous enfin savoir qui veut nous voir ? demanda Keve avec impatience.

– Il y a un temps pour tout, seigneur. Suivez-moi.

Nous montâmes l'escalier du perron, une lourde porte en chêne s'ouvrit devant nous et nous entrâmes dans le palais. Je fus aussitôt frappé par le nombre de torches brûlant le long des murs. Elles illuminaient la vaste entrée d'une lumière presque aussi vive que celle du soleil, et les couloirs qui partaient dans différentes directions étaient également jalonnés de flambeaux. Notre étonnement n'échappa pas à Armand.

– Tout cela est l'œuvre de Sarolt. La maîtresse a horreur de l'obscurité. Les flambeaux brûlent du lever au coucher du soleil. Plusieurs serviteurs, dont c'est la seule tâche, sont chargés d'y veiller.

Il nous conduisit par une large galerie puis, ouvrant une porte, nous fit entrer dans une grande salle. Elle était aussi éclairée par un grand nombre de torches et plusieurs braisiers dispensaient à la fois lumière et chaleur.

Armand se tourna vers Keve :

– Je te prierais de me remettre ton épée, seigneur, si je n'étais certain que ton sens de l'honneur t'interdira, en ta qualité d'hôte, de la lever sur le maître de maison.

Keve ne dit rien.

Une longue table se trouvait dans la salle, entourée seulement de quatre chaises, une à chaque extrémité, une sur chacun des plus longs côtés. La décoration n'avait rien d'oriental. Le long des murs étaient accrochés des crânes de cervidés qui nous fixaient du regard vide de leurs orbites noires.

– Attendez ici, dit Armand, puis il sortit.

Je m'assis au bout de la table, Keve resta debout. Nous gardâmes le silence. Il semblait avoir oublié ce qu'il brûlait de savoir peu de temps avant. Ou peut-être cela ne l'intéressait-il plus. Les flammes des torches jetaient des étincelles et dans les braisiers, le charbon crépitait doucement. Nous n'attendîmes pas longtemps. Je m'apprêtais à dire quelque chose à Keve, n'importe quoi pour briser le silence, quand la porte s'ouvrit.

Je reconnus immédiatement l'une des deux personnes qui entrèrent. C'était Sarolt, la femme aux cheveux noirs qui m'avait naguère enlevé au village des Varègues avec Armand. Elle portait encore une tenue d'homme, des chausses et une sorte de tunique, mais cette fois elle n'avait pas d'épée. L'autre était un jeune homme vêtu à l'occidentale, ses cheveux n'étaient pas tressés mais retombaient librement sur ses épaules. Avec son épée au côté, son manteau bleu, ses hautes bottes noires, on l'eût aisément pris pour un duc bavarois. Ses éperons cliquetaient à chacun de ses pas. Keve, qui l'avait visiblement reconnu, eut un mouvement involontaire de recul, mais considéra le nouveau venu sans rien dire.

Celui-ci m'observa, puis s'adressa soudain à Keve :

– Sois le bienvenu, Keve.

– Gezüja-ur… répondit Keve à mi-voix.

– La dernière fois que nous nous sommes vus, tu n'étais encore que le kegyour de Zelind.

Keve ne répondit pas. Je regardais le jeune homme, ce nom, je m'en souvenais : le fils du prince. Il était de constitution fluette, semblait fragile, sa voix était presque celle d'une fille.

– Chercherais-tu à t'emparer du pouvoir de mon père, Keve ?

Bien qu'il eût laissé le titre de côté, sa question ne parut ni insultante ni ironique. Son ton avait même quelque chose d'amical. C'est sans doute ce qui surprit Keve et l'encouragea à répondre :

– Si tu connais le passé, tu sais que le titre de prince ne revient pas plus à ton père qu'à moi. Ou à n'importe qui d'autre. Et si ce maudit Csenke-ur ne m'avait pas trahi, c'est dans d'autres conditions que nous nous ferions face.

Gezüja releva la tête.

– Mon père est le descendant d'Árpád-gyula, tu ne l'ignores pas.

– Árpád-gyula a fait tuer le künde, et a ainsi perdu tout droit au rang de prince, de même que ses descendants.

– Mais toi, qu'as-tu à voir avec Kurszán ? De quel droit crois-tu pouvoir faire justice en son nom après tout ce temps ?

– Qui sait si je le puis ou non ? N'oublie pas qu'appartenant à la tribu des Túrs, je suis aussi apparenté au clan de Kurszán. L'homme que voici est Csaba-ur, fils de Kurszán. Si ce n'est moi, c'est lui qui fera justice contre toi.

Gezüja-ur se mit à rire. Si je n'avais senti un frisson me parcourir le dos, j'aurais cru entendre un rire d'enfant. Il posa la main gauche sur la poignée de son épée qu'il balança comme pour la soupeser. Puis, regardant les murs autour de lui, il demanda d'une voix forte :

– Croyais-tu vraiment que ton peuple se soulèverait contre moi ? J'avais averti Csenke-ur de la manière d'agir avec vous. S'il a déployé son armée dans toute sa splendeur et feint de la mettre à votre service, ce n'était qu'un subterfuge destiné à endormir vos soupçons. Une partie du plan qui vous a amenés ici. Écoute bien ceci : pendant qu'il vous régalait, mes troupes se sont emparées de votre fort. Tes guerriers sont passés dans mon camp ou sont morts. Tu n'as plus d'armée, tu es seul à présent !

Le visage de Keve s'assombrit. Je sentis mon sang se figer. Le fort était tombé ? Et Aruna ?

– Tu étais kegyour, tu représentais tout pour Tar Zelind, tu étais le maître de multitudes, le soutien de ton clan, mais cela n'était pas assez pour toi. Tu as visé trop haut. Et à présent tu n'as plus rien. Un pauvre sabre à ton côté, qui signifierait ta mort si tu le tirais de son fourreau. Tu es un aigle dépourvu de serres.

Keve ne bougea pas. Je crois qu'à ce moment-là, il n'avait plus aucune volonté. Il pensait sans doute à son fils Jutas, à sa famille et au village des Túrs dont le sort était entre ses mains, et qui étaient désormais sans défense. Keve respirait encore, mais il n'était plus en vie.

Alors le fils du prince se tourna vers moi. Il me toisa comme une bête curieuse qu'on lui aurait amenée afin qu'il l'examine.

– Oui, le fameux Csaba-ur. Nous avons beaucoup entendu parler de lui. Le clerc d'Occident qui parle notre langue. Sarolt m'a raconté la stupeur que tu as provoquée parmi les siens au village des Varègues, quant tu t'es adressé à eux dans notre langue. Je reconnais que c'est troublant. Et tu détiens véritablement le Togrul ? Tu sais, je ne crois plus vraiment à ces superstitions, mais tu excites ma curiosité. Puis-je le voir ?

Je me levai et ôtai ma pelisse. J'étais le plus grand de nous quatre, dépassant Gezüja-ur d'au moins une tête. Planté devant lui, le médaillon de Togrul étalé sur ma poitrine, je vis dans son regard que son assurance avait été ébranlée, ne fût-ce qu'un bref instant. Pendant quelques secondes, immobile, les yeux fixés sur l'oiseau du médaillon, il ne fut plus le fils du prince, le successeur de Taksony, mais un petit garçon qui se rend compte que les fées dont on lui racontait les histoires existent vraiment. Il tendit la main, fasciné, vers le Togrul, mais la retira avant de l'avoir touché.

– Sottises ! dit-il en me tournant le dos. (Il s'éloigna de quelques pas et dit :) Je puis encore comprendre qu'une grande partie de mon peuple croie à ces sorcelleries païennes, mais qu'un clerc chrétien, prétendument élevé dans un monastère, se laisse prendre à de tels enfantillages, cela me dépasse ! Je croyais que la conversion n'était possible que dans un sens, les païens devenant chrétiens, et non l'inverse. Tu es la preuve que j'étais dans l'erreur !

– Je suis chrétien ! répondis-je. Je suis Stephanus Pannonius, moine bénédictin ! Mais… je ne puis renier mon passé.

– Ton passé ?

– Je suis Csaba-ur, fils de Kurszán-künde…

– Qui te l'a dit ?

– Mes rêves. Je me vois, petit enfant, mains liées sur un chariot, et le chariot traverse une rivière…

– À l'époque, les Bavarois ont capturé plus d'un enfant magyar le long de la frontière. Par la suite également, car nous avons beaucoup guerroyé contre eux. Nous aussi avons pris nombre d'enfants bavarois, même des Francs, regarde Armand. Qui peut dire de qui tu es le fils ? Pourquoi serais-tu justement celui de Kurszán ?

– Il avait l'insigne de künde ! intervint Keve.

Gezüja-ur hocha la tête.

– C'est un point crucial, je le reconnais. Comment est-il venu en ta possession ?

– Notre abbé me l'a remis avant mon départ.

– Autrement dit, quand tu es venu parmi nous, quelqu'un te l'avait donné.

– C'est cela.

– En vérité, peu m'importe qui tu es ou qui tu crois être. Tu pourrais aussi bien être Kurszán lui-même. Je n'ai que faire du passé, c'est un puits sans fond, à force d'y regarder on finit par y être précipité, pris de vertige. Comme notre ami Keve. Il a perdu de vue la réalité.

Il frappa deux fois dans ses mains et quelques guerriers türks entrèrent.

– Je ne sais pas encore ce que je vais faire de toi, dit-il à Keve, en fait tu ne représentes nul danger pour moi. Mais tant que je n'ai pas pris de décision, je n'ai pas envie que tu me gênes.

Il fit signe à ses hommes, qui encerclèrent Keve et l'emmenèrent. Sarolt, qui jusque-là se tenait en retrait, s'approcha de moi.

– Stephanus, Stephanus, pourquoi n'es-tu pas resté moine, puisque c'est en moine que tu es venu ?

– Les voies du Seigneur sont impénétrables, répondis-je d'un air sombre.

– *Viae Dei inexplicabiles*, intervint Gezüja-ur.

Je lui lançai un regard surpris.

– Cela t'étonne, n'est-ce pas ? Tu vois, tu n'es pas le seul, moi aussi je parle ta langue. Mais au fait, brave Stephanus, te souviens-tu au moins dans quel but on t'a naguère envoyé chez nous ?

– Je m'en souviens. Mais je doute que cela ait encore la moindre importance.

– Laisse-moi en décider, veux-tu ? Je suis le fils du prince, et Sarolt dit que tu apportes un message à mon père. C'est du moins ce que tu as prétendu.

– C'est la vérité.

– Et que dit ce message ?

Je m'efforçai de retrouver les paroles exactes de Virgile.

– Le pape de Rome fait savoir au prince des Türks qu'il lui propose de faire alliance avec lui contre l'empereur Othon. Mais auparavant, le prince des Türks devra se rendre à Rome et recevoir le baptême afin que le pape puisse le sacrer roi chrétien. Car s'il reçoit sa couronne des mains du pape et non de l'empereur, ce n'est pas à l'empereur qu'il devra loyauté, mais au pape, c'est-à-dire au Saint-Siège de Rome. En d'autres termes, il ne sera pas le vassal de l'empereur, mais son égal, et pourra, si besoin est, compter sur le soutien du pape, même contre l'empereur. Quant à l'empereur, il ne pourra pas envahir le pays türk sans la permission du pape, et s'il le fait quand même, Sa Sainteté prononcera son excommunication. En outre, afin que son nouvel allié, le roi des Türks, puisse rivaliser en puissance avec l'empereur, le pape lui promet de l'or en sus de la couronne. De grandes quantités d'or, que le roi emploiera à entretenir une armée permanente, bien exercée et dotée d'un armement suffisant. Voilà en substance ce que disait le message.

Quand j'eus fini, Gezüja-ur me toisa avec un sourire de commisération.

– Comme je viens de le dire, celui qui regarde trop longtemps dans le puits du passé ne voit plus la réalité. Comment s'appelle le pape qui t'a confié ce message ?

– Jean XII.

– C'est ce que je disais. Il s'est passé bien des choses depuis. Notamment, l'empereur Othon est entré dans Rome. Il en a chassé ton Jean XII et a mis un autre pape à sa place.

– Un autre ?... dis-je en le regardant d'un air incrédule.

– Un pape qui ne manquera pas d'obéir à l'empereur. Ne me demande pas son nom, je n'ai pas jugé utile de le retenir. À vrai dire, je ne puis décider ce qu'il eût mieux valu : si Sarolt avait pu te garder, tu nous aurais remis le message à temps, et mon père serait allé à Rome. Mais c'est peut-être mieux ainsi, du moins pour nous, car avant qu'il fût revenu avec sa nouvelle couronne, son pape suzerain aurait été destitué, et nous aurions dû affronter l'armée d'Othon. Devons-nous t'en tenir rigueur ou t'en être reconnaissants ? Il faut cependant que tu le saches, tout ceci n'est pas l'idée de ton pape, mais la mienne. Avant l'été, j'avais dépêché à Rome un émissaire secret porteur de cette proposition. Ton saint-père a trop tardé, Stephanus, et ce fut sa perte. S'il nous avait fait signe quelques mois plus tôt, il siégerait encore sur son trône pontifical.

Je ne répondis pas.

– Cela t'étonne ? Ton pape a dû penser que sans alliés, il ne resterait pas longtemps au pouvoir, et nous avons conclu de même. Cependant nous pouvons encore choisir, mais pas entre un régime à deux princes ou à souverain unique, comme Keve l'avait imaginé. Le temps des künde est révolu. Désormais nous devons opter pour Rome ou Byzance.

– Lorsque Ejnek, le sage de la tribu de Keve, m'a expliqué le sens de la double principauté, cela m'a beaucoup plu. Deux souverains ne sont pas seulement attentifs au peuple, mais l'un à l'autre, et chacun veille à ce que le pouvoir de l'autre n'outrepasse point le sien…

– Enfantillages ! Cela pouvait avoir un sens dans le pays ancestral, comment s'appelait-il, déjà ?… le Pays du Levant, mais ici, nous sommes pris en étau entre deux empires, et cela reviendrait à fuir devant des loups avec les fers aux pieds ! C'est ici et maintenant qu'il faut prendre des décisions, qu'il faut agir, souvent d'un instant à l'autre. L'ennemi aura tout le temps de nous surprendre avant que les deux princes, prenant leurs aises, parviennent à une décision commune ! Et toi qui es chrétien, dis-moi : comment le Christ et le künde tiennent-ils dans un seul bercail ?

Comme je gardais le silence, il poursuivit :

– Écoute-moi bien, Stephanus, je serai franc : qu'elle soit romaine ou grecque, la religion chrétienne ne vaut pas plus ni moins à mes yeux que n'importe quelle croyance païenne. Il se peut que l'empereur Othon ne soit pas notre ami, mais je l'avoue, j'aime la manière dont il mène ses affaires. Il a compris comment user du pouvoir que le destin a mis entre ses mains, et si le pape qui l'a sacré empereur se retourne contre lui pour faire un exemple, eh bien il change de pape ! C'est toujours plus facile de trouver un nouveau pape qu'une nouvelle légitimité. Quant à moi, cher Stephanus, je ne suis tributaire ni d'un dieu, ni de l'autre, je mène ma barque entre les deux. Mon clan est désormais athée, c'est pourquoi nous allons bien ensemble. Le Dieu-Ancêtre appartient au passé, et avec lui le künde, il n'y a plus trace de lui dans mon entourage, je ne vois pas en quoi il devrait intervenir dans la vie des Magyars. Rome et Byzance sont loin d'ici, mais leurs prêtres s'aventurent de plus en plus dans notre pays et nous ne pouvons pas tuer tous ceux qui se présentent. Je constate que le Dieu-Ancêtre des Magyars s'est retiré, il nous a tourné le dos, sa place est libre pour un nouveau dieu. Peut-être chaque terre, chaque contrée a-t-elle son propre dieu, et en trouvant un nouveau pays, perd-on ses anciennes divinités. Ce nouveau dieu, celui des chrétiens, n'a pas encore pris la place de l'ancien. Il attend. La place est vacante. Moi, je suis entre les deux, seul, et je ne fais confiance qu'à moi-même.

– Et ton père ? demandai-je. C'est encore lui, le prince, n'est-ce pas ? Que pense-t-il de tout cela ? En fin de compte, c'est à lui que le message est adressé.

Gezüja-ur poussa un soupir, puis secoua la tête.

– Mon pauvre père s'est perdu en lui-même.

Il avait manifestement l'intention d'exprimer de la compassion, mais sa remarque m'en parut tout à fait dépourvue.

– Je vois en lui mieux qu'en quiconque ce qu'est devenu l'ordre ancien. Il ne sait plus vraiment ce qu'il fait en ce monde. Au moins fait-il ce que je lui dis. Beaucoup l'ignorent sans doute encore, Stephanus, mais dorénavant c'est moi, le prince. Le temps des anciens est révolu, et celui de Taksony, comme de Zubor-ur, le père de Sarolt, ne tardera pas à s'achever.

– Taksony est-il malade ? demandai-je.

Le jeune prince détourna la tête comme pour répondre au mur :

– Si le manque de courage et d'énergie est une maladie, oui, il est gravement malade.

Dès cet instant, le château des nuages se referma sur moi. J'étais de nouveau prisonnier, mais pas beaucoup plus que tous ceux qui y vivaient. L'hiver, la neige et le gel nous isolaient du reste du monde. Le temps des contes était venu. Je voyais rarement Keve, le fils du prince semblait avoir de la compassion pour lui, mais il veillait avec rigueur à ce que nous ne puissions nous rencontrer. Gezüja-ur ne regagna pas la résidence de son père Taksony au bord du Danube, il passa l'hiver en compagnie de Sarolt. Et quand Zubor-ur mourut, il put considérer que l'ensemble des territoires de l'Est lui appartenait.

Je n'avais pas la moindre idée de ce qui m'attendait. On m'attribua un réduit au dernier étage, j'étais bien traité, je circulais librement, ce qui, à vrai dire, ne signifiait pas une clémence particulière, puisque je ne pouvais pas quitter l'enceinte du château. Pourquoi d'ailleurs l'aurais-je fait, je n'avais nulle part où me réfugier, j'ignorais pratiquement où nous étions, et dehors, au-delà des murailles, vivaient des loups, je les entendais la nuit hurler longuement. On me donna aussi une servante, une vieille femme qui ne m'adressait jamais la parole, mais entretenait le feu dans la cheminée et apportait mon dîner quand l'heure était venue. Elle vaquait silencieusement autour de moi comme un fantôme.

Quand les grands froids diminuèrent, Gezüja-ur passa son temps à parcourir la contrée avec sa suite, visitant les Magyars établis dans la montagne et les vallées, afin de se préparer à régner. Chaque semaine, il recevait des messagers et des émissaires. Il vint même une délégation de Bulgares. Je les vis un matin pénétrer dans la cour, trois cavaliers barbus portant des cuirasses resplendissantes, suivis d'un cheval chargé de présents.

La nuit, je rêvais d'Aruna. Était-elle encore en vie, ou avait-elle été victime des troupes dévastatrices du prince ? J'évoquais sa personne, sa voix, ses chansons, et me lamentais du sort qui m'avait fait enfin connaître la beauté dans mes vieux jours avant de m'en priver à nouveau.

Dans la journée, je trouvais du réconfort en la personne d'Armand, car il était le seul à venir du monde qui était jadis le mien. Je le considérais comme mon compagnon d'infortune, et je présume que d'une certaine manière, il éprouvait la même chose à mon égard.

Un jour il vint me trouver dans ma chambre où je trompais mon ennui en lisant de vieux codex. C'étaient les volumes que l'abbé avait fait mettre dans mon chariot, afin que je puisse dire, au cas où les soldats du duc me demanderaient le but de mon voyage, que je me rendais à Passau pour le compte du librarium. Quand Agolcs et ses hommes m'avaient repris aux mains de Sarolt, ils avaient emmené le chariot et les livres, et les avaient conservés, ce dont je leur étais véritablement reconnaissant, surtout à Armand, car il n'avait cessé de veiller sur les codex. Ma modeste bibliothèque se composait de deux bréviaires élimés et d'une *Énéide* lacunaire. Saint-Gall en possédait au moins une demi-douzaine d'exemplaires, nul n'avait sans doute remarqué leur absence, en revanche, ici, ils représentaient un trésor pour moi. Je m'efforçais de déchiffrer les lignes de Virgile malgré ma faible vue, et au moment où Énée et les siens abordaient les rives d'Hespéride, Armand ouvrit la porte et me dit :

– Refuserais-tu une cruche de vin, si tu devais la partager avec moi ?

J'acceptai l'invitation avec joie.

Il entra, s'assit à la table et déposa bruyamment une énorme cruche devant moi.

– Comment se passent tes journées, mon ami ?

– Lentement. Lecture et souvenirs.

Le sujet m'était pénible, je contre-attaquai :

– Peut-on savoir ce que le prince a l'intention de faire de moi ?

– Apparemment rien jusqu'au printemps. Repose-toi, tu n'as rien d'autre à faire.

C'était facile à dire.

Nous devisâmes en buvant, et au troisième ou quatrième gobelet de vin, je lui demandai, s'il ne jugeait pas ma question indiscrète, de me révéler comment il avait eu cette grande blessure au visage.

Il fit entendre quelques soupirs, puis leva les yeux sur moi.

– Il y a bien longtemps que je n'en ai parlé à personne, c'est sûr… Seulement à Sarolt, quand elle était toute petite, elle m'avait posé la même question.

– Si cela t'est trop difficile…

– Allons, dit-il avec un geste d'indifférence, nous avons du vin, et du temps à revendre.

À mesure qu'il racontait et revivait les événements du temps passé, il se métamorphosa, la balafre sembla même s'estomper, comme s'il avait rajeuni de vingt ans.

– J'ai été orphelin de bonne heure. À cette époque, le pays franc était ravagé par des guerres sans fin. Les seigneurs se disputaient les terres et ne manquaient pas une occasion de s'emparer des domaines qu'ils briguaient. C'est ce qui est arrivé aux biens de mon père que convoitait Sinceny, le seigneur voisin. Le seul souvenir qui me reste de mon enfance, c'est le moment où l'un des hommes de mon père me sauve en m'emportant du château en flammes. L'odeur de la fumée. Une fumée âcre où se consumait ce qui avait été mon foyer. Depuis, je n'ai cessé de la sentir. Devenu orphelin, je me suis retrouvé à la cour d'un noble de Bourgogne, un certain Guillaume d'Aigneville, lointain parent de mon père. Je mentirais en disant que j'y étais maltraité, mais en fait, je n'y ai jamais mangé à la table familiale, jamais assisté à aucun festin, et au cours des années que j'ai passées chez le comte, il ne m'a jamais présenté aux parents en visite. Je n'étais pas plus que ses lévriers ou ses chevaux. Il savait que j'étais là, il pourvoyait à mes besoins, je n'ai jamais eu faim ni froid, mais je n'étais pas admis dans son entourage. Souvent la nuit, j'entendais les réjouissances qui se déroulaient dans les salles du château, le son du luth et des chansons, les rires clairs des jeunes dames de la noblesse. En réalité, j'ai été élevé en partie par le chapelain, quand il parvenait à me faire asseoir à côté de lui pour m'enseigner les lettres, en partie par les mercenaires d'Aigneville dont je préférais la compagnie, je l'avoue, à celle du chapelain. Ils m'enseignèrent à manier les armes, à monter à cheval, à me battre en armure, et dans ma seizième année, j'entrai dans la garde du château. Cette existence me convenait, le vin, les armes, les filles faciles semblaient avoir été faits pour moi, si je n'avais succombé au pire danger qui menace tous les jeunes gens de cet âge, à l'amour.

« Ce printemps-là, nous avions appris que les Türks s'apprêtaient à envahir la Bourgogne. Pourtant, ils nous laissaient en paix depuis trois ou quatre ans, si bien que nous commencions à croire qu'ils avaient enfin cessé de dévaster l'Occident. S'attendant à une nouvelle campagne des Türks, Hugues de Boismontel, le beau-frère de mon tuteur, pria celui-ci d'accueillir sa femme et sa fille chez lui pour six mois, du printemps à l'automne, afin qu'elles fussent en sécurité. Les Türks avaient voulu s'emparer du château de Boismontel quelques années auparavant, mais les hautes murailles fortifiées les en avaient empêchés. Tous s'en souvenaient, et devant l'imminence d'une nouvelle attaque türke, on comprend qu'Hugues de Boismontel ait voulu mettre sa famille à l'abri auprès de son beau-frère dont le château se trouvait plus à l'ouest. Au début du mois de mars, alors que la boue hivernale commençait à sécher, Perrine de Boismontel, la sœur d'Aigneville, arriva chez nous avec sa fille Clotilde, une jouvencelle de seize ans. Nous allâmes à leur rencontre avec un détachement et les attendîmes au bord du Rhône. Que dire, Stephanus, je suis tombé sous le charme dès que je les ai vues, sans pouvoir décider de laquelle j'étais amoureux ! Mère et fille étaient aussi belles l'une que l'autre, mais vu mon âge, c'est la plus jeune, Clotilde, qui s'empara de mon âme. Son petit visage en forme de cœur, ses boucles blondes, son rire cristallin me portèrent le sang à ébullition. À dix-sept ans, on peut être amoureux quand on le veut. Nous les escortâmes jusqu'au château, mais de ce moment, je ne fus plus en paix. L'été le plus beau, le plus exaltant de ma vie m'attendait, et si je devais un jour mettre en balance ce que j'ai vécu jusqu'ici, je dirais que rien que pour cet été-là, il valait la peine d'être venu au monde. Clotilde n'était pas une personne ordinaire. On ne pouvait l'enfermer entre quatre murs, elle passait son temps à courir dans la cour, sa nourrice et ses suivantes pouvaient à peine la suivre. Quand il lui en prenait l'envie, elle galopait dans la campagne sur son cheval blanc comme neige ; nous devions alors rester aux aguets et ne pas perdre sa trace un instant. Ses cheveux blonds, son manteau couleur d'herbe flottaient dans le vent de la course. Et quand le Seigneur a créé deux êtres l'un pour l'autre, nulle force en ce monde ne peut les séparer. J'étais constamment à ses côtés, et le résultat ne se fit pas attendre. Au début, nous nous rencontrions comme par hasard et échangions quelques mots, mais avec le temps ces rencontres inopinées se firent de plus en plus fréquentes. Au mois de mai, je savais qu'elle recherchait autant ma compagnie que je recherchais la sienne. Nous avons peu à peu perdu la tête. Ensuite, nous ne nous sommes plus rencontrés qu'en secret, craignant de ne pouvoir dissimuler nos sentiments en présence de tiers. Je comptais les jours en tremblant, car je savais que l'élue de mon cœur retournerait chez son père à l'automne et que je ne la reverrais peut-être plus jamais. Qui étais-je en effet pour espérer la moindre chance auprès de cette demoiselle ? J'avais certes un nom, mais en tant que noble sans fortune, je pouvais être tout au plus écuyer à la cour de son père. J'en venais presque à prier pour que les Türks s'emparent du château d'Hugues de Boismontel, afin que, n'ayant plus où aller, elle soit contrainte de rester chez nous tout l'hiver. Je le faisais d'un cœur léger, car je n'avais jamais rencontré un Türk de ma vie, et si par miracle ma prière avait été exaucée, j'aurais vu en eux les guerriers les plus équitables ! Hélas il n'en fut rien, les semaines passaient, les Türks tardaient.

« J'avais un compagnon, Enguerrand, un roturier, fils de forgeron, nous avions grandi ensemble à la cour de mon tuteur et il servait également dans la garde. Il savait qui j'étais, connaissait mes origines nobles, était fasciné par mon passé, mon nom, et le fait que j'aurais pu un jour être seigneur de tout un pays. Il espérait, et ne s'en cachait pas, que notre amitié lui permettrait d'accéder à la gloire grâce à moi. En grandissant, tandis que nous nous exercions au maniement de l'épée ou, cachés au fond de l'écurie, revêtions en secret les lourdes cuirasses, nous rêvions de reconquérir tous deux les terres et le château dont mon père avait été spolié, et de tirer vengeance de ce gredin de Sinceny ! Enguerrand serait mon bras droit, quand nous aurions vengé la mort de mes parents, je lui donnerais la moitié de mes terres et la voie nous serait alors ouverte jusqu'au titre ducal. Et cet été-là, l'été de mon amour pour Clotilde de Boismontel, je convainquis le pauvre Enguerrand que le moment d'agir était venu. Lui, au moins, aurait dû écouter son bon sens, mais mon cher compagnon n'avait autre chose en tête que le titre de noblesse et le domaine qu'il allait obtenir grâce à moi. Cependant il buvait mes paroles sans jamais douter de ma sincérité ni du succès de notre entreprise. Entre-temps, le monde entier, avec tous les royaumes et seigneuries qu'il pouvait contenir, avait pris pour moi le nom de Clotilde. Je ne pensais plus à la vengeance ni à mes biens perdus, je ne pensais qu'à m'enfuir avec Clotilde du château de Guillaume d'Aigneville. Or, pour cela, j'avais absolument besoin de l'aide d'Enguerrand. Je lui fis croire que j'avais dans le Nord un riche parent, le seigneur de Fontenelle, cousin de ma mère, qui nous accueillerait tous les trois et, le cas échéant, nous protégerait contre Boismontel si celui-ci envoyait des hommes pour reprendre sa fille ; et même, avec un peu de chance, il nous aiderait à reconquérir mes biens. De tout cela il n'y avait de vrai que l'existence d'un cousin de ma mère qui s'appelait effectivement Fontenelle, mais je n'avais pas la moindre idée de l'endroit où il vivait, car je n'avais plus entendu parler de lui depuis ma plus tendre enfance. En un mot, j'avais berné le pauvre Enguerrand.

« À la mi-septembre, il était évident que les Türks ne toucheraient pas au château des Boismontel. Cette année-là, leurs chemins aventureux les menaient bien plus au nord, on entendait parler de couvents incendiés et de villages dévastés en Champagne et en Flandre. Clotilde et sa mère pensaient déjà à leur retour. Le temps pressait. Nous décidâmes, Enguerrand et moi, que le grand jour serait le vingt-trois septembre. Nous avons tout prévu avec minutie, trois chevaux, des vivres, quelques sacs d'avoine pour les bêtes. À l'aube, c'est-à-dire au moment où, selon les chansons d'amour, il convient d'enlever sa belle, nous devions nous retrouver devant le portail du château. Enguerrand arriverait le premier, conduisant silencieusement les trois chevaux, et attendrait que Clotilde et moi arrivions à notre tour. Nous ne redoutions pas les sentinelles, connaissant leurs habitudes de paresse, nous savions que peu après minuit, toutes dormaient profondément en haut du donjon, mais afin d'en être certains, nous avions laissé sur leur table une cruche de vin mêlé d'opium. Cependant nos précautions furent vaines, nous nous étions trompés en croyant que personne n'était au courant de notre projet. Tout bien considéré, la seule possibilité était que ma bien-aimée s'était ravisée et, n'osant plus me regarder en face, avait préféré révéler notre secret à sa mère, ou bien, à dessein ou par mégarde, elle s'était vantée devant une de ses suivantes et celle-ci, craignant pour son avenir, nous avait dénoncés à mon tuteur. Bref, ce matin-là, j'ai attendu en vain ma bien-aimée près de la fontaine, elle n'est pas venue, en revanche mes propres compagnons de la garde ont surgi du palais et se sont précipités sur moi. Comprenant aussitôt que notre plan avait échoué, je me mis à courir vers le portail, je savais ce qui m'attendait si j'étais pris. Je perdrais ma place et serais jeté au cachot un bon moment pour avoir abusé de la confiance de mon tuteur en osant poser les yeux sur sa nièce. Par chance, Enguerrand avait compris la situation avant que je parvienne au portail. Il baissa rapidement le pont-levis et nous sautâmes en selle. Nous franchîmes la voûte au galop et pensions être hors de danger quand une douzaine de cavaliers surgirent de l'autre côté des douves et nous barrèrent la route en brandissant leurs épées. Mon cher tuteur avait eu la prévoyance de poster aussi des gardes hors des remparts. Nous nous sommes battus du mieux que nous le pouvions, mais, sans écu ni cuirasse, nous n'avions guère de chances de nous échapper. Nous devions tout faire pour ne pas être encerclés, afin d'éperonner nos chevaux dès que l'occasion s'en présenterait. Si nous perdions la bataille, nous pouvions encore nous enfuir. Soudain, la chance me sourit. Tout en ferraillant, je fis passer mon cheval dans une brèche du cercle d'assaillants et partis au triple galop dans la nuit. J'entendis mon cher ami me crier « Sauve-toi, Armand ! » et galopai sans me retourner. Enguerrand restait seul contre tous. Je l'avais abandonné. Un homme qui s'enfuit pour sauver sa vie ne pense qu'à lui-même, sans se préoccuper d'autrui. Je l'avoue, j'ai agi avec félonie. Comme ces rois sans bravoure qui s'enfuient, abandonnant leurs troupes aux prises avec l'ennemi sur le champ de bataille. J'ignore combien de temps j'ai galopé, croyant sans cesse entendre des chevaux se rapprocher, mais quand je dus enfin m'arrêter, car mon cheval s'était mis à boiter, je ne vis personne sur mes traces. Le jour était levé, le soleil embrasait l'horizon. C'est alors que je sentis une douleur au visage. Quelque chose de chaud coulait dans l'échancrure de ma chemise. Je portai la main à ma joue, elle était pleine de sang. J'avais été blessé au cours de l'échauffourée, mais dans le feu de l'action, je ne m'en étais pas rendu compte. Je tâtai la blessure, elle était profonde, et chaque mouvement de tête provoquait une douleur lancinante. Je me remis en route. J'avais un peu d'argent, et comptais faire soigner ma blessure dès que je trouverais un village. Mon tuteur, Guillaume d'Aigneville, possédait tous les villages de cette contrée, mais je savais que ses serfs me soigneraient quand même pour quelques pièces, et avant qu'ils n'eussent l'occasion de me trahir, ce dont je ne doutais nullement, je serais loin. Je parcourus plusieurs lieues avant d'arriver en bordure d'un bois clairsemé, au-delà duquel, me semblait-il, devait se trouver un village. J'avais déjà dû venir par ici, autrefois, en escortant le chariot qui apportait le grain au moulin. Le souvenir du moulin me fit penser au ruisseau qui devait murmurer par là entre les arbres. Mais en approchant du bois, je fus envahi par un sentiment étrange : le silence était trop profond, il régnait une paix suspecte. En même temps, je vis que ma chemise était imbibée de sang. Pris de vertige, j'eus peine à rester en selle. Je me cramponnai des deux mains à la crinière de mon cheval pour ne pas tomber. Tout tournait autour de moi, et je me souviens seulement que des cavaliers m'encerclèrent soudain, j'entendis des voix, des paroles incompréhensibles, tout devint obscur et je basculai de ma selle. Ensuite tout fut comme dans un délire de fièvre. Il me sembla rêver qu'on me relevait, m'emportait, me trimballait comme un sac de farine, on me hissait sur un chariot, on m'en faisait descendre. Lorsque je repris mes esprits au bout de plusieurs jours, je me trouvais au camp des Türks. Et c'est seulement plusieurs années après, quand j'eus suffisamment appris leur langue, que j'appris enfin ce qui s'était passé. Dans le fameux bois, j'étais tombé par hasard sur une bande de Türks en maraude. C'étaient des éclaireurs qui avaient pour mission d'explorer la région sans se faire remarquer et de repérer si le butin potentiel valait la peine de revenir l'année suivante. C'est peut-être pourquoi ils m'avaient emmené au lieu de me tuer, espérant tirer profit de ma personne. Ce ne fut pas le cas, puisque je restai inconscient des jours durant, mais en voyant que j'étais jeune et que ma blessure n'était pas mortelle, ils pensèrent obtenir un bon prix auprès des marchands d'esclaves grecs de Perejaszlavec. Mais curieusement ce n'est pas là que je me retrouvai. Comme ma blessure commençait à guérir, ils me confièrent toutes sortes de tâches au camp. Je donnais à manger aux chevaux, j'aimais m'en occuper, et les Türks appréciaient cela. Par ailleurs, ils me le dirent par la suite, ils virent davantage d'intérêt à me garder qu'à me vendre. En effet, je n'opposais aucune résistance, ne me révoltais pas et ne leur causais nul désagrément, cela leur semblait étrange car les esclaves, surtout s'il s'agit de jeunes hommes vigoureux, guettaient généralement la moindre occasion de s'échapper ; moi, au contraire, je supportais mon sort avec résignation et apathie. Donc ils m'avaient gardé. Au demeurant, déçu par mon grand amour, orphelin et sans abri, peu m'importait où le sort me conduisait et ce qu'il faisait de moi. Quand je me rendis compte que j'étais prisonnier des Türks, après le premier mouvement de frayeur, je me contentai de ne pas me faire remarquer et de vivre au jour le jour sans penser au lendemain. Trois ans plus tard, Tar Zelind m'emmena dans son fort, où il me chargea de déchiffrer les divers documents et écrits que les Türks avaient pris en Occident. Je bénis le bon chapelain qui m'avait inculqué les principes de la lecture dans la chapelle du château d'Aigneville. À présent, je pouvais mettre ma science à profit. Les Türks avaient rapporté quantité de documents des monastères et châteaux qu'ils avaient pillés, ils en avaient aussi trouvé dans les bagages des capitaines des armées bavaroises et franques qu'ils avaient vaincues. Je compris alors pourquoi ils étaient si bien renseignés sur nos affaires internes (ils savaient infailliblement que tel de nos barons préparait un complot ou une révolte), et pourquoi ils connaissaient si bien notre région, nos paysages, nos coutumes. Ils apportaient un grand soin à étudier tout ce qui nous concernait. Un jour, j'eus même entre les mains quelques rouleaux arabes dérobés à des Maures d'Andalousie, en terre d'Hispanie. Mais je n'avais jamais vu d'écriture morisque de ma vie, et je ne pus rien en faire, même si cette étrange calligraphie contournée, tarabiscotée, me plut. L'écriture des Türks, elle, est faite de signes en forme d'arêtes, mais curieusement, les Arabes écrivent comme eux, de droite à gauche. Peut-être, il y a très longtemps, avaient-ils appris à écrire au même endroit...

« Quand les expéditions des Türks vers l'ouest se firent plus rares, j'eus moi aussi moins à faire. Mais ils s'étaient accoutumés à me voir aller et venir comme je voulais dans le fort et même à l'extérieur. On me trouvait toujours quand on avait besoin de moi. Après Augsbourg, quand Zelind-ur, vaincu, revint avec son armée décimée, les incursions cessèrent tout à fait. Je fus alors témoin, que je le veuille ou non, de l'effondrement des belliqueux Magyars. Auparavant, s'ils savaient qu'ils pourraient repartir en guerre l'année suivante, l'hiver se passait dans la joie, de fête en divertissement, de festin en ripaille, c'était un plaisir d'être parmi eux. À l'approche du printemps, chacun fourbissait ses armes, préparait son équipement, entraînait son cheval, et après la fonte des neiges, ils se lançaient à la conquête du monde. Mais après Augsbourg, ce fut un changement radical. L'hiver qui suivit la défaite ne fut pas comme les précédents. Il n'y eut pas de festins. Le silence régnait dans les campements et les forts des Magyars, le deuil, le désespoir s'étaient abattus sur les tentes. Ils disaient que leurs meilleurs guerriers, leurs plus valeureux chefs étaient tombés au Lechfeld. Le prince de cette époque, Fajsz, père de Taksony, fit par désespoir ce qu'aucun prince magyar n'avait jamais fait : une nuit, il se donna la mort en mêlant du poison à son vin. Certains dirent qu'il y avait été contraint. Quoi qu'il en soit, la tristesse était grande parmi les Magyars. À cette époque, Zelind-ur commençait à renforcer son ancien fort romain, il redoutait tant l'empereur Othon qu'il n'approcha même plus la frontière occidentale. Mais comme on lui avait confié le pays d'ouest dont il devait aussi assurer la défense, il préféra établir des peuples auxiliaires sur les frontières. Il fit venir des Varègues aux cheveux roux de la Russie kiévienne, ainsi que des Kylfingars, en leur promettant une somme annuelle pour garder les frontières ; j'ai participé à leur installation dans les marches occidentales.

« Un jour qu'il m'avait emmené à la grande assemblée princière, à laquelle assistaient tous les chefs magyars, Zubor-ur, le harka de l'Est, proposa à Zelind-ur de m'acheter. Ils se mirent à marchander, comme ils le faisaient habituellement pour le bétail ou les chevaux. Les expéditions en Occident avaient cessé depuis quelques années, et Tar Zelind était à court de réserves, alors quand il sentit qu'il obtiendrait un prix convenable, il accepta de me vendre.

« Zubor-ur avait entendu parler de moi, on disait qu'à la cour de Zelind-ur vivait un Franc qui lisait l'écriture latine. Or, il avait une fille, Sarolt, qu'à défaut de fils il élevait comme un garçon ; il jugea nécessaire qu'outre le grec elle apprît aussi le latin, car il avait de grands projets pour elle. Personne n'avait de plus vaste domaine que lui au pays magyar, et plus d'un demanderait la main de sa fille. Peut-être même l'un des fils du prince Taksony. Il s'avéra par la suite qu'il ne se trompait pas. Bref, c'est ainsi que je me suis retrouvé ici, dans les marches orientales.

« À mon arrivée, il y avait déjà quelques moines grecs au château. J'eus beaucoup de difficultés avec eux, ils se mêlaient de politique, montant constamment Zubor-ur contre Rome, car ils voulaient l'amener à convaincre le prince de se rendre à Constantinople et de s'y faire baptiser selon le rite grec ; en devenant le vassal de Byzance contre l'empereur Othon, Taksony recevrait sa couronne, de l'or et de précieux trésors. Ils voyaient en moi un rival, un ennemi, car ils ne pouvaient croire que je n'avais ni titre officiel ni mission, et j'avais beau protester du contraire, ils étaient persuadés que j'étais un émissaire secret de Rome. J'enseignais le latin à Sarolt, eux, le grec. Nous nous sommes livré une guerre silencieuse jusqu'au jour où Zubor-ur, lassé de leurs intrigues, et non sans mon active contribution, les renvoya chez eux. À présent, crois-le ou non, je suis en principe le kegyour de Zubor-ur. J'ai élevé Sarolt comme je le voulais. Quand Zubor-ur m'a confié cette tâche, il m'a demandé de lui apprendre à voler de ses propres ailes et à ne pas trembler à la moindre brise. Je lui ai enseigné tout ce que je savais de la bravoure et du maniement des armes. Elle sait lire et écrire le grec et le latin. La femme qu'elle est devenue n'a pas sa pareille. Gezüja aura peine à faire d'elle une épouse. Elle est plus dure que le futur prince.

Le lendemain matin, à peine sortais-je d'un sommeil alourdi par le vin, qu'Armand fit de nouveau son apparition chez moi. Il était frais et dispos, comme s'il n'avait pas passé toute la nuit à me raconter son histoire.

– Viens, quelqu'un veut te voir !

Il attendit que je sois habillé, et nous nous mîmes en route.

– Qui veut me voir ? Ne me dis pas que c'est un secret, de toute façon je le saurai sans tarder.

– Zubor-ur. C'est lui qui veut te voir.

Zubor-ur occupait une seule pièce du bâtiment principal, au bout d'un étroit corridor. Un lit, une table, rien de plus. Un serviteur se tenait devant sa porte, prêt à intervenir s'il avait besoin de quelque chose. Armand me dit qu'il ne se levait pratiquement plus, restant au lit, seul, toute la journée, les yeux dans le vague.

L'homme que j'aperçus dans le lit avait dû être puissant et déterminé. Je le vis à ses larges épaules, sur lesquelles la vie avait dû peser sans mesure lorsqu'une jeune chair les enveloppait encore. Ses sourcils saillants, son menton osseux révélaient un homme qui ne supporte pas la contradiction. Il était plus âgé que moi, mais pas assez vieux pour attendre ainsi la fin de sa vie dans l'impotence. Ses longs cheveux grisonnants s'étalaient sur l'oreiller. Les torches éclairaient de telle sorte que sa tête était entourée d'ombre. L'ombre bougea quand je m'arrêtai près du lit. Il tourna la tête vers moi.

– Je voulais te voir, murmura-t-il.

J'approchai une escabelle et y pris place afin de mieux l'entendre.

– J'aimerais voir à quoi ressemble Csaba-ur, ajouta-t-il, et savoir quel est l'homme qui cause tant de soucis au prince.

– Eh bien regarde, si toutefois je suis Csaba-ur.

– Ne sais-tu pas qui tu es ?

– Il y a peu de choses dont je sois certain.

– Armand m'a dit ce que l'on raconte à ton sujet. Tu aurais été élevé en Occident comme un clerc. Est-ce vrai ?

– C'est vrai.

– Et tu serais le fils de Kurszán ?

– D'aucuns le croient.

Ses yeux se posèrent sur le Togrul que je portais au cou. Il le regarda un instant, puis tendit la main. À ma grande surprise, il ne fit pas comme les autres curieux, qui se ravisaient au dernier moment et, mus par une crainte ancestrale, renonçaient à toucher le médaillon.

– Cela ne peut plus me faire de mal, dit-il en prenant le médaillon entre ses doigts.

Il le retourna, le tapota des deux côtés comme pour en vérifier l'authenticité. Puis il dégagea le petit crucifix de sous le Togrul et les déposa côte à côte sur sa paume.

– Ce qui est certain est certain, n'est-ce pas ?

– Dieu est unique, Zubor-ur, même si chacun lui donne un autre nom.

– Vois-tu, je ne suis même pas sûr de cela. Ce qui me réconforte, c'est que je ne tarderai pas à savoir la vérité.

– Tu es malade ?

– Malade ? répliqua-t-il en détournant la tête. Si on peut appeler cela une maladie. La malédiction m'a aussi frappé. Non, Csaba-ur, je ne suis pas malade. Il y a des remèdes contre les maladies, les taltos préparent toutes sortes de potions pour guérir des maux les plus divers, mais il n'y en a pas contre la malédiction. Celui qu'elle frappe y succombe.

– As-tu mal quelque part ?

– Non. Ce serait plus simple, si je souffrais. C'est ce qu'il y a de plus cruel dans la malédiction, comme on ne souffre pas, on ne peut pas se plaindre. En vain me demande-t-on ce qu'on peut faire pour moi, je ne sais que répondre, je ne sais que demander, puisque je n'ai besoin de rien. C'est justement cela. Plus rien n'a de sens. Nos enfants ont un jeu, ils se mettent en cercle en se tenant les mains, dansent la ronde en chantant, et celui sur qui tombe la fin de la comptine doit sortir de la ronde et se contenter de regarder les autres qui continuent sans lui. C'est la même chose avec la malédiction, celui qu'elle atteint se retrouve soudain exclu du cercle, la ronde des autres hommes qu'il regarde tourner. Il voit passer les jours, les aubes et les crépuscules, l'un après l'autre, et n'a pas envie de les compter. Il attend le dernier, le tout dernier matin qui suivra le dernier soir.

Il me regarda de nouveau.

– Mais laissons cela, nous n'y pouvons rien, Csaba-ur. Ou comment dois-je t'appeler ? Quel est ton nom chrétien ?

– Stephanus. Stephanus Pannonius. Appelle-moi comme il te convient.

– Alors je préfère Csaba-ur, même si tu ne l'es pas. Je voudrais te raconter quelque chose, et pour cela, celui qui est à côté de moi doit être Csaba-ur, et non un bureux d'Occident.

– Selon Ejnek, le sage des Túrs, je suis les deux, Stephanus et Csaba-ur. Ce qui ne peut pas faire de mal, comme il dit, car deux sont toujours plus qu'un seul.

– Je ne connais pas Ejnek, mais il n'est assurément pas sot s'il t'a dit cela. Quand j'ai appris à l'automne que Csaba-ur était réapparu, venant du lointain Occident, même si je n'avais aucun moyen de savoir s'il s'agissait ou non d'un imposteur, j'ai tout de suite su que dès lors tout allait changer. Quelque chose s'achevait. J'ignorais si ce qui adviendrait serait bon pour nous, mais je savais que nous n'avions pas à regretter ce qui était révolu. Écoute bien : moi-même je disparais en même temps que ces choses anciennes, parce que comme tant d'autres, j'ai hérité de la malédiction. Peut-être même plus que d'autres. Écoute bien ce que je vais te dire, Csaba-ur, car nul n'est plus concerné que toi. Peut-être le destin a-t-il cherché à obtenir réparation en te menant à moi. Celui qui a assassiné Kurszán, l'homme du Dieu-Ancêtre, celui qui a commis ce crime monstrueux, qui l'a préparé et exécuté de sa main, était mon père. Il me l'a raconté aux derniers jours de sa vie, car il voulait soulager son âme avant que le Cheval blanc ne vienne le chercher, tout comme je te transmets à présent le poids de notre crime avant mon dernier soir. Il t'appartiendra de décider si tu le conserves ou si tu le laisses tomber dans l'oubli.

Il se tut et ferma les yeux quelques instants comme pour rassembler ses forces. Armand, qui s'était tenu derrière moi tout ce temps, sortit de la chambre. Je restai un moment seul avec le souffle rauque de Zubor-ur. Puis il reprit :

– Mon père, Tonozub, était le plus fidèle compagnon d'armes d'Árpád-gyula. Il était déjà à ses côtés quand ils sont venus dans ce pays avec une immense armée et ont pris possession de ces terres. Mon père n'était pas seulement le hadour d'Árpád-gyula, il était aussi son compagnon, son ami même, dans la mesure où un prince peut avoir des amis. Chez nous autrefois, les souverains n'avaient pas coutume d'enfermer leurs enfants entre de hautes murailles pour les élever presque en secret, loin du regard des autres hommes, comme vous autres le faites. Le fils du prince jouait dans la même poussière que les autres enfants de la tribu. Tant qu'il n'avait pas atteint l'âge d'homme, il n'était qu'un enfant parmi les autres. Le petit Árpád, fils du prince Álmus, avait partagé ses jeux d'enfant avec mon père, Tonozub, et quand il devint prince à la mort d'Álmus, il prit mon père à ses côtés et, alors que celui-ci n'était rien, il l'éleva au rang de hadour. Dès lors mon père le suivit en tout. Árpád l'anoblit et le dota généreusement. Cependant, leur relation était plus qu'un simple rapport de vassalité. Ils avaient grandi ensemble, ils étaient liés depuis l'enfance. Où qu'il aille, Árpád emmenait mon père, et s'il avait besoin d'un conseil, c'est à lui qu'il s'adressait en premier. Quand la majorité de notre peuple vivait encore au-delà des cols orientaux, à l'une des étapes de notre longue migration, eux deux franchissaient déjà les montagnes vers l'ouest avec leurs troupes et s'engageaient souvent au service de seigneurs bavarois ou francs quand ceux-ci guerroyaient entre eux. Je sais par mon père qu'Árpád n'entreprenait pas ces expéditions guerrières seulement dans l'espoir d'un riche butin, mais aussi pour explorer le monde occidental, observer quels étaient les alliés et les ennemis du moment. Il savait que s'il voulait réaliser ses projets, il pouvait du jour au lendemain avoir l'Occident entier pour ennemi. Car le prince Árpád avait des projets. Le territoire que les tribus magyares occupaient à cette époque, même s'il ne pouvait rivaliser avec le Pays du Levant qu'elles avaient quitté depuis bien longtemps, semblait riche et sûr, ses immenses prairies, ses rivières et ses vastes forêts où le gibier abondait, pourvoyaient notre peuple de tout ce dont il avait besoin. Mais Árpád-gyula aspirait à plus que cela.

« Il n'était pas encore prince car Álmus régnait encore sur les Magyars, lorsqu'il lança ses armées dans des expéditions de pillage vers l'ouest, et au fil des ans, ayant percé les principes de la royauté occidentale, il éprouva le désir de fonder à son tour un royaume, à l'instar de ses voisins méridionaux, les Bulgares et les Byzantins. Voyant que la division affaiblissait les pays d'Occident, il jugea qu'il serait plus facile de les monter les uns contre les autres que de les réconcilier, et il n'eut aucun mal à le faire, car c'est précisément à lui que les Alamans, les Saxons et les Bavarois, ou leurs voisins, les Moraves, demandaient de l'aide lorsqu'ils se battaient entre eux. Il y avait aussi la Pannonie ; en la traversant chaque fois qu'il menait son armée vers l'ouest, il avait pu se rendre compte par lui-même qu'aucun royaume ne s'y intéressait vraiment, et bien que chacun en revendiquât la possession, aucun n'occupait ce territoire car il redoutait les autres. Il était loin de Constantinople, les Bavarois étaient incapables de protéger leurs duchés les uns des autres. Avec ses villages disséminés, ses peuplades isolées au service de celui qui venait de les assujettir, la Pannonie n'était à personne. Mais cette contrée marécageuse et couverte de forêts, n'offrant que peu de pâturages, ne convenait guère aux Magyars. Pourtant, les routes marchandes qui la traversaient d'est en ouest et du nord au sud reliaient les royaumes entre eux, et celui qui possédait ces routes contrôlerait tout le commerce de la région. À la mort d'Álmus, Árpád devenu gyula, prince des armées, exposa aux chefs de tribus son projet d'envahir la Pannonie, mais ceux-ci le rejetèrent presque unanimement. "À quoi bon ? demandèrent-ils, il n'y a rien que nous n'ayons ici, en revanche, nous avons ici tout ce qu'il n'y a pas là-bas. Nous vivons en paix, mais là-bas, si nous allions nous y établir, nous serions aussitôt entourés d'ennemis. Au sud et à l'est les Byzantins et les Bulgares, à l'ouest les Alamans, au nord les Moraves. Et s'ils nous attaquaient tous ?" Árpád-gyula s'efforça de les convaincre qu'en faisant jouer les puissances les unes contre les autres, nous assurerions notre sécurité en Pannonie, nous ne ferions plus alliance avec Byzance ni les Alamans, et la possibilité de nous entendre avec leurs deux voisins renforcerait notre position. Or celui dont la position se renforce voit son pouvoir s'accroître, même s'il n'entreprend rien d'extraordinaire dans ce but, s'il agit seulement en sorte que ses adversaires le rendent grand. Quelques chefs de tribus souscrivirent à l'avis d'Árpád, mais la plupart y restèrent opposés, notamment en raison d'une croyance tenace des Magyars selon laquelle leur lointain pays ancestral se trouvait quelque part à l'est, or s'il leur fallait partir, ce serait pour y retourner, donc dans cette direction, non vers l'Occident, ce qui les éloignerait encore du Pays du Levant qu'ils avaient perdu. La vie se trouvait au levant, disaient les anciens, puisque c'est là qu'apparaît la lumière chaque matin, alors qu'elle disparaît au couchant. Mais à l'est vivaient les Petchenègues, avec lesquels les Magyars ne s'étaient jamais bien entendus, et au-delà, qui sait quels autres peuples encore. Pour le moment, il n'y avait donc nulle route possible.

Zubor-ur fit une pause pour reprendre son souffle, puis poursuivit ses explications :

– Les Petchenègues, tu le sais, étaient sauvages et cruels. On disait qu'avant d'aller au combat, ils buvaient du sang humain parce qu'ils croyaient que cela les rendrait plus forts. Nous évitions de les rencontrer, car nous savions depuis longtemps qu'il ne fait pas bon être leur ennemi. Le plan d'Árpád en serait donc resté là sans l'influence d'événements extérieurs. La guerre éclata entre Byzance et les Bulgares, ceux-ci remportèrent la victoire au cours d'une grande bataille. Byzance demanda alors l'aide des tribus magyares en leur promettant de riches présents pour sceller leur alliance. À cette époque, Kurszán était déjà künde, et bien qu'il eût d'abord refusé, car nous vivions en paix, il finit par céder à la promesse d'immenses trésors, ainsi qu'à la pression d'Árpád-gyula et de ses chefs, qui voulaient à tout prix se mesurer aux Bulgares. C'est ainsi que les troupes magyares commandées par Levanti, frère d'Árpád, attaquèrent les Bulgares aux côtés des Grecs. Je tiens tout cela de mon père, car il a participé à ces combats, il accompagnait Levanti avec des troupes de réserve. Dès lors, même s'il n'était pas possible de tout prévoir, les événements jouèrent en faveur d'Árpád. L'empereur de Byzance envoya des navires grâce auxquels la cavalerie magyare traversa le Danube, afin d'attaquer l'armée du tsar Siméon par le nord. Quelques milliers seulement de nos cavaliers allèrent au combat, mais il n'en fallait pas plus. Selon mon père, les Bulgares, déjà alliés aux Alamans qui étaient prêts à soutenir quiconque était l'ennemi de Byzance, avaient reçu d'eux un armement considérable, de rutilantes armures, de grands boucliers, des lances de huit coudées de longueur. Mais cela ne leur fut d'aucune utilité, car bien que cet équipement fût parfait pour le combat en armure, nos cavaliers à l'armement léger se révélaient toujours plus agiles que les chevaliers bulgares, car leurs lourdes cuirasses les empêchaient de manœuvrer assez rapidement, et avant qu'ils aient fait un tour sur eux-mêmes, nous les avions encerclés deux fois. Notre campagne fut victorieuse, la cavalerie magyare infligea une sévère défaite aux Bulgares, mettant même le tsar Siméon en fuite. Nous fîmes de nombreux prisonniers que les Grecs nous achetèrent ensuite pour du bon argent, et nos guerriers revinrent avec un abondant butin, si bien que nos tribus se trouvèrent enrichies. Cependant, Siméon, le souverain bulgare, engagea contre nous les Petchenègues, et ceux-ci anéantirent les campements de nos tribus de l'Est. Les années de paix avaient pris fin du jour au lendemain. Les tribus magyares allaient se retrouver prises entre deux feux, car il fallait s'attendre à ce que les Bulgares nous attaquent sitôt remis de leur défaite, et nous mettent en pièces avec l'aide des Petchenègues qui nous pourchasseraient en venant de l'est.

« Alors le destin indiqua à Árpád-gyula la voie à suivre. Svadobog, le prince des Moraves qui vivaient au-delà des frontières septentrionales de la Pannonie, entra en conflit avec les Alamans. Les troupes alamanes avaient envahi le sud des terres moraves, fermé les routes marchandes, et menaçaient de dévaster le pays. Svadobog dépêcha une délégation auprès d'Árpád-gyula pour lui demander de pénétrer en Pannonie avec son armée afin de libérer le sud du pays morave des troupes bavaroises. Árpád-gyula fut convaincu que c'était un signe du Dieu-Ancêtre lui-même. Comme Svadobog ne pouvait offrir de grandes quantités d'or pour appuyer sa requête, Árpád posa ses conditions : l'occupation de la Pannonie et une alliance de longue durée contre les Alamans. Svadobog fut contraint d'accepter, alors Árpád réunit les chefs des tribus magyares et leur soumit de nouveau son projet.

« Il avait cette fois de solides arguments, il lui suffit de décrire la menace que représentaient les Petchenègues à l'est, et les Bulgares qui pouvaient attaquer d'un moment à l'autre, pour que les indécis penchent en sa faveur. Ceux qui s'opposaient encore à son projet objectèrent que tous leurs maux venaient de ce qu'ils étaient intervenus dans le conflit entre les Bulgares et les Grecs, et qu'en l'occurrence, la faute en revenait à Árpád, puisqu'il avait insisté pour accepter l'offre des Grecs. D'après mon père, il s'en fallut de peu que la fédération séculaire des Magyars s'effondrât lors de cette assemblée. La nuit fut longue, et au matin, deux camps de force égale s'affrontaient. Ceux qui étaient pour l'occupation de la Pannonie et ceux qui s'y opposaient. Comme chaque fois que les tribus ne pouvaient s'accorder, le künde devait trancher. C'est ce que redoutait Árpád, car il connaissait la position de Kurszán à ce sujet, aussi avait-il tenté de prendre seul la décision. Mais quand il fut évident qu'on n'arriverait pas à un accord, les chefs de tribus allèrent trouver Kurszán. Celui-ci les écouta, puis il prit une décision. Or elle ne favorisait aucun des deux partis. Il leur dit que la menace évoquée par Árpád était réelle, si les Bulgares et les Petchenègues attaquaient en même temps, nous serions perdus. Ce n'était qu'une question de temps. En revanche, il était clair que la Pannonie n'était pas un pays pour les Magyars, certaines parties étaient déjà habitées, d'autres étaient inhabitables à cause des marécages, des armées empruntaient constamment les chemins, pouvait-on y vivre, dresser sa tente à la croisée de voies encombrées de chariots, sans savoir qui allait nous écraser au passage ? Le fait qu'aucune puissance ne l'avait occupée durablement parlait de lui-même. À la longue, les Magyars n'y trouveraient à leur tour que des inconvénients. C'est pourquoi, afin d'assurer leur survie, il conseillait aux tribus d'accepter la proposition d'Árpád, de profiter de la clémence momentanée du sort grâce à laquelle au moins l'un des souverains, le prince morave, pouvait être notre allié à long terme. Les chefs conduiraient leurs tribus en Pannonie mais quand ils y auraient passé plusieurs hivers, et si un changement se produisait dans les relations entre Bulgares et Grecs, et surtout entre Bulgares et Magyars, ceux-ci, dans la mesure où la situation le permettrait, reviendraient dans les lieux qu'ils habitaient actuellement. Le Dieu-Ancêtre ne l'aurait pas voulu autrement, conclut Kurszán. Personne ne fut heureux de sa décision, ni ceux qui voulaient partir, ni ceux qui voulaient rester. Au moins Árpád-gyula était-il satisfait, car la première chose qui se produirait était l'occupation de la Pannonie, comme il le souhaitait. Connaissant la versatilité des Magyars capables de renier leur parole selon leurs intérêts, il leur fit conclure un nouveau pacte tribal, semblable à celui par lequel ils s'étaient liés autrefois en quittant le légendaire Pays du Levant, et comme c'était écrit, les chefs scellèrent leur nouvelle alliance par le sang. Chacun versa un peu de son sang dans une coupe et, tendant son épée au-dessus, jura de ne rien faire dorénavant contre l'union, et de tout mettre en œuvre pour que le nouveau pacte soit durable.

« Árpád-gyula se prépara à réaliser son projet. Il ordonna aux hadours des tribus de recenser les hommes aptes au combat. Les peuples vivant le plus à l'est, principalement les Kabars qui avaient le plus à craindre d'une attaque petchenègue, furent déplacés vers l'ouest, ce qui créa des difficultés, car un territoire restreint se trouva soudain surpeuplé. Mais, liés par le nouveau pacte, tous devaient mener le projet à bien. Quand les tribus eurent recensé leurs guerriers, il apparut qu'une fois réunis, ils constitueraient une armée bien plus considérable que jamais prince magyar n'en avait menée au combat. Plus de deux cent mille cavaliers pouvaient se ranger sous le commandement d'Árpád. La Pannonie n'avait, paraît-il, pas vu une telle armée depuis Attila. Et ses rangs ne comptaient pas les quelque cinquante mille hommes chargés de défendre les campements, au cas où l'attaque des Petchenègues serait plus puissante que prévu. À quoi bon en effet conquérir la Pannonie, si l'ennemi exterminait nos familles restées de l'autre côté des montagnes ? Árpád divisa cette grande armée en trois unités de soixante-dix mille hommes, dont chacune, une fois en Pannonie, se diviserait à son tour en trois. La première armée commandée par Árpád lui-même, composée en majorité de Kabars, avait pour mission de pénétrer en Pannonie par le nord-est, en franchissant les cols des Carpates, ainsi serait tenue la promesse faite à Svadobog de chasser l'armée alamane du sud de la Moravie. Elle se diviserait ensuite en trois unités dont une resterait au nord tandis que les deux autres continueraient l'une vers le sud, en suivant les vallées, l'autre vers l'ouest jusqu'à la Bavière, en brisant toute résistance des Alamans et en détruisant leurs fortifications. Les deux autres armées de soixante-dix mille hommes arrivèrent en Pannonie par là où nous sommes. L'une devait repousser vers le sud les limites septentrionales des terres bulgares, au moins jusqu'au Danube, puis continuer vers l'ouest et, une fois divisée en trois, atteindre à son tour les marches de Bavière en remontant vers le nord afin de rejoindre les troupes qui descendaient des Carpates. L'autre armée pénétrerait jusqu'au cœur de la Pannonie où elle se diviserait également. Elle avait pour mission de conquérir nos futurs lieux d'habitation dans la plaine. Jamais nos pères n'avaient entrepris une campagne d'une telle envergure. Pourtant, elle se déroula de manière si soudaine et avec une telle organisation que les puissances voisines en restèrent stupéfaites, et quand elles se rendirent compte de ce qui se passait dans leur jardin, nous les avions boutées hors de Pannonie. Il fallut deux ans et demi à l'armée de deux cent mille hommes pour conquérir l'ensemble du territoire, démanteler les forteresses bavaroises et bulgares, puis établir des camps le long des frontières et s'entendre avec les populations autochtones, dont certaines se laissèrent convaincre pacifiquement, d'autres par la force, de ce que serait désormais leur avenir. Tout ce temps, il fallut acheminer des vivres et des armes de réserve depuis l'autre côté des montagnes, ce qui était au moins aussi difficile et périlleux que les opérations militaires, et les guerriers chargés de défendre la population durent repousser les attaques des Petchenègues. Les chefs se partagèrent le territoire, puis firent venir leurs tribus de l'autre côté des montagnes, et s'établirent dans toute la plaine de Pannonie, depuis les versants des Carpates jusqu'au pied des montagnes bavaroises. Cette immigration se fit sans grande joie, en vain la campagne avait-elle été victorieuse, en vain les troupes d'Árpád s'étaient-elles montrées héroïques, les Magyars devaient tout recommencer au début. Les chefs eurent beau leur dire qu'ils n'occupaient que temporairement ces contrées, on ne peut vivre temporairement. Il fallait s'entendre avec les populations autochtones, être confrontés à de nouvelles langues inconnues, les familles et les clans se querellaient sans relâche autour des terres, à qui écherrait le gras pâturage, à qui le terrain inhabitable.

« La situation s'améliora au bout de quelques années, quand ils se rendirent compte que rien n'était plus propre à atténuer leurs difficultés que la proximité du monde occidental, des riches terres franques et bavaroises. Leurs armées s'y livraient à des expéditions de pillage comme si elles faisaient les vendanges, si bien que le peuple commença à regorger de trésors. Árpád-gyula veillait à ce que ses frontières fussent bien gardées et ne laissait entrer que ceux dont il avait absolument besoin.

Des marchands grecs et arabes qui se présentèrent pour acheter l'immense butin de guerre apportèrent de grandes quantités d'argent au nouveau pays magyar. S'enhardissant, nos chefs s'aventuraient de plus en plus loin vers l'ouest. Les guerriers vivaient à l'aise, les mécontents se faisaient moins entendre. Mais ils ne se turent pas tout à fait. Il en resta un bon nombre qui ne se résignaient pas à vivre en Pannonie, et lorsqu'on apprit que les Petchenègues, affaiblis par une sévère défaite infligée par les Grecs, ne menaçaient plus les anciens lieux d'habitation des Magyars, nombre d'entre eux jugèrent que l'aventure en Pannonie était terminée et qu'il fallait retourner de l'autre côté des montagnes. Sachant que Kurszán partageait leur avis, ces mécontents allèrent se plaindre à lui : nul n'aspirait plus que le künde, l'homme du Dieu-Ancêtre, à retrouver le lointain Pays du Levant, il ne pouvait avoir de plus importante mission que d'y ramener son peuple. Et la défaite des Petchenègues faisait espérer à certains d'aller plus loin vers l'est, au-delà de leurs précédentes habitations, et qui sait, peut-être le chemin du Pays du Levant s'ouvrirait-il enfin à eux. Árpád lorgnait vers l'Occident, Kurszán vers l'Orient. Comme cela s'était déjà produit bien des fois, les anciennes histoires de la patrie ancestrale se ravivèrent, évoquant le monde merveilleux où tout Magyar se sentait chez lui, où étaient nés nos chants et nos légendes, où l'Arbre-qui-touche-le-ciel s'était dressé jusqu'à ce qu'Ugek dérobe l'Arc d'or au Dieu-Ancêtre. Il semblait d'autant plus souhaitable de quitter la Pannonie que les Magyars se retrouvèrent du jour au lendemain dans une situation critique. En effet, assez présomptueux pour vouloir étendre sa domination au nord, Árpád-gyula rompit l'alliance avec les Moraves et envahit leur pays. Il en résulta que les Moraves et les Bavarois, qui ne cessaient de se quereller, s'unirent contre les Magyars, et il fut même rapporté que les Bavarois avaient encouragé les Bulgares à marcher contre les Magyars. Tandis qu'une grande partie de nos troupes, disséminées dans l'Ouest, se livraient à des expéditions de pillage, nos ennemis s'alliaient contre nous. Quant aux tribus, elles se désunirent, selon leur habitude. Certaines se rangèrent dans le camp de Kurszán, d'autres dans celui d'Árpád. Les deux princes s'évitaient, et selon mon père, leurs relations étaient encore envenimées par une histoire de femme.

« Árpád choisit d'aller de l'avant. Suivant son idée, et sans l'accord de Kurszán, il se lança dans une entreprise soudaine. Il envoya des émissaires en quête d'un allié, qu'il trouva chez les païens saxons du Nord, lesquels étaient las de l'évangélisation forcenée des Bavarois. Pénétrant alors en Bavière, il assiégea quelques châteaux, notamment celui d'un certain duc Gerhard, qu'il contraignit à négocier en menaçant de lui envoyer les Saxons et de saccager l'ensemble du territoire bavarois. Pendant ce temps, il rappela les armées restées au sud pour contenir les Bulgares, prenant ainsi le risque de laisser cette région sans défense, et tout en s'efforçant d'amener les Bavarois à négocier, il réunit ces troupes à celles qui se trouvaient depuis un certain temps en Moravie, rassemblant une grande armée qui anéantit celle de Svadobog et occupa la Moravie tout entière. Lorsqu'il apprit que son voisin et allié avait été anéanti, le duc

Gerhard n'eut plus qu'à entrer en pourparlers. Il en résulta un armistice de deux ans pendant lesquels les Magyars s'engageaient à s'abstenir de toute opération militaire contre les domaines de Bavière. Il en allait de même pour les Bavarois qui, en outre, ne devaient pas s'allier aux Bulgares contre les Magyars. Mais, connaissant la versatilité des chefs magyars, les Bavarois employèrent leurs dernières forces à obtenir une garantie en exigeant que chacun des deux princes livre un de ses fils en otage. Au bout des deux années, si les Magyars n'avaient pas violé le traité, les enfants leur seraient rendus. Árpád-gyula avait deux fils, Kurszán un seul, et quand il apprit quel arrangement Árpád s'apprêtait à conclure, il entra dans une grande fureur. Il ne voulut pas en entendre parler, n'étant pas disposé à livrer son fils unique, mais Árpád, à qui la paix avec les Bavarois importait plus que tout car il redoutait les Bulgares, avança un dernier argument qui vainquit définitivement la résistance de Kurszán : il lui promit que lorsque les enfants leur auraient été rendus au bout des deux ans, les Magyars quitteraient la Pannonie et retourneraient dans l'Est. Il rappela le serment, exigé par Kurszán quelques années auparavant, et scellé par le sang, qui l'obligeait à tenir sa promesse. En outre, expliqua-t-il, les Magyars avaient besoin de ces deux années. Ils ne pouvaient reprendre leur migration tout en guerroyant constamment contre les Bavarois. Et il se mit à exposer ses plans, comme s'il avait déjà étudié les circonstances d'une migration vers l'est, décrivant comment elle se déroulerait, disant qu'il enverrait des éclaireurs découvrir quelle était la situation dans l'Est, quelle route les attendait, quels peuples y vivaient, afin d'être prêts à faire face aux difficultés. Kurszán, même s'il se doutait que les paroles d'Árpád dissimulaient l'intention de gagner du temps, fut d'autant plus disposé à accepter que ses partisans, qui soutenaient également le projet d'émigration, y voyaient l'assurance de regagner enfin la terre de leurs ancêtres. S'il continuait à résister, ils le rendraient responsable de ce que l'émigration n'ait pas lieu comme Árpád l'avait promis. Alors il dut remettre son fils, le petit Csaba, aux Bavarois.

Zubor-ur se tut. J'attendis un moment, puis, voyant qu'il s'était assoupi, et comme j'étais fort mal assis sur l'inconfortable escabelle, je me levai et m'apprêtai à sortir de la chambre sur la pointe des pieds. Mais, arrivé à la porte, j'entendis sa voix :

– Fais donc apporter un peu de vin, Csaba-ur.

J'appelai le serviteur et repris ma place.

– Je me suis endormi ? demanda-t-il.

– Il me semble.

– Il fut un temps où je pouvais rester en selle deux jours de suite, j'y dormais sans m'en rendre compte. Je ne pensais pas faire de même dans mon lit, sur mes vieux jours. Quand un Magyar est à cheval, Csaba-ur, c'est comme s'il volait sur les ailes du Dieu-Ancêtre. À pied, un Magyar ne vaut rien. La houe lui tombe des mains, et il n'est même plus habile à bander son arc.

– Moi, j'ai vieilli sans jamais monter à cheval.

– Ce n'est pas vrai !

– Si je te le dis.

– Ce n'est pas vrai. Si tu es vraiment Csaba-ur, tu es certainement monté à cheval. Au moins quand tu as accompagné ton père, Kurszán-künde, chez les

Bavarois. Mon père t'a vu en selle, il me l'a dit. C'est lui qui a mené les pourparlers entre Árpád et le duc Gerhard. Il était en adoration devant Árpád. Depuis l'enfance. Il se serait jeté au feu pour lui. Il connaissait toutes ses pensées, ses rêves, ses projets, ses peines aussi. Longtemps auparavant, alors qu'il participait à la campagne contre les Bulgares, Árpád lui avait souvent dit combien il enviait les souverains de Bulgarie et de Byzance, car ils étaient pratiquement des dieux pour leurs peuples, et quand ils devaient prendre une décision, ils le faisaient eux-mêmes sans devoir de comptes à personne. Tandis que chez nous, deux princes régnaient, et le gyula avait beau prévoir de grandes actions au titre de chef des armées, le künde pouvait intervenir comme il le voulait dans ses décisions. Ce n'est pas ainsi que l'on peut bâtir un empire, se plaignait-il souvent. Mon père aimait Árpád, il le croyait capable de devenir aussi grand, sinon plus grand encore, que l'empereur de Byzance ou le tsar de Bulgarie. Alors, comme il se rendit à plusieurs reprises au château du duc Gerhard pour parlementer avec lui au nom d'Árpád, il conçut un plan qu'il ne lui révéla même pas. Sachant comment Árpád voyait l'avenir, il n'ignorait pas qu'il n'avait nullement l'intention de quitter la Pannonie une fois les deux ans révolus, et pensa, d'un seul coup d'épée, parer aux difficultés qui pourraient en découler. Il se mit à négocier pour son propre compte avec les Bavarois et les persuada que le principal adversaire de la paix était Kurszán, l'autre prince, qui avait déjà tant gêné Árpád, et que si un événement décisif permettait à celui-ci de régner seul, à l'instar des souverains d'Occident, les relations entre Bavarois et Magyars changeraient radicalement. Par une cruelle ruse, il convainquit les Bavarois que s'ils assassinaient Kurszán quand les deux princes viendraient au château avec leurs fils, en échange Árpád n'attaquerait plus la Bavière. Il leur offrit même une alliance contre Byzance, ce qui représenterait un grand avantage non seulement pour eux, mais aussi pour Rome. Crois-moi, je ne puis trouver d'excuse à ce qu'a fait mon père, mais je lui suis reconnaissant de m'avoir celé la vérité jusqu'à la fin de sa vie. Il m'a ainsi longtemps épargné de vivre sous le poids d'un tel crime. Mais même ainsi, j'ai dû, après sa mort, passer encore de longues années avec cette faute sur la conscience. L'idée plut aux Bavarois, la mort d'un prince magyar ne pouvait leur nuire, et l'alliance éventuelle contre Byzance semblait être un pur bénéfice pour eux, mais les hommes manquent parfois singulièrement de courage et de loyauté, et Gerhard déclara qu'il était prêt à prendre part à tout, à condition qu'en guise de signal, mon père porte le premier coup à Kurszán. Je présume qu'il craignait que par la suite l'assassinat d'un prince magyar ne serve de prétexte à une nouvelle campagne contre la Bavière. Mon père, prêt à tout pour Árpád, accepta. Il ne révéla son plan à personne. Il ordonna à la garde d'Árpád de n'intervenir en aucun cas sans son ordre, quoi qu'il se passât. Il fit en sorte de se trouver au château avant l'arrivée de la délégation. C'est lui qui recommanda aux Bavarois de demander que les escortes armées restent hors des remparts et de ne laisser entrer que les gardes du corps. Ils cachèrent à l'avance des armes dans la tente dressée au milieu de la cour, où les princes devaient être reçus. La délégation se présenta par un jour froid et pluvieux, les chevaux peinèrent à monter jusqu'au château, tant le chemin était boueux. Csaba-ur chevauchait aux côtés de son père, et Árpád avait amené son fils Tahas, comme les Bavarois l'avaient demandé. Le banquet se déroula normalement, mais au moment de remettre les garçons, Tahas faillit faire échouer le plan. Son père ne lui avait pas dit, sans doute par prudence, ce qui l'attendait, à savoir qu'il devrait rester avec les seigneurs bavarois au lieu de revenir au campement avec lui. Quand l'enfant le comprit, il résista de toutes ses forces, tous bondirent quand il tenta de s'échapper, et il eut beau appeler son père, Árpád sortit précipitamment pour ne pas assister à cette pénible scène. Comme tous les garçons magyars, Tahas avait un petit poignard. Le brandissant dans son désespoir, il blessa le duc Gerhard qui essayait de l'attraper. Il s'ensuivit une grande mêlée, Kurszán, qui était encore dans la tente, s'efforçait de sauver son fils de la confusion, mais mon père, voyant le moment venu, lui porta un coup d'épée dans le dos. Alors, les chevaliers bavarois déguisés en serviteurs sortirent leurs armes de leur cachette et massacrèrent le künde et ses gardes. Mon père m'a raconté que l'un des gardes d'Árpád faillit retourner la situation en se portant au secours de Kurszán, bien qu'il leur eût expressément interdit de faire quoi que ce soit sans son ordre. Ce garde, qui s'était oublié et avait obéi à son cœur en voyant ce qui se préparait contre l'homme du Dieu-Ancêtre, fut heureusement blessé à temps, et ses compagnons l'entraînèrent hors de la tente sur un ordre de mon père. Comme mon père était chargé de livrer les enfants en garantie du pacte, Árpád avait déjà quitté le château et ignorait ce qui venait de se passer. Mais les gardes restés dans la tente furent témoins du coup que mon père porta à Kurszán, et il aggrava son crime en les faisant tous supprimer avant qu'ils ne regagnent le campement d'Árpád-gyula.

– Sauf un. L'un d'eux a survécu.

– C'est possible, il y a toujours des survivants. Mais cela ne change rien. L'homme du Dieu-Ancêtre avait succombé sous les coups des siens. Hélas, mon pauvre père était convaincu d'être agréable au prince en agissant ainsi, mais il a compris par la suite qu'il n'avait fait que servir ses propres intérêts. À son retour de Bavière, lorsqu'il annonça la mort de Kurszán et dit qu'il l'avait lui-même provoquée, Árpád-gyula entra dans une grande colère, et peu s'en fallut qu'il ne le mît à mort de sa propre main. Il le traita d'imbécile, de lâche, d'âme servile indigne d'être son bras droit. En vérité, ce n'était pas la mort de Kurszán qui lui inspirait un tel courroux, mais l'éventualité d'être impliqué dans cet assassinat, ce qui mettrait fin à son règne. Les Magyars ne toléreraient pas l'autorité d'un prince dont les mains seraient rougies du sang du künde. Mon père alors s'effondra. Il perdit foi en tout. Le seul être qui aurait pu le disculper l'avait renié. Árpád comprit qu'il lui fallait agir vite pour sauver ce qui pouvait l'être encore. Il n'eut aucune peine à faire croire au peuple que les traîtres Bavarois avaient causé la mort du künde, nul n'osa le mettre en doute, mais Árpád connaissait la mentalité des Magyars, il y avait aussi cette loi stipulant qu'à la mort du künde il fallait élire un successeur parmi les hommes de son clan, et c'était ainsi depuis que le monde était monde. Árpád en conclut que puisqu'on n'y pouvait plus rien changer, il devait exploiter la situation dans son intérêt : le künde n'était plus, il n'y en aurait désormais pas d'autre. Profitant du trouble où la mort de Kurszán avait jeté son clan, il se livra à un épouvantable massacre, faisant mettre à mort tous les hadours et les chefs de tribus du künde. Puis il fit savoir qu'il avait été contraint d'agir ainsi parce qu'il avait appris que certains seigneurs du clan de Kurszán, mettant sa mort à profit, avaient ourdi un complot contre lui. Il exila ensuite au-delà des Carpates tout le peuple de Kurszán qui vivait dans l'ouest de la Pannonie et leur interdit de revenir sous peine de mort, puis distribua leurs terres afin d'apaiser les autres tribus magyares. Exception fut faite pour les Túrs, dont il avait besoin en raison de leur particulière habileté à fabriquer les armes. Mais mon père devait recevoir le châtiment de son crime, et sans doute afin d'éviter que sa présence lui rappelât une faute qui lui pesait également sur la conscience, car en fin de compte il profitait de l'assassinat du künde, Árpád-gyula le bannit, en lui donnant les marches de l'Est, et en le chargeant de maintenir le peuple de Kurszán éloigné des autres tribus magyares. S'il le fallait, il devait les empêcher par la force de revenir en Pannonie. C'est ainsi que mon père reçut le domaine oriental, non à titre de récompense, comme d'autres obtiennent leurs terres en reconnaissance de leur mérite, mais de châtiment. Malgré cela, son adoration et son dévouement à l'égard d'Árpád ne faiblirent jamais, et quand celui-ci mourut deux ans plus tard, il le pleura avec plus de sincérité que quiconque. Mais au cours des deux dernières années de sa vie, Árpád ne fut jamais vraiment tranquille, car lorsque les Bavarois, aux termes de l'accord, restituèrent les corps de Kurszán et de sa suite, celui de Csaba-ur ne se trouvait pas parmi eux. De même, l'insigne de künde avait disparu. Les Bavarois affirmèrent qu'ils avaient emmené les deux garçons, comme il était convenu. Árpád mourut avant que les deux années fussent révolues. Son fils Zoltasz qui lui succéda n'avait aucun intérêt à rechercher son jeune frère ni le fils de Kurszán. Il espérait même ne jamais les revoir vivants, car il ne désirait nullement que réapparaisse soudain un frère avec lequel il devrait partager le pouvoir. Comme il ne souhaitait pas davantage voir rétablir le titre de künde, il s'efforça également d'oublier le fils de Kurszán. Et il fit même plus, il viola le pacte. Avant même le moment où les enfants auraient dû revenir, à peine élu prince, il envahit la Bavière et dévasta la contrée au-delà du fleuve. On n'entendit plus jamais parler des deux garçons.

« Après qu'Árpád l'eut banni, mon père ne quitta plus les marches orientales. Il fit venir des architectes de Constantinople pour bâtir ce château au flanc de la falaise, et vécut reclus entre les montagnes. Tout comme moi. Et comme c'est étrange, voilà que le sort me reprend ce que mon père avait reçu grâce à son crime. Je n'ai pas eu de fils, je n'ai qu'une fille, ma famille s'éteindra avec elle, et mon domaine des marches orientales reviendra aux princes quand elle deviendra la femme de Gezüja.

– Et mon peuple ? demandai-je avec impatience.

– Le peuple de Kurszán ? (Il secoua lentement la tête.) Je n'en ai plus entendu parler depuis mon enfance. Il n'existe peut-être plus.

– C'est impossible !

– Qui peut savoir ? Il y a longtemps vivait au château un vieil homme venu de l'Est, de la tribu de Kurszán. Il avait apporté le Rosier et le soigna ici pendant des années. Mais à présent il est mort. En venant ici, il a dit que son peuple l'envoyait avec le Rosier, afin que les Magyars se souviennent qu'ils existaient encore et voulaient revenir. J'aurais risqué ma vie en le laissant poursuivre son chemin vers l'ouest. Mais je n'eus pas le cœur de le renvoyer, si bien qu'il est resté. Il raconta que le peuple de Kurszán attendait depuis longtemps de pouvoir revenir en Pannonie, auprès des autres tribus magyares. Leurs anciens pensaient que les Magyars les avaient oubliés, qu'ils ne se souvenaient plus de la rose, la Rose de Künde, ni des légendes qu'ils avaient emportées au-delà des montagnes. Alors il nous rapportait le Rosier. Afin que nous nous souvenions.

– Vous devez bien savoir où vit le peuple de Kurszán ! Le monde n'est pas si grand pour qu'on puisse y disparaître ainsi.

– Ils sont quelque part de l'autre côté des montagnes. Je ne les ai jamais vus.

– De l'autre côté des montagnes ?

– Árpád savait exactement où il les avait exilés. Il se peut que mon père l'ait su, mais il ne me l'a jamais révélé. Vois-tu, si tu étais venu ici enfant, alors que j'étais encore en possession de toutes mes forces, et non impotent comme maintenant, les choses se seraient peut-être passées autrement… je crois que j'aurais fait tout mon possible pour réparer l'horrible crime de mon père... Sans me soucier de Taksony ni de Gezüja, j'aurais tout fait pour que Csaba-ur retrouve la place qui lui revenait, celle du prince Künde, ainsi que le voulait le Dieu-Ancêtre. Mais à présent, il est trop tard. Notre temps est révolu, Csaba-ur...

Il ferma les yeux et garda le silence quelques instants. Je le croyais de nouveau assoupi, quand il appela :

– Armand...

– Il vient de sortir.

– Le Rosier... qu'il te montre le Rosier.

Armand m'attendait en bas, dans la grande salle. Assis devant l'âtre, il tisonnait le feu. Sarolt se tenait près de la fenêtre, elle me regarda entrer :

– Tu es resté longtemps.

– Ton père a une longue mémoire.

– Cela fait des mois qu'il n'a adressé la parole à personne... Il semble avoir repris vie.

– Ton père est malade, mais il a pensé qu'il devait tout me raconter.

Quittant la fenêtre, elle vint vers moi, la main posée sur le poignard pendu à sa ceinture, mais son geste n'avait rien de menaçant, il lui semblait coutumier. À quelques pas de moi, elle porta le poids de son corps sur une jambe, pencha la tête et me fixa de ses yeux en amande, dans la même attitude que lors de notre première rencontre, au village des Varègues.

– Stephanus, ou Csaba-ur, ou qui tu crois être, il faut que tu décides qui tu es désormais : künde, clerc ou autre chose. Est-ce bien net ?

Ses paroles n'avaient rien de convaincant. Elle y avait mis un peu trop de sévérité, comme un enfant qui joue à l'adulte. Elle voulait manifestement autre chose, mais ne savait pas comment aborder le sujet.

Je pris place au bout de la table. Je me sentais infiniment las. Pour la première fois depuis longtemps, j'aurais voulu être chez moi, au monastère.

– De toute façon, c'est vous qui déciderez qui je suis, répondis-je avec indifférence. Et c'est peut-être mieux ainsi.

Sarolt vint près de moi.

– Nous n'avons pas besoin de künde, et moi, je n'ai que faire d'un clerc romain.

Je ne répondis pas. Je ne comprenais pas ce qu'elle voulait. Elle fit le tour de la table pour se retrouver face à moi. Sa main jouait toujours sur la poignée de sa dague, elle hésita et dit enfin :

– Si je te pose une question, jures-tu de répondre franchement ?

– Je n'ai pas pour habitude de jurer. Mais je te répondrai du mieux que je le puis.

Elle releva la tête et se mit à parler, précipitamment, en phrases hachées, si bien que d'abord je ne compris pas sa question.

– Quand ton monastère t'a envoyé chez nous, les Magyars, tu étais un clerc, un moine d'Occident, et chez les Varègues, dans la soue à cochons où nous t'avons trouvé, tu avais la foi reçue avec ton éducation dans ce monastère où tu vivais, là-bas, chez eux, mais quand tu es devenu künde, au sein de ton peuple, tu n'as eu aucun mal à abandonner ta qualité de clerc romain, tes coutumes occidentales, n'est-ce pas ? Est-ce que tu n'as pas bientôt trouvé stupide et méprisable la vie que tu menais auparavant ?

Je la regardai sans comprendre.

– Que veux-tu dire ?

– Réponds à ma question ! Tu préférais être künde que clerc latinus, n'est-ce pas ?

– J'étais ce que je pouvais être en un lieu donné. Mais qu'attends-tu de moi à présent, que je redevienne künde ?

Elle tapa nerveusement du pied.

– Oublie ce stupide titre de künde ! Tout cela, c'est du passé, comme les légendes du pays ancestral, ce sont des enfantillages, nous devons penser à l'avenir au lieu de rêver au passé. J'en ai juste parlé comme ça… Les choses changeront quand Gezüja régnera. Nous transformerons ce pays, bâtirons un empire comme celui de Constantinople, comme Othon l'a fait avec les Francs et les Alamans. Mais Gezüja n'a pas confiance en Byzance. Il la trouve trop proche des Bulgares, nous ne serions qu'un surplus. En revanche, il pense que Rome a besoin de nous. Mais moi, je ne fais pas confiance aux Latins, ni à Rome, ni aux Alamans, et encore moins à Othon. Tu devrais… pour me faire plaisir… tu devrais savoir… puisque tu as vécu chez eux, tu les connais… Gezüja se berce de rêves, il a entendu tant de contes au sujet de Rome et de l'empire d'Othon, qu'il est engoué de l'Occident et tourne le dos à Byzance, mais est-ce qu'il ne mésestime pas la situation ? Toi, Stephanus, tu pourrais lui…

Elle n'acheva pas. Peut-être n'osait-elle pas.

Je la regardai, avec son visage d'enfant, et imaginai que si elle était née en Occident et non dans cette contrée sauvage, elle serait une princesse vivant dans un château, vêtue de soie et protégée de la moindre brise, elle rayonnerait tel un diamant dans un écrin, son cœur serait empli d'amour et de chansons au lieu des cruelles affaires du monde et du pouvoir. Des chevaliers rivaliseraient pour un sourire d'elle, chanteraient sa beauté et disputeraient des joutes pour l'amour d'elle.

– Tu me demandes de parler à Gezüja-ur contre ma foi ?

Elle fit la grimace.

– Pourquoi, quelle est-elle ?

– Je crois en l'Évangile de Jésus-Christ.

– Les Byzantins en ont un aussi.

– En effet. Mais je suis tenu par l'ordre auquel j'appartiens. La Règle de saint Benoît est la mienne pour l'éternité.

– Quelle foi peux-tu avoir puisque tu as abandonné ton passé de religieux du jour au lendemain ?

– Tu te trompes si tu crois cela. Pas un instant je n'ai abandonné ma religion. J'ai seulement ouvert mon cœur plus grand afin d'y accueillir ce que je ne connaissais pas auparavant. Si ton cœur est empli d'amour, il peut contenir bien des choses.

Ses grands yeux noirs lancèrent un éclair de défi.

– Réfléchis bien, ton sort dépend de toi.

Elle quitta la salle à petits pas pressés. Armand se retourna.

– Quelle petite abeille obstinée ! m'écriai-je. Non seulement elle bourdonne, mais elle pique aussi ! Difficile de distinguer ce qui fait d'elle une fille ou un garçon.

– J'ai pris grand plaisir à ouvrir son cœur au monde occidental. Je vois à présent que je n'ai guère réussi. Quand je lui décrivais la vie des nobles dames de chez nous, occupées à broder ou à chanter, elle se moquait : c'était une vie de volailles, quelle chance d'avoir échappé à un tel sort !

Je contemplai un instant la porte que Sarolt avait claquée derrière elle.

– Zubor-ur voudrait que tu me montres le Rosier.

Armand hocha la tête.

Le temps était couvert. Les hautes montagnes dressées autour de nous disparaissaient derrière un voile blanc de brouillard. L'auvent du porche était bordé de stalactites de glace grosses comme le bras. Je m'enveloppai plus étroitement dans ma pelisse tandis que nous traversions la cour. Nous longeâmes les écuries, un peu plus loin, devant les communs, les bouchers s'affairaient dans le froid à dépecer un bœuf, des chaudrons d'eau bouillante fumaient abondamment. Non loin du mur nord, je vis un petit coin de terre entouré d'une barrière de bois. Le sol couvert de neige était relevé en son milieu, formant une sorte de tertre qui évoquait une petite tombe. Armand enjamba la barrière, s'accroupit près de la butte et en balaya la neige de la main. Je vis alors de la paille qui protégeait la plante du froid. Une seule tige sortait de terre.

– Eh bien, le voilà ton rosier. Le Rosier de Künde, comme l'appellent les Magyars.

Il était plutôt chétif.

– Depuis la mort du vieux, c'est moi qui m'en suis occupé, faute de mieux. J'aurais eu de la peine qu'il crève. Mais il se dessèche peu à peu, cette terre ne doit pas lui convenir. L'an dernier, seule cette pousse était vivante, je l'ai transplantée, nous verrons bien ce qu'elle donnera d'ici au printemps.

Le vieux disait que des centaines et des centaines d'années peuplaient le cœur de ce rosier. Depuis que les Türks ont quitté le pays de leurs ancêtres, ils ont toujours fait des boutures du même pied.

– Le Rosier de Kelendi-künde.

– Tu en sais plus que moi. Moi, ce sont ses fleurs que j'aime, des roses blanches, je n'en ai jamais vu de si grosses. Le vieux leur consacrait tout son temps. Mais quand il est mort, tous les pieds ont commencé à s'étioler.

Il me lança un sourire narquois :

– Alors celui-ci, le seul qui reste, il est à toi. Parce que tu es le künde, n'est-ce pas ? Prends-en soin. Ton peuple l'a gardé pour toi.

… et ma fièvre a fini par passer, je me suis peu à peu remis de ma maladie, et aujourd'hui, j'ai mendié auprès du parcheminier quelques vélins défectueux, troués par endroits, et les ai moi-même frottés à la poudre de craie. J'ai à présent de l'encre, du parchemin, mais plus de mémoire, et j'en suis bien penaud. La fièvre m'a pris à mon retour de Passau, mais le lendemain je suis allé voir mon maître dans sa cabane de la forêt, tel que j'étais, la tête confuse. Voyant mon état, Stephanus a voulu me renvoyer, mais je ne l'ai pas laissé se débarrasser de moi, et lui ai demandé de raconter. Seulement à mon retour au monastère, que j'ai regagné d'un pas chancelant, j'ai été pris de faiblesse, ma tête s'est mise à bourdonner et à tourner, j'avais des hallucinations, le récit de Stephanus m'apparaissait en taches confuses, et à ma grande honte je ne me rappelais pratiquement plus rien de ce qu'il était advenu après qu'il fut parti avec ce Tzevehour et l'autre païen pour la résidence des Tyrcs aux chevaux, comme si ses paroles s'étaient effacées de ma mémoire. Tout ce dont je me souvenais à peu près, c'était l'histoire d'un certain Tchentzehour, et la belle barbare qui avait séduit l'un des princes, ce pour quoi l'autre lui tenait rigueur. J'avais aussi le vague souvenir d'une trahison, mon maître et son escorte avaient été somptueusement reçus par les païens, lesquels les régalèrent généreusement, leur promirent monts et merveilles, de nombreux soldats, mais le lendemain, ils durent pratiquement s'enfuir du village comme des lépreux. Ils partirent vers l'est, mais furent bientôt pris dans une tempête de neige, mon maître tomba de cheval et se foula la cheville. J'ignore s'il s'agit d'un souvenir réel ou si seule mon imagination a forgé cet épisode sous l'effet de la fièvre, quoi qu'il en soit j'ai écrit l'histoire de la jeune barbare telle que je l'ai trouvée en moi. Il nous arrive parfois de ressentir vivement que le sort tourne en notre faveur : lorsque mes supérieurs m'ont chargé, il y a deux semaines de cela, d'aller à Passau avec quelques anciennes copies de frère Notker, et de rapporter en échange un nouvel exemplaire des *Joies du Seigneur* d'Avinicius, mon cœur a bondi dans ma poitrine, car ce voyage m'offrait l'occasion de satisfaire ma curiosité tout en remplissant une mission officielle. J'ai en effet un vieil ami au monastère de Passau, frère Paulus, rencontré lors d'un précédent voyage, et avec qui j'ai partagé force gobelets de vin. Il se trouve qu'il est considéré comme l'un des grands maîtres dans l'art de l'enluminure et de la préparation des encres. Cette fois, je l'ai prié de me donner accès à l'endroit du librarium où sont conservées les annales de Passau, prétextant qu'il me fallait quelques informations pour un nouveau chapitre des Annales Sanctgallenses Maiores que l'abbé Virgile m'avait pratiquement obligé à rédiger, et je n'aurais pas le temps de déposer une requête officielle auprès de ses supérieurs, puisque je devais repartir dès le lendemain. Quand nous eûmes bien bu, frère Paulus me conduisit par un long couloir à la lueur d'une bougie, ouvrit une porte et, posant un doigt sur ses lèvres, murmura de ne pas faire plus de bruit qu'une souris, car le frère surveillant dormait juste au-dessous. Je notai avec une certaine amertume que ce librarium n'était pas, il s'en fallait, aussi bien rangé que le nôtre, à Saint-Gall, et pensai avec fierté que si un ordre exemplaire régnait dans notre bibliothèque, le mérite m'en revenait quelque peu ; puis j'entrepris mes recherches dans les volumes poussiéreux au classement disparate. À ma grande surprise, je trouvai confirmation de ce que le récit de Stephanus m'avait fait pressentir ; en l'an 904, le chroniqueur de Passau avait en effet noté le même événement que celui de Saint-Gall. Il faisait lui aussi état de l'arrivée d'un jeune païen, précisant qu'il avait été recueilli au monastère sur ordre du duc, et ajoutait que, ce garçon étant grièvement blessé, on l'avait aussitôt confié aux infirmiers qui n'avaient pu lui sauver la vie qu'en lui prodiguant longuement des soins dévoués. La découverte suivante me fit frissonner : là, dans la marge, je lus la mention d'une médaille représentant un oiseau aux ailes déployées, que l'on avait trouvée sur le jeune garçon et que l'abbé avait déposée dans le trésor. À Passau. Et bien des années plus tard, elle s'était retrouvée entre les mains de mon maître Stephanus, ici, à Saint-Gall. Je réfléchis un instant puis, continuant à fouiller parmi les volumes, finis par trouver les notes de l'an 927. Je lus les premières lignes en les suivant du doigt sans bien savoir ce que je cherchais, mais j'avais l'impression que je le saurais quand je l'aurais trouvé. Effectivement, je lus ceci : *Mercredi, neuvième jour du mois de mai, triste événement pour notre monastère. Nous avons appris de Saint-Gall que Johannes Pannonius, l'un des deux moines que nous y avions dépê-*

chés, a été occis par de cruels brigands, et que seul a survécu Virgile d'Aquilée, l'autre frère qui est parvenu sain et sauf à l'abbaye. Notre malheureux frère Johannes qui vivait chez nous en chrétien depuis de longues années, ayant même oublié ses origines païennes... je fus envahi par une bouffée de chaleur, mon front se couvrit de sueur, mais je poursuivis ma lecture... *a ainsi atteint le terme de sa vie et est retourné auprès de Notre-Seigneur. Nous garderons éternellement en mémoire sa forte volonté, sa nature hostile à tout compromis, même s'il nous est arrivé d'endurer, parfois avec peine, les accès de colère imputables à la sauvagerie de son sang païen. Dieu ait son âme...* Si auparavant, j'avais été envahi de chaleur, c'est à présent une sueur froide qui ruisselait le long de mon dos. Rien d'étonnant, si de toutes les nouvelles histoires que Stephanus m'a racontées dans sa cabane alors que j'avais la fièvre, j'ai justement retenu l'histoire d'amour de la barbare, et nulle autre, car il se trouve que c'est cette histoire qui m'a fait comprendre... Je me suis alors mis à méditer, si imprévisible soit le destin, nous sommes incapables d'inventer les subtilités que la vie nous réserve. Seulement, si nous sommes trop indolents pour essayer de comprendre, nous croyons que tout est aussi simple et lisse que dans la vie de tous les jours, alors que les choses évoluent en secret, que l'araignée appelée vie tisse sa toile hors de la vue des hommes. Qu'était-ce donc, déjà ? Après avoir occis le prince païen, les Bavarois ont emmené les deux enfants, mais séparément, car ils étaient prévoyants, et où donc, sinon dans deux monastères, où les nouvelles ne sortent pas d'entre les murs et où les secrets sont bien gardés par les frères ? L'un d'eux fut donc conduit à Saint-Gall, l'autre à Passau, mais lequel ? Selon la coutume, on leur donna un nouveau nom, Pannonius d'après leur lieu d'origine… Il me fallait relire ce que j'ai noté des récits de mon maître Stephanus. J'aurais voulu retourner le plus vite possible à Saint-Gall, je ne tenais plus en place avec ce que je savais à présent, sans trouver cependant ce que je pourrais en faire. En même temps je me demandais que faire lors de ma prochaine visite à mon maître dans sa cabane. La veille au soir, Elsi était auprès de moi, mais je ne lui ai prêté nulle attention, elle boudait toute seule dans un coin tandis qu'à la lueur de ma lampe à huile, luttant contre la fièvre, je relisais tout ce que Stephanus m'avait raconté, quand soudain, je compris comme dans un éclair… et si le lendemain, je ne parvins pas à retenir tout ce que mon maître me racontait, ce n'était pas seulement dû à la fièvre, mais aussi à ce que j'avais appris à Passau, et tel un ver dans une pomme, une question me taraudait : devais-je révéler à Stephanus ce que j'avais découvert au librarium de Passau ? Je décidai de le garder pour moi, pensant qu'il vaudrait mieux attendre que mon maître eût achevé son récit, et lui rendre compte ensuite, car je ne comprenais pas encore tout, et ce que je comprenais ne me rendait pas plus heureux, tant il est vrai que le savoir ne rend pas nécessairement heureux… Si seulement je n'avais pas été cloué au lit par la fièvre quarte, qui m'a empêché plusieurs jours de monter au scriptorium…

… Sarolt dévalait en courant le versant de la colline couverte de neige, comme une fillette insouciante. Elle me cria quelque chose que je ne compris pas. Même enveloppée d'une épaisse pelisse, elle fendait la neige comme un soc. Elle tomba, roula dans la neige, se releva et reprit sa course. Enfin elle se planta devant moi, mains sur les hanches, et tout en reprenant son souffle, annonça précipitamment :

– Ils l'ont abattu ! Ils ont trucidé la bête féroce !

Ses cheveux, sa pelisse étaient tout scintillants de neige. Elle avait l'air d'une enfant.

Dans la blancheur aveuglante qui nous entourait, le soleil doré de février commençait à tiédir l'air, éveillant l'espoir que l'hiver allait enfin perdre de sa vigueur.

– Il était grand temps, répondis-je d'un air plus contrarié que je ne l'étais.

C'est une des rares occasions où j'ai vu rire Sarolt. Dehors depuis l'aube, j'étais transi de froid, mais son visage rayonnant de joie et de fierté me réchauffa quelque peu. J'éprouvai aussi du soulagement à l'idée que tout était fini, que nous allions enfin rentrer au chaud.

Elle indiqua la direction de la forêt.

– Ils sont parvenus à l'encercler dans la forêt, de l'autre côté de la colline. Il a tué deux chiens qu'il a mis en pièces avant que les chasseurs aient pu intervenir, et il a même blessé un de leurs chevaux. Mais il a été abattu, d'un coup de lance en plein cœur ! Viens, allons-y…

Jusque-là, j'avais gardé nos chevaux, et n'avais nulle envie d'entrer dans la forêt. Gezüja-ur avait interdit à Sarolt d'approcher cet endroit dangereux. Je n'aimais pas les mises à mort, même s'il ne s'agissait que d'un ours. Il est vrai que c'était un ours gigantesque qui dévastait les enclos des villages, une bête démente qui, au lieu de dormir jusqu'à la fin de l'hiver comme ses congénères, s'était réveillée trop tôt. Le mois précédent, il avait attaqué un troupeau de chèvres et tué le montagnard oulaï qui tentait de le chasser pour défendre ses bêtes. Une bonne demi-douzaine de battues avaient été organisées, sans succès. Je tendis à Sarolt les rênes de son cheval et me hissai sur ma selle.

Les chevaux grimpaient avec peine. La neige n'était plus gelée, elle commençait à fondre, les sabots n'avaient pas prise dans cette masse glissante et collante. Les chasseurs sortirent de la forêt avant que nous y fussions parvenus. Le fauve abattu, tiré par des chevaux sur une sorte de brancard, laissait dans la neige une trace sanglante. Des rabatteurs armés d'épieux suivaient à pied, poussant des clameurs de triomphe, tandis que chevauchaient autour d'eux les seigneurs, Gezüja, Armand et quelques chefs magyars des environs, dont Bajza-ur, un géant barbu aux cheveux tressés et toujours souriant. Il éperonna son cheval et galopa vers nous, sa lourde pelisse flottant derrière lui. Quand il nous eut rejoints, il tira sur les rênes.

– Eh, regarde un peu, pater ! As-tu jamais vu pareil monstre ?

Je faillis lui dire qu'il était aussi gros que lui.

– Une énorme bête ! approuvai-je.

Ses petits yeux noirs pétillèrent lorsqu'il se pencha et demanda à mi-voix :

– Te reste-t-il un peu de ton vin chaud ?

– Il m'en reste, mais il est froid à présent.

– On ne va pas pleurer pour ça !

Je lui tendis ma gourde et, d'un seul geste, il s'en versa le contenu dans le gosier. Puis il me la rendit en s'essuyant la barbe.

– À l'occasion, remplis-la.

– Où veux-tu que je le fasse ? Ce soir, au château, il y en aura au dîner.

– C'est encore loin !

Je comprenais sa déception. Gezüja-ur n'aimait pas beaucoup le vin. S'il en buvait, c'était avec mesure, il prétendait que son estomac ne le supportait pas, quelques coupes suffisaient à le rendre malade, et il n'appréciait pas que d'autres boivent autant qu'ils le pouvaient en sa présence. Or, les seigneurs magyars pouvaient ingurgiter de grandes quantités d'épais vin rouge.

Depuis que Zubor-ur était mort au début du mois de janvier et avait été inhumé avec son cheval au pied de la montagne, le château s'était particulièrement animé. Les seigneurs magyars de la région et des hautes montagnes n'aimaient pas beaucoup le vieil harka. Ils le connaissaient comme un homme maussade, peu aimable, qui n'acceptait jamais d'invitation et n'aimait pas davantage recevoir. Après sa mort, Gezüja-ur, n'ayant nulle envie de retourner auprès du prince Taksony, son père, avait fait du château sa résidence et réunissait autour de lui les dirigeants des territoires de l'Est. Il les invitait fréquemment à des banquets, encore que ceux-ci ne fussent à l'évidence pas tout à fait du goût des seigneurs magyars, car il mesurait le vin qu'il leur faisait servir et se retirait bientôt, se plaignant d'avoir mal à la tête. Mais les seigneurs répondaient à ses invitations, tous savaient que s'asseoir à la table du futur souverain ne pouvait que leur porter chance. Tant qu'il restait avec eux, ils parlaient gravement des affaires du pays, de l'avenir des Magyars, du printemps qui allait venir et où tout reprendrait vie. Tout cela sans moi, car je ne me joignais à eux que lorsque le repas était servi. Les seigneurs s'entretenaient entre eux des choses sérieuses avant le dîner, dans l'après-midi finissant.

Mais lorsque Gezüja-ur et Sarolt se retiraient à la fin du repas, les vins cachés faisaient leur apparition, apportés dans des outres attachées aux selles qui attendaient à l'écurie d'être libérées sur la table des seigneurs. Chacun faisait venir la sienne et ils emplissaient mutuellement leurs coupes du vin qu'ils avaient apporté.

Seuls les comptes rendus succincts d'Armand me permettaient de savoir peu ou prou quel avait été l'objet de leurs conciliabules de l'après-midi. Par ailleurs, celui-ci semblait tourmenté par une lutte intérieure. Je le surprenais de plus en plus souvent plongé dans de tristes réflexions, ou s'acquittant mollement de ses tâches, silencieux ou de mauvaise humeur.

– On dirait que le sort t'a conduit parmi nous afin que tu ravives nos souffrances, me dit-il un jour.

Mais j'eus beau le questionner, il garda pour lui ce à quoi il avait fait allusion.

Gezüja était un grand seigneur, mais il n'était pas encore prince. Il était de mise de le flatter, mais tous n'étaient pas prêts à se soumettre unanimement à sa volonté. Selon Armand, les seigneurs magyars des montagnes étaient tous à peu près du même avis sur les affaires du monde. Gezüja-ur avait un point de vue différent, et au cours de l'hiver qu'il passa au château, il s'était efforcé de le leur faire partager en leur exposant ses projets. Les prêtres de Byzance semblaient récolter le fruit de plusieurs années d'activité dans les marches de l'Est, et la plupart des seigneurs des montagnes étaient mieux disposés à l'égard de Constantinople que de Rome. Bajza-ur était de ceux-là. Il avait même fait construire une église pour les Grecs en compensation des monastères qu'il avait autrefois incendiés. Il évitait certes autant que possible les parages de cette église et sacrifiait au Dieu-Ancêtre quand la tradition l'exigeait, mais il s'était fait baptiser, en grinçant des dents il est vrai, selon le rite grec, et entretenait d'excellents rapports avec les seigneurs byzantins, comme le lui dictaient ses intérêts. Armand m'expliqua qu'il détenait la plupart des mines de sel et que les marchands grecs lui laissaient de considérables bénéfices.

Les seigneurs magyars considéraient que Rome était trop éloignée, alors que Constantinople était à portée de main. Le fossé entre les deux partis était d'autant plus grand que Sarolt elle-même, la future princesse, ne soutenait pas non plus l'idée de pactiser avec Rome, elle avait grandi ici, dans l'Est, pour elle Byzance était la solution évidente. Des disputes à ce sujet éclataient de plus en plus fréquemment entre elle et Gezüja-ur, il leur arrivait alors de ne pas se parler plusieurs jours durant, et de passer l'un à côté de l'autre en boudant comme deux gamins vexés.

Au cours des longues soirées d'hiver, dans l'atmosphère lourde des repas prolongés, j'entrevis que les seigneurs magyars ne nous aimaient pas particulièrement, Armand et moi. Nous étions des étrangers à leurs yeux, ils ne nous faisaient pas confiance. Selon Armand, ils lui reprochaient d'avoir chassé les prêtres grecs au temps de Zubor-ur, et d'avoir tout fait pour orienter Sarolt vers les Latins. Sans grand succès, il est vrai. Mais s'ils l'avaient plus ou moins accepté, puisqu'il était depuis des années kegyour à la cour de Zubor-ur, s'ils s'étaient accoutumés à sa présence, ils demeuraient ouvertement soupçonneux à mon égard. Ils avaient entendu dire que j'étais le fils de Kurszán, mais n'y accordaient nulle importance. En revanche, ils ne savaient que penser de ce que Gezüja ne se fût pas encore débarrassé de moi, alors que récemment encore, ils voulaient se servir de moi contre son pouvoir. Il ne m'avait pas échappé que Bajza-ur lui-même, qui n'était pourtant qu'amabilité et bienveillance envers moi, m'observait d'un regard inquisiteur, cherchant à percer mes pensées, alors même qu'il me parlait du ton le plus chaleureux.

Au bout d'un certain temps, il ne fut plus question du titre de künde. J'ôtai le Togrul de mon cou et le remis dans mon escarcelle, ce fut désormais sa place. Keve comptait lui aussi parmi les hommes à éviter,

Gezüja-ur lui avait laissé la vie sauve, mais il le retenait prisonnier au fond du château. Je le voyais rarement, de loin, quand on le laissait parfois sortir dans la cour. On ne me laissait pas l'approcher. Mais même du haut de ma fenêtre, je voyais à quel point il était effondré. Sa silhouette chétive se mouvait en hésitant. C'était un otage dont la vie dépendait de ce que son peuple se tienne tranquille et se résigne à son sort. Je n'entendis plus parler des Túrs, ni de Jutas.

Au soir du jour où l'ours avait été tué, les événements prirent soudain une nouvelle tournure. Et sans aucun doute, cela me concernait également.

Ce jour-là, les seigneurs ne parlèrent pas des affaires du monde. L'après-midi comme le soir, de bonne humeur, ils se racontèrent à moult reprises, tout en buvant, les péripéties de la chasse à l'ours. Le jeune prince passa toute la journée en leur compagnie, eut un mot aimable pour chacun, soucieux de leur être agréable. Vint le moment de s'installer à la longue table car on commençait à servir le repas. Je m'apprêtais à m'asseoir après les seigneurs, à ma place accoutumée face à Armand, quand Gezüja-ur m'interpella :

– Pas là-bas, Stephanus ! Ici, à côté de moi, tout de suite !

Je m'immobilisai, surpris, ne sachant que faire. Je remarquai que les autres étaient aussi intrigués. Je fis demi-tour – avais-je le choix ? – et me dirigeai vers le haut bout de la table. Ma place y était préparée, juste à côté du prince. Les autres convives se décalèrent d'une place.

Quand je fus assis, les premiers plats déposés sur la table par-dessus nos têtes, Gezüja-ur prit lui-même la cruche de vin, emplit ma coupe, puis la sienne, et l'éleva vers moi :

– Je bois à ta santé, car j'ai de grands projets pour toi.

Je ne dirais pas qu'il prononça ces paroles d'une voix forte, mais un prince n'a nul besoin de hausser le ton pour être entendu de tous. D'un bout à l'autre de la table, suivant son exemple, les seigneurs levèrent docilement leur coupe à mon intention. Sarolt, comme toujours la seule femme dans cette compagnie d'hommes, me regarda d'un air troublé. Puis en pinçant les lèvres, elle détourna bien vite les yeux et les garda fixés devant elle. Je regrettai de ne pouvoir lui demander ce que signifiait cette soudaine amabilité. Ce soir-là, le jeune prince semblait avoir perdu quelque peu de sa pâleur, si je ne l'avais bien connu j'aurais pu croire qu'il avait bu plus que de coutume. Une légère rougeur lui colorait les joues, et il mangeait de bon appétit. Cependant je vis que sa belle humeur dissimulait une certaine inquiétude. Je dirais qu'il était à la fois détendu et nerveux.

Cette situation m'était inconfortable. Je pensai que les seigneurs magyars pourraient croire que j'en savais plus qu'eux. J'ignore pourquoi, je me sentais auprès de Gezüja comme à la Cène, mais je ne voyais pas bien qui de nous deux était le Christ, et qui Judas.

Quand nous eûmes commencé à manger, tout se passa normalement, comme tant de fois au cours de l'hiver. Dans le bruit feutré des conversations, les seigneurs goûtaient les viandes, buvaient du vin, modérément, bien sûr, tant que le prince était présent. Ils attendaient patiemment qu'il se retire, alors ils se rattraperaient. Mais quelque chose flottait dans l'air, quelque chose d'invisible, que Gezüja-ur avait provoqué en me faisant prendre place à ses côtés, et que chacun s'efforçait de saisir.

Lorsque le prince cessa de manger, sans attendre que les seigneurs eussent fini à leur tour, il frappa sur la table du pied de sa coupe pour signaler qu'il avait quelque chose à dire. Le silence se fit, les visages se tournèrent vers lui.

– Mangez, seigneurs, je ne veux pas vous couper l'appétit, pour m'écouter vous n'avez besoin que de vos oreilles. Je voudrais vous informer de l'état de certaines choses qu'à mon avis vous devez savoir. Demain matin, je partirai rejoindre le prince pour quelque temps, afin qu'il connaisse aussi ces nouvelles et que nous prenions une décision en commun.

En vain avait-il encouragé les seigneurs à poursuivre leur repas, ceux-ci en oublièrent même d'avaler ce qu'ils avaient dans la bouche. Ils le regardaient en ouvrant de grands yeux, la bouche pleine, attendant la suite. J'étais aussi curieux de savoir de quels nouveaux événements parlait Gezüja.

– Il n'y a pas très longtemps, reprit le prince après avoir savouré la situation, j'ai reçu une délégation du tsar de Bulgarie.

Quelques têtes s'agitèrent. Tous savaient que la Bulgarie s'apprêtait à marcher de nouveau contre Byzance au printemps. Je ne me souvenais pas de cette délégation ; quant aux seigneurs, ils ne s'attendaient à rien de bon.

– Petrus nous a adressé un fort aimable message proposant de mettre fin au conflit qui nous opposait depuis des années, et en signe de sa sincérité, lui, le souverain de tous les Bulgares, a déclaré dans une missive portant son sceau qu'il était disposé à reconnaître et respecter les frontières méridionales du pays magyar, y compris les territoires que nous occupions après les lui avoir pris, et qui avaient été l'objet de tant de querelles et d'hostilités entre nous. Il demandait en contrepartie qu'au nom d'une nouvelle alliance, nous n'attaquions pas ses troupes à revers, quand elles marcheraient contre Byzance, même si l'empereur Nicéphore nous le demandait expressément, et que nous ne nous laissions pas acheter par des présents et des promesses, comme nous l'avions fait si souvent…

Un murmure sans équivoque se fit entendre du côté des seigneurs, notamment de Bajza-ur. Gezüja-ur haussa le ton :

– … En outre, si la situation l'exigeait, au cas où l'armée byzantine remporterait la victoire et pénétrerait en Bulgarie, nos troupes devraient être prêtes à l'en chasser et à la poursuivre jusqu'à Constantinople s'il le fallait…

Il se tut, aussitôt le silence se fit autour de la table.

– C'est pourquoi j'ai jugé bon, puisque, l'hiver s'achevant, les chemins sont de nouveau praticables, de retourner auprès de mon père afin que nous prenions une décision et répondions le plus tôt possible à la missive du tsar Petrus. J'approuve au demeurant sa proposition d'alliance.

Il fit une courte pause et reprit plus doucement :

– J'ai aussi l'intention de rapporter de la cour de mon père le prince une autre missive, adressée celle-ci à Rome, que je confierai au père Stephanus, ou Csaba-ur, comme il veut, dès mon retour.

J'ignore dans quelle mesure ma surprise fut visible, mais j'eus l'impression que c'était le cas. J'en oubliai même de respirer. J'écoutais Gezüja sans broncher :

– Par cette missive, nous ferons savoir au pape qu'il peut dorénavant compter sur nous contre Byzance si les aléas de l'avenir voulaient que Rome requière notre soutien, et que nous sommes prêts à l'entendre au cas où il aurait d'autres projets dans ce domaine. Voilà, c'est tout ce que j'ai à dire. Les événements nous obligent parfois à prendre des décisions, et qu'on le veuille ou non, il faut alors agir. Seigneurs, je vous prie en mon absence de veiller sur le château, sur ma future femme et tous mes biens, comme je le ferais moi-même pour vous si vous me le demandiez. Amusez-vous, ne perdez pas votre humeur joyeuse, et laissez dehors les outres suspendues à vos selles, aujourd'hui je vous offre ce qui reste de vin, afin que vous ne souffriez point de la soif !

S'apprêtant à quitter la salle dans un silence stupéfait, il me toucha l'épaule :

– Suis-moi, Stephanus.

Je me levai sans oser regarder autour de moi. Je n'avais nul besoin de sonder les seigneurs pour savoir ce qui les agitait.

J'accompagnai Gezüja à l'étage. Les huissiers s'écartèrent sur notre passage et ouvrirent la grande porte de chêne qui menait à ses appartements. C'était la première fois que je venais dans cette partie du château. La grande pièce où nous entrâmes était richement décorée et éclairée de flambeaux. Un feu crépitait dans la cheminée emplie d'énormes bûches, d'épais tapis arabes aux couleurs vives réchauffaient la pierre froide des murs. Des peaux d'ours sur le sol, un pupitre près de la fenêtre. Le prince s'assit dans un fauteuil et s'adossa avec lassitude. Dans l'éclairage des torches, il avait retrouvé sa pâleur coutumière.

– Installe-toi à ton aise. Je n'aime pas parler à quelqu'un qui reste debout.

Regardant autour de moi, je vis un divan où j'allai prendre place. Je gardai le silence, attendant qu'il prenne la parole.

– Ce que j'ai dit en bas t'a-t-il étonné ?

– Oui, Gezüja-ur, si tu fais allusion à mon voyage à Rome. Cela m'a vraiment surpris.

En fait, je n'avais pas encore réfléchi à ce que cela pouvait signifier. Gezüja secoua la tête avec découragement.

– J'ai passé tout l'hiver ici, entres ces maudites montagnes où les hautes roches empêchent de voir le soleil, j'en étouffais parfois, et à quoi bon ? Je n'ai pu convaincre les seigneurs, ni même les faire fléchir. Maudits montagnards, d'hommes de la Puszta, ils sont devenus en quelques générations des ours de la forêt, bornés, obstinés. Je n'aurais pas pu poursuivre ces ripailles jusqu'au printemps... ils ont eu le temps qu'il fallait. À présent, quoi qu'ils décident, je vais agir, avec ou sans eux. Maudits seigneurs de l'Est, comment compter sur eux ? Tu iras à Rome, Stephanus, tu remettras ma missive au pape, que cela leur plaise ou non.

– Mais pourquoi moi ? demandai-je à mi-voix. Moi qui, justement, il n'y a pas si longtemps...

– Parce que je n'ai confiance en personne d'autre, Stephanus, voilà pourquoi. C'est incroyable, n'est-ce pas ? Je dois faire confiance à celui qui a failli diriger une armée contre moi il y a quelques mois. Mais cet hiver ne m'a pas servi qu'à tenter vainement d'amadouer ces têtes de bois, il m'a aussi permis, et je viens de m'en rendre compte, de mieux te connaître. Tu n'es pas un mauvais homme, Stephanus.

– Ton avis m'honore. Pourtant…

– Tu n'as pas agi pour conquérir le pouvoir, comme Keve qui aspirait à devenir prince. Tu es comme les Magyars, un pied sur chaque rive. L'écartement est grand, mais c'est aussi un grand pas. Pourrais-je souhaiter meilleur associé ?

Il se pencha en avant comme pour scruter mon visage dans la pénombre.

– Je ne souhaite pas seulement que tu portes ma missive à Rome, Stephanus. Quand tu rapporteras la réponse, je voudrais aussi que tu restes à mes côtés pour me seconder dans mon règne.

– Moi ?… fis-je, ahuri.

– Bien sûr, toi. Tu es le seul que je croie capable de me conseiller sans arrière-pensée, de ne me dire que ce que tu penses réellement. Tu n'as ni domaine ni vrai foyer, tu ne dois rien à ces seigneurs, eux ne te doivent rien non plus. Tu es seul, mais cela me suffit. Deux mondes vivent en toi, c'est plus qu'en n'importe quel Magyar. Moi, je devrai bientôt me battre contre ces deux mondes, et je ne sais pas lequel est le plus puissant.

– Il est vrai que je connais l'âme occidentale, mais n'oublie pas que j'ai grandi dans un monastère, isolé du monde entre de hautes murailles. La plupart de ce que je sais, je l'ai appris dans les livres, non par expérience… Est-ce qu'Armand ne te serait pas d'un plus grand secours ?

– Armand est étranger, répondit-il fermement. C'est assurément un brave homme. Il m'a beaucoup aidé à orienter Sarolt contre Byzance, bien qu'à l'évidence, il n'y soit pas mieux parvenu que moi. Mais que comprend-il de l'âme magyare ? Il parle notre langue, mais la langue n'est pas le cœur, il s'en faut. Moi, je peux parler le latin, le grec et même l'arabe, mais comme je ne les ai pas appris au sein maternel, tout ce savoir ne vaut pas plus qu'un manteau brodé sur un corps nu.

Nous gardâmes le silence.

– Ma proposition ne t'agrée-t-elle pas ? Tu la refuses ? dit-il d'une voix atone, d'un ton si triste que je ne pus que répondre :

– Ce n'est pas ce que j'ai dit. Mais je crains que tu ne surestimes mes capacités. J'ai déjà échoué quand on a voulu faire de moi le künde…

Gezüja se leva. Comme j'étais assis, il me dominait aisément.

– Maintenant tu peux l'être, tu peux vraiment faire ce que tu n'as pas réussi auparavant. Oui, être le künde, mais autrement, conformément à une époque nouvelle, en donnant ton avis, des conseils, en étant mon bras droit. Peu m'importe quel dieu tu représentes. Je te l'ai dit, je suis entre deux dieux, aussi éloigné de l'un que de l'autre. À mes côtés, tu peux être clerc latin ou künde, si certains le préfèrent. Je veux construire un palais au cœur du pays, un château fort aux puissantes murailles, d'où je pourrai tenir en bride et faire caracoler les seigneurs magyars, je veux une armée de soldats, comme ceux d'Othon, qui ne feront pas la guerre seulement pour le butin, mais parce que je le leur ordonnerai, et qui m'obéiront. Je veux que tu viennes dans mon nouveau château, afin d'être toujours là quand j'aurai besoin de toi. Tu connais l'Occident, mieux que moi qui ne le connais que par des contes. J'ai beaucoup réfléchi au cours de ces quelques mois passés ici, je t'ai observé, j'ai écouté ce que tu disais, comment tu voyais le monde, j'ai besoin d'un homme comme toi…

Il retourna s'asseoir. Replié sur lui-même, les poings serrés sur les accoudoirs du fauteuil, il me lança un regard presque suppliant :

– Je n'y arriverai pas seul, Stephanus, je n'y arriverai pas. Mon père a été frappé par la malédiction, tout comme Zubor-ur, ses jours sont comptés, il n'a plus envie de rien. Si je le lui demande, il apposera son sceau sur cette missive sans même la lire, c'est moi qui réponds de tout, qui décide en tout… Il faut balayer le passé, il me semble que le temps fait place nette pour nous dans ce pays, ouvrant la voie à quelque chose de nouveau que je redoute, car j'ignore ce que c'est. Je suis seul, même celle qui sera bientôt ma femme s'oppose à moi, vers qui puis-je me tourner, dis-moi ? Mais nous, Csaba-ur, à deux, nous serions capables de tout, si je sais que tu es derrière moi, que tu me soutiens et que tu m'avertiras quand je serai dans l'erreur…

J'eus alors idée de lui demander ce qu'il avait l'intention de faire de Keve. Il regarda un instant devant lui sans répondre.

– Ne peux-tu te détacher de lui ? dit-il d'un air indifférent.

– Je le pourrais, mais j'ai de la peine pour lui. Quand je t'écoute, il me semble que c'est lui que j'entends, quelques mois auparavant.

– Que veux-tu que j'en fasse, dis-moi ? Il a voulu déclarer la guerre au souverain, que feraient les seigneurs occidentaux à ma place ?

Je préférai ne pas répondre.

– Je ne le laisserai pas retourner parmi les siens, il recommencerait à comploter contre moi.

– Il me suffit que tu me promettes de lui laisser la vie sauve, dis-je à mi-voix.

– Il n'est pas certain qu'une telle décision perpétue ma renommée de sagesse…

– En quoi peut-il te nuire ici, au fin fond de l'Est ? Son armée est dispersée, et comme tu l'as dit récemment, son fort est entre d'autres mains.

Il médita un instant puis haussa imperceptiblement les épaules :

– Si cela compte tant pour toi… Qu'il vive entre ces murs tant que le Dieu-Ancêtre le jugera bon.

– Sois-en remercié.

Il attendit un peu, puis se racla la gorge :

– Et en ce qui me concerne ? Quelle est ta réponse ?

Je fis semblant de chercher mon souffle, mais je savais ce que j'allais répondre. Qu'aurais-je pu dire d'autre ? Dans certains cas, il est bon de n'avoir qu'une seule voie à suivre.

– J'accepte, lâchai-je enfin. Mais les seigneurs ? En partant chez ton père, tu me laisses à leur merci. Dès que tu seras hors des murs, je serai pour eux un serpent dans la mare aux grenouilles.

– Ne crains rien de leur part. (Sa voix avait repris de la force, il se leva d'un air soulagé et dit avec assurance :) J'ai manifesté devant eux en quelle estime je te tenais, afin qu'ils voient qu'en mon absence, c'est l'un des miens qui reste au château. Ils lèveraient la main sur un clerc insignifiant, mais pas sur l'homme du prince. Il se peut qu'ils te haïssent, mais ils te craignent aussi. Ne leur parle pas des choses du monde. Il n'est plus temps d'essayer de nous convaincre mutuellement. Ils me suivront s'ils le veulent. Je suis certain que Rome se réjouira de notre message. Et Othon ne s'y opposera pas, même si ce grand Alaman est blessé dans sa fierté parce que ce n'est pas à lui que nous proposons une alliance. Rome ne peut refuser. Le pape doit savoir que si ce n'est pas lui, ce sera Byzance. L'un des deux acceptera. Contre l'autre.

Ce soir-là, Gezüja ne descendit pas rejoindre les seigneurs, mais il me renvoya auprès d'eux, ils devaient voir que je ne me dérobais pas. Cependant, si cela n'avait tenu qu'à moi, j'aurais préféré m'abstenir. En bas, dans la grande salle, ils ripaillaient bruyamment. Un silence relatif accueillit mon retour, mais dès que j'eus regagné ma place, peut-être parce que Gezüja m'avait fait revenir parmi eux, ils reprirent leurs palabres sans se gêner, afin de me montrer qu'ils n'avaient pas peur de moi. Sarolt était absente, et je cherchai vainement Armand du regard. La table était couverte des reliefs du dîner, si bien que je m'employai à achever le repas que j'avais été obligé d'interrompre. Tout en buvant du vin lourd, j'écoutais les seigneurs. Je croisai par hasard le regard de Bajza-ur, à l'autre bout de la table, il devait m'observer depuis un moment, car il ne détourna pas aussitôt les yeux.

Une voix sonore récrimina :

– ... marcher sur Constantinople, alors que l'armée de Nicéphore est plus puissante que jamais ? Les Bulgares ont perdu l'esprit, ils devraient savoir ce qui les attend. Ils n'étaient pas aussi belliqueux quand l'empereur leur versait de l'argent chaque année pour empêcher nos troupes de traverser leur pays. Il paraît qu'ils ont inventé une arme prodigieuse, une machine qui crache le feu, avec laquelle ils ont incendié les navires des Arabes en pleine mer…

– C'est vrai, intervint un autre, je l'ai entendu dire aussi. C'est une sorte de tube en cuivre qu'ils attachent à la proue de leurs bateaux, puis ils s'approchent tout près des navires ennemis pour y déverser une pluie de feu…

– Dans ce cas, la cavalerie ne peut rien.

– Mais cette machine à feu…

– Terrifiant…

– Et si ce n'était pas vrai ? Ce qu'on dit…

– Oh non, pour sûr !

– Avec qui allons-nous faire commerce ? Si les Grecs ne viennent plus par ici…

– Les seigneurs de la plaine, ceux de Csenke, eux pourraient réussir contre Byzance…

– Ou Butond-ur, au sud…

– Lui, il marcherait aussi contre les Bulgares.

– Il a déjà planté sa masse d'armes dans la Porte d'or…

– Il y a longtemps de cela, il était encore jeune…

– Eh, peut-être qu'il ne monte même plus à cheval ?

– Il risquerait de tomber…

– C'est vrai ? Ce ne sont pas des racontars ?

– La masse d'armes ? C'est vrai, mon père me l'a raconté, il y était, lui aussi. Les troupes magyares encerclaient la ville, les Byzantins avaient rassemblé tous leurs soldats dans la citadelle mais ils avaient des arcs minuscules, et quand ils faisaient mine de nous menacer, les nôtres se moquaient d'eux. Le siège a duré de longs jours, nous ne pouvions pas entrer, eux ne pouvaient pas sortir, alors nos chefs en ont eu assez. Ils ont écrit un message disant qu'ils se retireraient si l'empereur leur versait dorénavant un tribut annuel. Mais personne n'osait se charger de la missive, ceux de la ville auraient lapidé le messager avant qu'il parvienne auprès de l'empereur. Alors Butond s'est proposé, il a attaché la lettre à sa masse d'armes et a galopé sous une pluie de flèches jusqu'à la porte – on dit qu'elle était haute de cent coudées, en or pur, c'est pourquoi on l'appelait la Porte d'or –, et il y a planté sa masse, ça a fait un bruit de tonnerre…

– Elle n'était pas en or, tout de même…

– Si je le dis.

– On ne peut pas planter une masse dans de l'or…

– Et ensuite, l'empereur a payé.

– Pendant des années.

– Qui en ferait autant de nos jours ?

– Peut-être que les murs nous cracheraient du feu dessus…

– Et Csenke, qu'est-ce qu'il fait ?

– Il ne peut pas rester sur son cul…

– Ses dix mille cavaliers sont là-bas…

– Est-ce que nous n'en avons pas autant ? Si on rassemble…

– Il a donné Keve, il va avoir sa récompense…

Ils se turent en lorgnant de mon côté. Le moment était venu de me retirer. Je les saluai et pris le chemin de mon réduit. Ils ne me répondirent pas. L'inquiétude me reprit, il me semblait avoir déjà vécu cela.

Je parcourus le couloir aux innombrables flambeaux, et en approchant de la chambre d'Armand, mon attention fut attirée par des voix. Je m'immobilisai à quelques pas de sa porte et prêtai l'oreille, ce qui n'avait rien de très condamnable, car il était temps pour moi de m'accoutumer à ce que chez les Magyars on ne pouvait s'informer des choses importantes que par des moyens détournés.

Je reconnus le discours rapide et haché de Sarolt :

– … tu ne penses qu'à toi, à ce qui doit t'arriver, sans tenir compte de ma situation, tu ne cherches pas à savoir où j'en suis, quels sont mes projets, mes rêves, pourtant tu aurais ta place à mes côtés, même si mon sort, si tu dis vrai, est auprès d'un prince qui est à peine un homme…

– Ton sort ? (Armand parlait d'un ton calme, à peine perceptible, presque apitoyé.) Ton sort, c'est ta volonté de devenir l'épouse du prince…

– Mon cœur…

– Ton cœur ? Où as-tu un cœur ? Dans tes bottes ?

– Tu es ignoble !

– Il y a longtemps que tu ne m'as pas parlé ainsi.

– Tu sais très bien ce qui était jadis et ce qui est à présent. Quand mon père était en vie…

– Quand ton père était en vie, il disait, et tu ne peux le nier car tu l'as entendu toi-même, que puisqu'il n'avait pas de fils, il préférait me confier le Pays d'Est, à moi, un Franc, plutôt qu'à ces seigneurs magyars vindicatifs et querelleurs. Je le croyais. J'ai vraiment cru que je pourrais le remplacer…

– Les seigneurs magyars ne t'accepteront jamais.

– Qu'y faire ? Faut-il que je me tresse les cheveux ? Dois-je porter un sabre, sacrifier au Dieu-Ancêtre ? Je le ferai. Mais pour toi et avec toi. Je ne veux pas être le mignon de la princesse.

Sarolt éclata :

– Comment peut-on être aussi têtu, aussi imbu de soi, aussi… égoïste ?! Tu veux toujours me diriger, décider pour moi, comme si j'étais encore en enfance. Je ne puis même pas faire face à mon destin…

– Est-il écrit quelque part que tu dois épouser ce roitelet chétif ? Qui t'oblige à le faire ? Qui, sinon toi-même ? Et tu me demandes de… non, je ne veux pas tremper là-dedans. Pas même pour toi. J'ai toujours su que tu étais prête à tout pour arriver à tes fins, je te connais depuis que tu es toute petite, mais ça… je ne l'aurais jamais cru. Et je ne le permettrai pas…

Je ne compris pas ce que Sarolt répliqua. La porte s'ouvrit à toute volée et la jeune fille sortit en trombe. Par chance, elle ne me vit pas et s'éloigna dans l'autre direction. Quelques instants plus tard, Armand sortit à son tour et la suivit longtemps des yeux. Je fis comme si je venais d'arriver.

Il sursauta en entendant mes pas.

– Stephanus… dit-il machinalement, d'une voix blanche.

Je comprenais enfin les fréquents accès de mauvaise humeur de mon ami. J'aurais compris plus tôt en étant plus vigilant, mais j'ai toujours été aveugle à ce genre de choses. Cette découverte me surprit au point que je fus incapable de donner le change.

– Tu t'es fait une nouvelle blessure avant que l'ancienne soit cicatrisée, lui dis-je affectueusement.

– C'est curieux, tout ce que tu peux voir dans si peu de chose.

Il n'aurait pas dit cela s'il avait su depuis combien de temps je les écoutais.

– Viens boire une coupe de vin avec moi. Avant d'aller dormir, les paroles d'un ami sont le meilleur remède à toutes les blessures.

Je suivis Armand dans sa chambre et m'installai dans son fauteuil. Il faisait froid, le feu devait être éteint depuis longtemps. La pièce m'était familière, ce n'était pas la première fois que j'y venais : la table aux pieds sculptés, les tapis d'Orient et la superbe coupe byzantine en argent incrusté de diamants, qu'il aimait tant, et posait à cet instant devant moi.

– C'est toi qui t'en sers d'habitude, lui rappelai-je. Tu dis toi-même que le vin y est meilleur. Je prendrai le gobelet de bois.

– Maintenant, c'est toi qui bois dans cette coupe. Elle est plus digne de toi.

Son attention me toucha. Après un silence, il reprit :

– Des années reclus dans les montagnes, entre de hautes murailles, à voir s'épanouir une fleur merveilleuse… la protéger, m'occuper d'elle, veiller sur elle. Impossible de ne pas être fou d'elle. D'abord en secret, timidement, puis quand cette fleur commence à répandre son parfum, c'est elle qui vous attire. Montre-moi un mortel qui ne succomberait pas à la tentation de la cueillir si l'occasion s'en présentait. Mais c'est une bien curieuse fleur, Stephanus. En vain la mettras-tu dans un vase, près de la fenêtre pour qu'elle soit au soleil, elle ne peut vivre qu'en plein air. Il faut la replanter là où est sa place. Et si je ne le fais pas, c'est un autre qui le fera.

– Mon pauvre ami. Tu es poursuivi par ton destin sans pouvoir lui échapper.

Il hocha la tête et but une gorgée de vin.

– Et les seigneurs, où en sont-ils en bas ?

– Ils boivent et palabrent entre eux. J'ai un souci, dis-je pour changer de sujet. Gezüja-ur m'a proposé de rester auprès de lui à mon retour de Rome et de participer à son règne.

– Rien que ça !

– Oui. Je dois le prendre par la main et le guider. Pourquoi ai-je l'impression que tout le monde sait ce qu'il attend de moi, alors que j'ignore justement ce que veulent les autres ? Que dois-je faire, à ton avis ?

Il répondit par une question :

– Que peux-tu faire ?

– C'est la question. Et il y a aussi cette lettre. Comment Gezüja peut-il envisager de me confier cette mission ? À Rome, on me connaît comme un moine de Saint-Gall, me prendrait-on au sérieux si je déclarais représenter les païens ? Ne serais-je pas dans la même situation qu'en arrivant ici, ni chair ni poisson ? Et qui plus est, le nouveau pape est fidèle à l'empereur Othon, contrairement au précédent pour qui le Saint-Siège devait être indépendant. Comment m'accueillerait-il, moi que son prédécesseur avait précisément chargé de remettre au prince des Türks un message défavorable à son maître actuel ?

– Il s'intéressera au message, pas à celui qui l'apporte.

– Ce n'est pas ce qui s'est passé ici.

Penché par-dessus la table, il me regarda droit dans les yeux d'un air grave :

– Écoute-moi bien, Stephanus. J'aimerais parler avec toi de choses très importantes, mais avant, il faut que je dorme, l'émotion et le vin sont rarement bons conseillers. Il vaut mieux prendre des décisions au grand jour.

– De quoi s'agit-il ?

– Nous verrons cela demain. J'irai chez toi quand le prince sera parti.

J'allai donc me coucher, l'esprit inquiet. Tout se bousculait dans ma tête, les paroles du prince, le cours de ma vie éventuellement menacé d'être de nouveau dirigé par d'autres.

Je me levai de bonne heure sans me douter que ce jour serait décisif pour moi. Sans doute était-ce le vin que j'avais bu la veille en trop grande quantité, j'avais une faim de loup, et l'impression que ma tête était prise dans un cercle de fer. Le matin, les innombrables torches répandaient une écœurante odeur de suif dans tout le château, ce qui n'arrangeait pas les choses. Je descendis à la cuisine faire préparer un plateau avec des restes de rôti froid et du lait, puis passai dans la salle et m'installai à la grande table en tournant le dos à la porte. J'étais seul. À peine avais-je commencé à manger, j'entendis des pas accompagnés d'un cliquetis d'éperons. Je me retournai.

Bajza-ur se tenait sous l'arc de la porte. Il était habillé de pied en cap, toque, pelisse, sabre au côté. Les autres seigneurs magyars devaient encore se reposer de leur nuit passée à boire. Il vint s'asseoir près de moi, jeta sa toque sur la table et posa son épée sur ses genoux. Son visage barbu prit une expression amicale quand il me regarda.

– Tu t'es levé tôt, Stephanus.

– C'est mon habitude. Surtout quand je meurs de faim.

Il approuva en riant.

– Voilà notre problème, à nous autres qui sommes corpulents. Il nous faut sans cesse manger pour nous tenir en selle.

– Ne veux-tu pas te joindre à moi ?

– C’est déjà fait. Je suis même allé voir si mon cheval avait eu sa pitance.

– Et le prince ?

– Il est parti au point du jour.

Sa main jouait avec une de ses tresses. Il voulait quelque chose. Je lui vins en aide.

– Tu peux parler, Bajza-ur, rien ne peut me couper l’appétit.

– Tu lis dans mes pensées ?

– Je le pourrais même sans savoir lire.

Il gratta son épaisse barbe noire.

– Nous avons longtemps parlé hier soir, dit-il enfin. Nos paroles ont coulé comme le vin, à propos de choses et d’autres, notamment à ton sujet.

– À mon sujet ?

– Eh oui. Certains des nôtres croient que tu es vraiment le fils de Kurszán-künde. D’autres, moins nombreux, pensent que tu n’es qu’un religieux, un émissaire, rien de plus. Moi, je ne sais pas. Comment le saurais-je ? Et toi, quel est ton avis ?

– Tu veux savoir ce que je pense de moi ?

– Pas de moi, pour sûr !

– Cela n’a plus aucune importance.

– Comment donc ! Ce n’est pas important de savoir de qui on est le fils ?

Je réfléchis, voyant bien qu’il tenait à avoir mon avis. Ce que je ne comprenais pas, c’est pourquoi il y attachait une telle importance, justement ce matin-là.

– Pour la paix de ton âme : au tréfonds de mon cœur, je sais que je suis le fils de Kurszán. Même si je suis moine en même temps. Seulement cela ne m’avance à rien ici, puisqu’il y a bien longtemps que les Magyars ont oublié le künde. Je ne leur manque pas.

– On dit que tu t'es mis en route vers l'est avec Keve pour retrouver ton peuple perdu, est-ce vrai ?

– C'est vrai. Mais personne ne sait rien à leur sujet. Zubor-ur m'a raconté que leur trace s'était perdue et que personne ne savait où ils étaient.

Bajza-ur hocha la tête :

– Et si ce n'était pas le cas ?

À présent, c'est moi qui le regardais avec surprise :

– Que veux-tu dire ?

– Si quelqu'un pensait savoir où se trouve le peuple de Kurszán ?

Mon cœur bondit dans ma poitrine.

– De qui s'agirait-il ? demandai-je prudemment.

Bajza-ur resta un instant songeur, puis tourna vivement la tête vers moi :

– Si c'était justement moi ?

Je lui lançai un regard incrédule. Et plein d'espoir. Mais que signifiait cette soudaine sollicitude ? Je ne pus que demander :

– Pourquoi ?...

– Pourquoi je viens te dire cela ? Ou bien pourquoi suis-je celui qui connaît le secret du clan de Kurszán ?

– Les deux. Dans l'ordre.

Bajza-ur sourit derrière sa barbe.

– Je répondrai aux deux. Tu dois connaître le sort de ton peuple, si de grandes tâches t'attendent, comme le prince l'a exposé hier. C'est bien pour cela que tu es venu, n'est-ce pas ? Moi seul sais où ils sont. Je connais le passage qui mène à eux. J'ai commerce avec toutes sortes de gens, et j'apprends bien des choses que d'autres ignorent. J'y suis allé, il y a longtemps il est vrai, mais le chemin n'a pas changé. Alors, si tu veux toujours retrouver ton peuple, je suis prêt à t'aider.

– Le prince…

– Il ne reviendra pas avant six jours au moins. D'ici là, nous aurons fait l'aller et retour. À toi de décider ce qui t'importe le plus…

– Tu as vu mon peuple ?

– Je suis allé là-bas, répondit-il après un silence.

– Comment sont-ils ? demandai-je d'un ton pressant.

– Tu le verras par toi-même.

– Quand ?

Bajza-ur se leva.

– Fais seller ton cheval. Je m'occupe des provisions.

Il sortit d'un pas sonore. Je restai là à contempler le sol comme si je pouvais y lire la réponse à mes questions. Puis je me levai à mon tour. Trêve d'hésitation, qu'il en soit au moins une fois comme je l'ai décidé. Je sortis demander qu'on sellât mon cheval et allai dans ma chambre prendre tous les vêtements chauds que je trouvai, un bonnet, des gants, ainsi qu'une peau d'ours que je fixerais sur ma selle. En descendant, je m'arrêtai un instant devant la porte d'Armand, peut-être fallait-il le mettre au courant ? J'ouvris, mais il n'y avait personne à l'intérieur. Je n'avais plus le temps de le chercher.

Une heure plus tard, Bajza-ur et moi étions en selle et quittions le château. Nous descendîmes dans la vallée par le chemin sinueux, et prîmes la direction du levant en contournant le pied de la montagne. Nous avancions à une allure modérée, afin que les chevaux puissent marcher longtemps sans s'arrêter. Le soleil brillait à l'est, où il montait dans le ciel, mais derrière nous, les sommets étaient enveloppés d'épais nuages gris. Une limite nette séparait cette nuée de l'azur, je demandai à Bajza-ur si cela n'annonçait pas une tempête de neige, mais avec un geste rassurant, il me répondit que nous n'allions pas nous laisser impressionner par quelques petits nuages !

Nous parcourûmes les hautes terres jusqu'à midi sans nous arrêter, en droite ligne vers l'est. Alors nous fîmes halte pour nous reposer, manger un peu et boire quelques gorgées de vin qui, bien que froid, ne tarda pas à nous réchauffer, puis nous remontâmes en selle et repartîmes. Sur le conseil de Bajza-ur, nous évitions les lieux où vivaient des Magyars, car ils n'auraient fait que nous retarder.

– Il y a un village oulaï au pied de la montagne, nous y passerons la nuit, dit-il. À l'époque des loups, il ne fait pas bon dormir à la belle étoile.

L'après-midi, nous vîmes apparaître dans la brume lointaine les contours des Carpates qui barraient l'horizon comme une longue muraille. Les chevaux étaient fatigués, leur pas se faisait moins sûr, j'étais aussi las d'être en selle depuis le matin.

– Ce n'est plus très loin, dit Bajza-ur.

Les collines arrondies devinrent plus escarpées, et les forêts couvraient à présent les pentes au-dessus de nous. Le soir tombait quand nous arrivâmes à un village. C'était une clairière emplie de petites maisons de bois. On entendait partout sonner des clarines de moutons. Les Oulaï connaissaient Bajza-ur, ils l'accueillirent avec respect. Comme il parlait leur langue, il se faisait aisément comprendre et obtenait tout ce qu'il leur demandait. Un homme aux cheveux bruns hirsutes, peut-être le chef du village, vint à notre rencontre. Nous nous installâmes dans une des cabanes, où on nous offrit un gîte et un repas chaud. Bajza-ur n'était guère communicatif. Sa bonne humeur coutumière semblait s'être volatilisée. L'envie me prit de lui demander ce qu'il savait de mon peuple, quand il les avait vus pour la dernière fois, mais il répondit du bout des dents par bribes indistinctes, puis ne tarda pas à s'assoupir et dormit jusqu'au matin en ronflant comme un sanglier.

Il se leva au point du jour. Notre hôte nous offrit du fromage frais et des galettes de pain, puis nous nous mîmes en route.

Les chevaux avaient aussi repris des forces au cours de la nuit, ils gravissaient les pentes avec entrain. Après le long hivernage à l'écurie, cette escapade inattendue qui mettait leurs forces à l'épreuve leur faisait du bien. À mesure que les sommets se dressaient plus haut vers le ciel, les sentiers devenaient plus escarpés. Quand je me rendis compte que nous étions entourés de hautes falaises, Bajza-ur arrêta son cheval. Il réfléchit un instant, regarda de tous côtés, puis changea de direction.

– C'est par là, dit-il.

Les montagnes finirent par masquer le ciel. Je n'avais aucune idée d'où nous étions. Bajza-ur dirigeait sa monture tantôt d'un côté, tantôt de l'autre, je le suivais. Il cherchait le passage qui permettait de franchir ces montagnes. Le problème, c'est qu'il y en avait plusieurs. Vers midi, nous parvînmes dans une combe. Un filet d'eau murmurait entre des blocs de neige spongieuse, la fonte des neiges avait commencé. Le ravin n'était pas très large, il y avait juste la place d'un chariot de part et d'autre du ruisseau surplombé de parois verticales qui semblaient toucher le ciel. Nos chevaux avançaient au pas sur les pierres glissantes. Le vent glacial qui parcourait la combe me mordait au visage. Bajza-ur enfonça son bonnet jusqu'aux yeux et prit la tête, je lui emboîtai le pas le long du petit cours d'eau.

Après deux heures de marche, le ravin s'élargit, les parois s'écartèrent devant nous. Nous étions parvenus de l'autre côté. Devant nous s'étendait un immense plateau, du moins pouvait-on le présumer immense, car l'horizon se perdait dans un brouillard blanc, et aussi loin que portait notre regard, tout semblait plat, nulle colline, nulle montagne ne nous barrait la vue. Après le ravin, l'apparition inattendue de ce vaste espace m'emplit le cœur d'un sentiment de liberté.

– Il n'y a qu'à continuer, dit Bajza-ur. Nous sommes sur le bon chemin, ma mémoire ne m'a pas trahi.

Il éperonna son cheval et partit en avant. Je suivis son exemple et nous galopâmes à vive allure sur le grand champ de neige. Entre-temps, le soleil avait disparu, dissimulé par un épais brouillard. Mais qu'avais-je à faire du soleil ? Je me croyais près du but. Je volais presque sur les traces de Bajza-ur, nos chevaux prenaient plaisir à la course. Le brouillard commença à se dissiper, et nous nous arrêtâmes au bord d'une rivière.

– Ils sont encore loin ?

– De l'autre côté, répondit-il comme pour lui-même.

Ayant trouvé le gué, nous engageâmes nos chevaux dans l'eau glacée. Cela ne leur plut guère et ils le manifestèrent en bronchant de colère. Je gardais les yeux fixés au loin, guettant le moment où mon peuple apparaîtrait.

Au bout d'une heure, je revins à la charge :

– Nous sommes au bout du monde, Bajza-ur !

– Il s'en faut de peu.

Soudain, je distinguai quelque chose, mais ne voulus pas en croire mes yeux. De petits tertres, des buttes de terre. Des maisons à demi enterrées comme celles des Túrs ! Il me revint à l'esprit que ces tribus étaient apparentées. Les battements de mon cœur s'accélérèrent. En arrivant là-bas, pensai-je, je sortirai le Togrul de ma bourse et l'accrocherai autour de mon cou. Ils le reconnaîtront, sans aucun doute. Qui s'en souviendrait, sinon eux ? Je forçai mon cheval autant que je le pus, distançant même Bajza-ur à l'approche du village.

Je galopai entre les maisons. Tout était semblable au village de Keve, les fossés entourant les habitations, les petites fenêtres, je ne me rendis pas compte tout de suite, et pourtant, j'aurais dû…

Le village était bien plus étendu que celui de Keve, c'était une véritable ville. Je le parcourus d'un bout à l'autre, menant mon cheval par les rues entre les maisons, sans rencontrer âme qui vive. Je ne comprenais pas : où étaient les habitants ? J'appelai, quelqu'un allait bien se montrer. Je sautai à terre, ouvris la porte de la maison la plus proche et en descendant l'escalier dans la pièce obscure, je vis qu'elle n'était plus habitée depuis longtemps, tout était vide, abandonné, dénudé.

J'entrai dans la suivante, puis dans une autre, et dans plusieurs encore, de plus en plus triste, peut-être ai-je même pleuré, sinon qu'était donc ce goût salé dans ma bouche ? Les gens avaient disparu, je ne trouvai que quelques objets oubliés, des plats ébréchés, des chaudrons noircis, des foyers pleins de cendres…

Je courus rejoindre Bajza-ur qui tenait mon cheval par la bride. Il n'avait même pas mis pied à terre et me considérait d'en haut, d'un air sombre.

– Où sont-ils ? lui demandai-je avec colère et reproche. Où est mon peuple, Bajza-ur ? Tu as dit que je les trouverais ici !

– Ils sont partis, fit-il d'une voix rauque.

– Comment cela, ils sont partis ? !

– Partis. Il y a longtemps. De nombreuses années.

Les mots se bousculaient en moi.

– Quand j'étais jeune, j'ai appris qu'ils vivaient ici, poursuivit-il. C'est un marchand grec qui me l'a dit. Je suis venu par ici et je les ai vus. Mais à cette époque ils songeaient déjà à repartir. Qui eût cru qu'ils parlaient sérieusement ?… Quelques années plus tard, quand mon second fils est né, je suis revenu, je voulais ramener quelqu'un qui raconterait à mon petit les légendes magyares des temps anciens que le peuple de Kurszán avait conservées. Mais je n'ai plus trouvé personne. Tout était déjà comme maintenant. Ils étaient partis vers le levant, d'où nous sommes tous venus…

– Tu le savais ? Tu l'as su tout ce temps, et tu m'as quand même amené ici ? Pourquoi ?

– Pour que tu restes en vie.

Je le regardai en colère, le sens de ses paroles m'échappait. Il s'expliqua :

– Hier soir, les seigneurs magyars ont décidé de se débarrasser de toi. Tu les gênes. Sarolt voulait que je le fasse…

– Sarolt…

– Surtout Sarolt. Elle craint, si tu demeures auprès du prince, que Gezüja t'écoute au lieu d'obéir à sa volonté à elle. Elle voit en toi le plus grand obstacle à la réalisation de ses projets.

Je le regardai au fond des yeux, sans rien dire.

– Et tu as accepté de me tuer…

Bajza-ur détourna le regard.

– J'ai accepté de te faire disparaître du château, de l'entourage de Gezüja-ur. Si cela peut apaiser ta rancœur à mon égard, j'avoue que je n'ai pas pu me résoudre à faire couler ton sang. J'ai beaucoup réfléchi hier : j'ignore si tu es le fils de Kurszán ou non, mais je ne lèverai pas la main sur toi. Au moins n'aurai-je commis nulle faute à la face du Dieu-Ancêtre. Les loups et le froid obéissent au Dieu-Ancêtre, qu'ils se chargent de toi, et s'il a des projets pour toi, il te protégera d'eux. Va ton chemin. Tu voulais voir ton peuple ? Marche sur ses traces. Vers le levant. Ou bien va où tu veux. Mais ne reviens jamais. Si les seigneurs magyars te retrouvent, point de salut. Que ton Dieu soit avec toi, Csaba-ur, ou qui que tu sois…

Il fit demi-tour et partit, tenant toujours mon cheval par la bride.

Je n'avais plus assez de force ni de volonté pour le rappeler. Il s'arrêta au bout de quelques pas, détacha de ma selle la peau d'ours et la gourde de vin et les lança dans la neige. Puis il repartit sans un mot au galop et disparut bientôt dans le brouillard.

Je restai seul dans la plaine infinie, au bout du monde. Autour de moi, le village mort, demeure fantomatique d'un peuple disparu. Il me sembla superflu de réfléchir. J'en étais d'ailleurs incapable. Tout était devenu simple. C'était la fin. Mon chemin ne menait nulle part, il s'arrêtait là, dans ce village désert. Mais je n'avais pas la force d'y rester. Il fallait partir. Le plus loin possible. N'importe où, loin de Kurszán, du künde, de Csaba-ur. Repensant soudain à Saint-Gall, je frissonnai en songeant combien j'étais loin de mon monastère. J'étais même incapable d'en évoquer l'image. À l'est, c'était le pays barbare, une terre inconnue, sans limites. À l'ouest, tout ce que je voulais fuir. Je me résignai. Si Dieu avait encore des desseins pour moi, Il ferait ce qu'Il juge bon. J'étais certain, je l'avoue, que là où j'étais, au bout du monde, même Lui avait fini par m'oublier. S'Il ne pouvait rien trouver de mieux que ce qu'Il avait fait jusqu'alors, il valait mieux qu'Il n'ait plus d'intentions à mon égard. Je préférais les loups, et la froidure.

J'allai à pas traînants jusqu'à la peau d'ours, en fis un ballot que je calai sous mon bras, et bus une lampée de vin sans me soucier de savoir combien il en restait. Puis je partis dans le brouillard. Peu m'importait où j'allais, je n'aurais d'ailleurs pas pu m'orienter dans cette blancheur opaque. J'enfonçais dans la neige jusqu'aux chevilles et me rendis compte avec satisfaction que je n'y voyais pas à plus de dix pas. À quoi bon voir plus loin ? Marcher. Marcher. Je voyais sans cesse apparaître un nouveau petit morceau de monde, comme s'il venait seulement d'être créé.

Devant moi, derrière moi, plus rien n'existait. Comme pour se jouer de moi, des instants de ma vie passée se mirent à défiler dans mon esprit, une sorte de rêve éveillé. Les corneilles et la rivière, le scriptorium, l'odeur du parchemin, les bruits de la cour du monastère. La vigne m'apparut, et je pensai aux chauds après-midi passés sur le coteau parmi les pieds de vigne… Il me revint aussi, ce qui n'était sans doute pas dû au hasard, un événement important que j'avais presque oublié. Cela s'était passé très longtemps auparavant, j'étais encore novice. Dans un village proche du monastère, un voleur qui pillait les maisons pendant la peste avait été pris sur le fait. Les villageois l'avaient condamné à mort. Nous étions descendus au village avec le père Hilarius pour confesser le condamné et lui donner les derniers sacrements. Il était enfermé dans une écurie, enchaîné à une roue de chariot. En voyant cet homme qui avait été cruellement torturé, je pensai, d'une manière fort peu convenable, au Christ en croix. Tandis que le père officiait, je fus pris de nausée, jamais je n'avais vu de corps humain aussi dégradé. Le visage du condamné n'était qu'une plaie, il lui manquait une oreille, ses tempes étaient couvertes de sang. Mais il vivait encore, et tenait encore assez à la vie, car il criait et suppliait, cherchant à arracher ses liens. Ses lèvres tuméfiées laissaient échapper tantôt des gémissements étouffés, tantôt un flot d'imprécations à notre encontre, si violentes que j'en avais froid dans le dos. Le malheureux voulait vivre. J'avais pourtant peine à croire que ce monstre vociférant fût encore un être humain. Puis le père et moi avons quitté l'écurie et sommes allés au pied du gibet attendre l'exécution. Je n'ai pas eu la force de regarder. Quand la corde s'est tendue, j'ai baissé la tête. Mais à présent, je revoyais le moment où le condamné était sorti de l'écurie. J'avais cru qu'il faudrait le traîner dans la fange au bout de sa corde, mais ce n'est pas ainsi que cela s'est passé. Il est sorti sur ses deux jambes, la tête haute, sans un mot. Il trébuchait, marchait avec peine, mais il avait le regard clair, braqué vers l'inconnu, par-dessus les toits, comme s'il savait où il allait. Son visage martyrisé était impassible et apaisé. La foule autour de lui s'étonnait en silence. Il s'était produit quelque chose dans l'écurie, quelque chose que je n'avais pas compris à l'époque. C'est seulement là, seul au bout du monde, que je le compris. Ce malheureux avait peut-être ressenti, comme moi à présent, que les choses se mettaient définitivement en place, que tout était résolu, une fois pour toutes…

Comme le soir tombait, le vent se renforça. Il faisait froid. L'obscurité s'ajoutant au brouillard, je n'y vis plus rien. Il se mit à neiger. Je m'arrêtai et criai ma colère au ciel :

– Les loups aussi, Seigneur, ne les oublie pas !

Le vent soufflait de plus en plus fort. La tempête soulevait des tourbillons de neige et me transperçait jusqu'aux os. Bien, pensai-je, c'est la fin.

Je vidai ma gourde jusqu'à la dernière goutte, puis je déroulai la peau d'ours, m'en enveloppai et me remis à marcher jusqu'à épuisement. Je me souviens encore de mes derniers pas. Les hurlements du vent, l'obscurité, la neige qui me cingle le visage. À demi conscient, au-delà de toute souffrance, je m'allonge sur la neige. Je suis heureux, tout est fini, je suis au-delà de tout, j'ai chaud, je suis en paix, de retour chez moi, assis au bout de la vigne, sur le coteau verdoyant, le soleil d'été me caresse le visage, j'entends murmurer le feuillage du cerisier, j'entends aussi une voix, les sanglots étouffés d'un enfant tout près de moi, en effet, je le vois, un petit enfant qui appelle, pleure, se plaint, il s'est perdu dans la montagne, il n'est pas d'ici, son village est de l'autre côté de la forêt, puis-je l'aider à retourner chez lui ? Il a peur tout seul, je dois l'accompagner. Saisi de pitié, je le prends par la main et nous nous dirigeons vers la forêt, tous les deux, l'enfant et moi, nous descendons lentement la colline dans l'herbe verte, je lui raconte une histoire pour le réconforter, ne pleure pas, je te ramène chez toi, tu verras, il fait chaud…

C'est ainsi que je suis revenu à moi. J'avais chaud. Cette chaleur était étrange : je transpirais tout en sentant que mes os étaient de glace. J'ai d'abord cru que j'étais encore dans la plaine enneigée. Je m'étonnais aussi de trouver la mort si belle. C'est de cela que les hommes ont si peur ? De cet apaisement ? J'attendais les anges. Pourvu que je ne sois pas tombé en enfer, pensai-je, mais après tout, si l'enfer est aussi plaisant, pourquoi pas l'enfer ? On n'y trouve d'ailleurs que des hommes… Alors j'entendis des voix. Des mots étrangers que je ne comprenais pas. Ainsi les anges parlaient une langue particulière ? Bon, je l'apprendrai. J'ai peut-être même souri. Mais ces voix ne me laissaient pas en paix, elles étaient de plus en plus proches, de plus en plus distinctes. Soudain, l'une d'elles dit quelque chose que je compris :

– *Dominus curat suos.*

Le Seigneur prend soin des Siens.

Je connaissais cela. Je l'avais déjà entendu. Tournant lentement la tête, j'ouvris les yeux, et quand ma vision fut nette, j'aperçus le visage d'Armand penché sur moi.

– Alors, te revoilà, Stephanus ?

– La tempête (j'ignore pourquoi je commençai par cela), la tempête est-elle passée ?

– La tempête de neige ? Cela fait deux jours qu'elle a cessé.

J'étais couché dans une cabane, recouvert d'un tel amas de fourrures que je pouvais à peine bouger. Près de moi, un feu ronflait dans un poêle aux flancs rougis.

– Où sommes-nous ? Au paradis ?

– Si c'est à cela que ressemble le paradis, nous sommes mal partis ! Je suis heureux que tu sois en vie.

Il avait raison. C'était une masure délabrée, deux hommes y tenaient à peine, c'était peu pour les cieux. Mais assez pour l'enfer.

– Comment…

J'aurais voulu poursuivre ma question, mais j'avais la bouche si sèche que ma langue resta collée. Armand me donna du vin.

– C'est bien que tu sois revenu à toi. Il nous faut vite partir. Les Oulaï m'écoutent, mais je ne leur fais pas confiance.

– Partir ? demandai-je avec amertume. Où, encore ? Je croyais être enfin arrivé…

– Il y a un proverbe par ici : la neige ne tombe pas pour recouvrir la trace des loups mais pour qu'on la découvre. Sans les loups, tu serais resté là-bas, de l'autre côté des montagnes.

Alors il me raconta.

Le soir où j'avais surpris leur dispute, Sarolt lui avait révélé que les seigneurs magyars voulaient se débarrasser de moi pendant l'absence du prince. Comme ils savaient que j'avais confiance en Armand, ils voulaient qu'il s'en charge. Il devrait m'emmener dans la montagne et m'y abandonner. Ils n'osaient pas aller jusqu'à me tuer, afin que nul ne puisse les accuser ensuite d'avoir sur les mains le sang de l'homme du prince, et préféraient s'en remettre à la montagne et aux loups. Armand refusa, restait Bajza-ur. Lui savait par quel moyen m'attirer. Mais Armand le surveilla toute la nuit au château et quand nous nous mîmes en route le matin, il nous suivit de loin sans se faire remarquer. Il vit Bajza-ur retraverser seul la rivière, avec mon cheval. Dans la neige, il suivit les traces sans peine, mais quand la tempête se leva, il faillit se perdre. À l'aube, le vent s'apaisa, il reprit ses recherches mais les traces des chevaux étaient effacées. À la place, il vit des empreintes de loups qui le menèrent à un tas de neige. Enseveli en dessous, j'étais resté hors d'atteinte des fauves, ils avaient renoncé, et quand Armand m'eut déterré, il me restait un souffle de vie. La peau d'ours et le vin m'avaient sauvé. Il retourna au village abandonné, prit une porte en planches qu'il attela à son cheval en guise de traîneau et revint me chercher. Les choses se compliquèrent à la rivière, il dut me hisser sur la selle et marcher à côté du cheval dans l'eau glacée.

– Tu es plus lourd qu'un ours ! dit-il pour me taquiner.

Il s'arrêta au premier village pour demander de l'aide. Les villageois obéirent à contrecœur, Dragus, leur chef, leur avait interdit de laisser entrer tout étranger.

– Mais je connaissais ce Dragus. Et quand je leur eus dit de le faire venir, que j'avais besoin de lui, ils m'ont enfin donné une cabane.

– Et lui, pourquoi nous a-t-il aidés ? Ce Dragus n'est-il pas à la solde des seigneurs magyars ?

– Zubor-ur est mort. Dragus le respectait, et peut-être moi avec. Il fait ce que je lui demande.

– Que lui as-tu demandé ?

– De nous conduire hors des terres de l'Est. De nous faire sortir des montagnes, vers l'ouest.

Je réfléchis.

– Et ensuite ?

Il passa la main sur sa balafre et jeta entre ses lèvres serrées :

– Ensuite nous quittons ce maudit pays, nous rentrons chez nous, Stephanus, en Occident, parmi les nôtres. J'en ai assez de ces peuplades ! Regarde-les : il n'y a pas si longtemps, leurs armées assiégeaient Constantinople, l'obligeaient à payer un tribut, en même temps ils attaquaient Brême et guerroyaient contre les Sarrasins en Hispanie ! La moitié du monde était à leurs pieds. Et à présent ? C'est la curée, ils se disputent le dernier os qui leur reste…

Il parlait avec une profonde amertume. Je vis de la tristesse dans ses yeux.

– Tu les aimes donc à ce point ?

Il baissa la tête.

– C'était mon peuple, dit-il à mi-voix. Il y eut un temps, très bref, où je n'avais que lui. À présent, il ne m'est plus rien. Il m'a dépassé et m'a enseveli.

Puis il se leva brusquement.

– Trêve de jérémiades ! Nous avons une longue route à faire.

Il me regarda en haussant les sourcils.

– Je t'ai apporté quelque chose.

Il sortit en courant et revint bientôt avec un paquet de chiffons qu'il déposa sur ma couverture. L'étoffe était mouillée. Je la dépliai. Le rosier, celui du château de Zubor-ur.

– Le Rosier de Künde. Il est à toi. Emporte-le, que veux-tu qu'ils en fassent ? Ils n'ont même pas voulu de toi. Avec un peu de chance, il vivra encore quand nous arriverons chez nous. Il suffit de maintenir l'étoffe humide.

Je le remerciai. Ma sacoche contenait déjà un objet inutile, j'y ajoutai le rosier, et ne tardai pas à m'endormir pour me réveiller bien plus tard, le soir. Le froid glacial qui me mordait les os s'était dissipé, je me dégageai des fourrures et sortis à l'air frais. L'obscurité régnait, tout était calme. Les petites maisons dormaient. Seule une fenêtre laissait filtrer une faible lueur vers laquelle je me dirigeai pour me dégourdir les jambes. En approchant, je reconnus la voix d'Armand.

J'entrai dans la maison.

Ils étaient trois dans la pénombre enfumée. À côté d'Armand, j'identifiai aussitôt Dragus, le chef oulaï, sombre géant sur lequel on ne pouvait se méprendre. Je ne reconnus pas tout de suite le troisième personnage. Je le regardai, ébahi, ne pouvant croire mes yeux, car je n'imaginais pas le revoir un jour. Il s'agissait de Jutas, le fils de Keve.

Son visage s'éclaira, il se précipita vers moi et me donna une rude accolade :

– Csaba-ur ! Mon cher Csaba-ur... je croyais ne plus jamais te revoir !

Ces effusions m'embarrassèrent quelque peu. Il se retira vite et ses traits juvéniles se durcirent en une expression virile.

– Je suis heureux de te voir, Csaba-ur !

– Moi de même, répondis-je (et je le pensais vraiment). Mais que fais-tu ici ?

Dragus intervint :

– Bienvenue, bureux meger. Loups failli manger bureux meger, hein ? Viens, boire un peu vin !

Je pris place à la table avec eux.

– Que fais-tu ici, au bout du monde ? demandai-je de nouveau à Jutas.

Dragus lui donna une bonne bourrade dans le dos et répondit encore à sa place.

– Petit Meger ici dans montagne depuis dix jours, brave petit Meger, marcher tout seul dans forêt, Dragus trouver lui !

– Comme l'hiver finissait, j'ai voulu retrouver mon père, dit enfin Jutas. Tout ce que je savais, c'est que Gezüja-ur vous retenait au château de Zubor-ur. Mais le géant oulaï que voici m'a empêché d'aller plus loin que son village.

– Pas moi, non, pas moi, affirma Dragus. Zubor-ur brave homme, très gentil, moi connaître, lui mort. Ensuite beaucoup tracas entre sieurs megers dans montagne, jeune prince meger venir au château, moi pas content. Petit Meger mieux chez moi. Moi penser : pas bien, beaucoup ennuis si moi laisse aller petit Meger au château. Lui dire attaquer château tout seul, avec petite épée... Moi dire arrête, toi dire bêtises, après Dragus avoir ennuis parce que lui laisser petit Meger traverser forêt, avec petite épée contre prince…

– Tu voulais attaquer le château ? demandai-je, ébahi, à Jutas.

– Je l'ai dit comme ça, répondit-il, l'air ennuyé. Je ne savais rien de mon père, ni de toi. Gezüja avait fait savoir aux Túrs par un messager que la vie de mon père était entre ses mains et qu'il déciderait bientôt s'il nous enverrait sa tête au bout d'une pique ou cousue dans un sac. J'ai attendu tant que j'ai pu, mais à la fin de l'hiver, n'en pouvant plus, je me suis mis en route. Je pensais parlementer avec le prince, le supplier de vous libérer, mon père et toi, puis vous ramener chez les Túrs, nous aurions continué de vivre en paix, le künde et ce qui restait de son peuple…

Armand éclata de rire.

– Tu croyais sérieusement que le prince accepterait ?

– J'aurais pu le menacer !

– Toi ? Mais de quoi ?

– De n'importe quoi. De soulever le peuple contre lui. Je serais allé trouver Butond-ur et serais revenu avec une armée… déclara Jutas avec un regard résolu.

Dragus secoua la tête.

– Petit Meger fou !…

Il me faisait presque pitié.

– Il n'y a plus besoin d'armées, dis-je pour l'apaiser. Ce qui est passé est passé.

– Non ! protesta crânement Jutas. Les troupes de Butond-ur, vingt mille cavaliers…

– Butond-ur t'aurait ri au nez, l'interrompit Armand. Le prince lui a promis bien plus. Il lui donnera une bonne partie des terres du défunt Zubor-ur et gardera le reste quand il aura épousé Sarolt. Je sais ce que je dis, crois-moi, j'y étais quand il a parlementé avec les seigneurs. Butond-ur ne se souviendra même pas d'avoir jamais entendu parler du retour du künde.

Le silence se fit. Curieusement, Jutas n'avait pas sursauté au nom de Sarolt. Quelques mois auparavant, il la considérait comme une déesse. Entre-temps, le feu s'est manifestement éteint en lui, pensai-je.

– Mais mon père ?... demanda-t-il à mi-voix.

– Il vivra, répondis-je. Le prince m'a donné sa parole de lui laisser la vie sauve, si...

Je me tus. Ce « si » ne valait désormais plus rien. Je ne porterais nulle missive à Rome. Et Gezüja ne me pardonnerait pas d'avoir renié ma parole. Je ne pouvais qu'espérer qu'il ne se venge pas sur Keve.

– Si quoi ?... demanda Jutas avec impatience.

– Si les Túrs restent pacifiques, mentis-je. Mais était-ce bien un mensonge, n'avais-je pas dit une autre vérité, plus acceptable ?

– Demain, nous partirons vers l'ouest, dit Armand comme pour annoncer une chose sur laquelle il ne reviendrait pas. Avant que Gezüja regagne le château et qu'il lui vienne l'idée de nous faire rechercher...

– Franc avoir raison, s'empressa d'approuver Dragus.

– ... Tu peux venir avec nous si tu veux, et retourner chez toi, auprès des Túrs.

– Et vous ? demanda brusquement Jutas en me regardant.

Mais c'est Armand qui répondit :

– Nous aussi, nous rentrons chez nous.

Jutas ne demanda pas où.

Le lendemain matin, nous partîmes à quatre. Dragus nous guida à travers les épaisses forêts, personne ne savait mieux que lui comment traverser les terres de l'Est sans être remarqué. Avançant sans nous presser, nous évitions les contrées habitées, ne quittant pratiquement pas l'abri de la forêt, nous dormions sous la tente et ne faisions du feu que le jour. Et le Tout-Puissant semblait nous sourire, car il nous a accordé du beau temps, il faisait certes froid, mais le ciel ne nous a envoyé ni tempête ni neige. Le quatrième jour, alors que la plaine s'étendait enfin devant nous, Dragus nous a laissés continuer seuls. Jutas connaissait le chemin. Nous avons remercié le géant oulaï pour son aide et en guise d'adieu, il nous a juste dit :

– Seigneurs megers venir et partir, seul Dragus rester.

À partir de là, nous avons avancé plus vite. Par chance, il ne gelait plus, si bien que nous avons traversé le Tisszó sans encombre. Armand a payé les Sarrasins avec des dirhams arabes, et ils ne nous ont pas demandé qui nous étions ni où nous allions. Seul l'argent les intéressait, ils ne s'occupaient pas des affaires du pays. L'un d'eux, il est vrai, ne cessait de m'observer, j'ai pensé qu'il me reconnaissait, il n'avait sans doute pas oublié comment Keve l'avait obligé à nous transporter la dernière fois. Sur l'autre rive commençaient les terres de Csenke-ur, et nous accélérâmes encore l'allure. Lors d'une halte, Jutas raconta ce qu'il était advenu de l'armée de Keve après la trahison de Csenke-ur.

– Gezüja avait toujours une longueur d'avance. Quand nous croyions, plutôt quand mon père croyait agir avant lui, il faisait en réalité ce que le prince souhaitait. Si, au lieu de laisser l'armée, il était entré avec elle au camp de Csenke-ur, les choses auraient sans doute pris une tournure différente. Nous aurions pu nous battre, même au prix de nos vies, mais nous n'aurions pas abandonné notre bien lâchement, sans décocher une seule flèche. Nous n'aurions pas été contraints de diviser nos troupes et d'en laisser une partie au camp, l'autre au fort. Lorsque Agolcs revint au camp de l'Ouest sur ordre de mon père afin de rassembler les cavaliers, l'armée de Gezüja-ur l'occupait déjà. Sans hadour, nos hommes n'ont pu faire face au prince. Ils se sont joints à lui, il n'a eu qu'un mot à dire. De toute façon ils n'auraient eu aucune chance, ils étaient trop peu nombreux. Quant à la garnison du fort, les hommes de Gezüja l'ont mise en déroute et se sont emparés du château. Ils ont massacré les seigneurs qui avaient participé à la conspiration. Puis ils sont venus au village où je m'étais réfugié, mais ils ne nous ont fait aucun mal. Ils n'y ont pas trouvé d'hommes aux cheveux tressés, et n'avaient manifestement aucun ordre me concernant. Ils se sont bornés à nous transmettre le message par lequel Gezüja menaçait de tuer mon père.

– Et Agolcs ?

Jutas eut un rire amer.

– Agolcs ? À présent, c'est lui l'homme fort. Il n'était rien, il est maintenant quelqu'un. Gezüja lui a confié le pays d'Ouest, jusqu'à ce que Kolpány, le fils de Tar que tu as protégé, atteigne l'âge adulte.

Il sait ce qu'il fait. Donne un domaine à un homme affamé, il te servira loyalement.

Je pensais aussi à quelqu'un d'autre, ce n'était pas la première fois, mais je n'avais pas encore eu le courage d'en parler.

– Qu'est devenue Aruna ? Que sais-tu d'elle ?

– Elle est en vie, répondit-il en se préparant. Je l'ai emmenée chez les Túrs en quittant le fort…

Sur le moment, je ne sus comment lui exprimer ma reconnaissance, et je n'en eus pas l'occasion, car nous nous hâtâmes de partir.

J'aurais pourtant voulu le presser de questions au sujet d'Aruna, comme lui-même m'avait naguère questionné à propos de Sarolt. J'aurais voulu qu'il me parle d'elle, qu'il me la décrive afin que je revoie son visage, ses yeux, ses cheveux bruns soyeux. Je m'efforçais d'évoquer son image, mais curieusement, plus je m'en approchais, plus le souvenir de son visage semblait s'estomper.

Je réfléchis longtemps à ce que j'allais faire. Armand voulait retourner dans son pays, mais moi, le voulais-je aussi ? Sa place était là-bas, mais la mienne ? Avais-je une place ? Retourner au monastère, sous la règle sévère ? Je me sentais attiré là-bas, mais en même temps je n'étais pas certain de vouloir quitter le monde nouveau que j'avais appris à connaître ici. Ma vie était en danger, je le savais. Cependant, j'avais l'idée que si je parvenais à emmener Aruna loin du prince, peut-être dans le Sud, sur les terres de Butond-ur, ou près du Lac, chez les Avars, je pourrais recommencer une nouvelle vie. Je rêvais, mon cher Alberich, tel un jouvenceau qui ne veut pas tenir compte du monde qui l'entoure. Il vaudrait peut-être la peine d'essayer, pensais-je. J'en parlerais à Armand quand nous arriverions chez les Túrs.

Nous fîmes halte peu avant le Danube. Jutas monta en haut d'une colline puis nous fit signe de mettre pied à terre. Nous le rejoignîmes en menant nos chevaux par la bride.

De l'autre côté de la colline, des éleveurs nomades longeaient le fleuve. Hommes, bêtes et chariots bâchés déferlaient en rangs serrés, un interminable défilé qui progressait vers le sud, accompagné de beuglements qui résonnaient dans la vallée.

– Les Magyars éleveurs de Csenke-ur, dit Jutas. Ils vont vers les pâturages d'été.

Nous jugeâmes plus prudent d'attendre qu'ils nous aient dépassés, si bien que le soir tombait quand les Sarrasins nous firent passer le fleuve.

Deux jours plus tard, au coucher du soleil, nous arrivions à proximité du village des Túrs. Nous nous arrêtâmes et Jutas partit en éclaireur. Armand était convaincu que même si le prince avait envoyé des hommes à notre recherche, ceux-ci étaient au moins à deux ou trois jours derrière nous. C'était bien le cas. Jutas annonça à son retour que tout était normal. En chemin vers le village, je vis qu'il était préoccupé. Il évitait mon regard, mais ne s'éloignait pas de moi, comme s'il voulait me dire quelque chose sans savoir comment s'y prendre. Cette fois, je ne lui vins pas en aide. Si c'était important, il finirait bien par parler.

– Csaba-ur… tu sais, je serais très triste si tu étais fâché contre moi.

– Ai-je une raison de t'en vouloir ?

– Eh bien… quand tu es parti vers l'est avec mon père, tu te souviens, tu étais déjà en selle, et tu m'as dit… tu m'as demandé de veiller sur Aruna en ton absence…

– Bien sûr, je m'en souviens. Et tu l'as fait, je ne sais comment te remercier de ne pas l'avoir laissée au fort, à la merci des hommes de Gezüja…

– Attends avant de me remercier.

Je le regardai sans comprendre.

– Est-elle en vie ou non ?

– Oui, elle est vivante, je te l'ai dit.

– Alors elle est blessée, infirme ?

– Non, il ne lui est rien arrivé, seulement…

Je commençais à perdre patience.

– Seulement quoi ? Parle, à la fin !

Il se tortillait sur sa selle comme s'il ne trouvait pas la bonne position.

– Tu sais qu'en quittant le fort, je l'ai amenée ici, dans mon village, puis les nouvelles sont arrivées, et les hommes de Gezüja, alors nous avons compris que le plan de mon père avait échoué, ils ont dit que Gezüja te retenait prisonnier avec mon père, là-bas, dans l'Est, personne n'a cru vous revoir jamais, personne… L'hiver est venu, nous étions bien seuls, tu sais, Aruna aussi… tu comprends… comment dire… Aruna et moi…

Il me regarda droit dans les yeux. Je compris.

Ma première pensée fut de l'assommer sur place si je pouvais l'atteindre. Il lut sans doute mon intention dans le regard furieux dont je le fixai et se remit à parler très vite :

– Tu dois comprendre, Csaba-ur, je l'ai accueillie chez moi, une femme seule, elle ne pouvait traîner dans le village, elle n'avait nulle part où aller…

Ne lui en tiens pas rigueur, Aruna a cru que le künde était perdu, qu'elle n'avait plus personne à attendre... et les jours passant, les choses sont venues d'elles-mêmes. Ma conscience me tourmentait...

– Ta conscience ?

– Oui, elle me tourmentait vraiment. Nous étions certains que Gezüja t'avait tué, en fin de compte tu étais son ennemi, et l'hiver qui n'en finissait pas...

Il parla, parla. La première émotion passée, je ressentis le vide dans mon cœur et attendis d'être envahi par la souffrance. Le chagrin, la tristesse. Nous approchions du village, mais je ne ressentais rien. Nul chagrin, nulle tristesse. Ma colère aussi n'avait été qu'une flambée.

– ... Armand m'a dit que vous vouliez retourner en Occident, alors dis-moi, que serait-elle devenue ? C'est mieux pour elle ainsi, qui sait, si elle avait été enlevée par les hommes de Gezüja... Je veillerai sur elle...

– Je te crois volontiers, dis-je avec acrimonie.

Mais je savais déjà que je ne lui en voudrais pas longtemps. Jusqu'à la première maison peut-être, jusqu'à la première butte de terre...

Il continuait de se justifier. Je l'interrompis :

– Arrête. Je ne t'en veux pas.

Il me regarda d'un air incrédule. Il faisait presque nuit, je voyais à peine son visage.

– Tu ne parles pas sérieusement...

– Si. Armand dit la vérité, nous retournons chez nous. Je n'aurais pas pu emmener Aruna. Tu vois, Dieu pourvoit à tout. Tôt ou tard.

Ensuite nous gardâmes le silence. Armand, qui avait entendu notre conversation, vint chevaucher à côté de moi, sans un mot. C'est ainsi que nous arrivâmes au village. Jutas mit à notre disposition la maison qui était autrefois celle de Keve. Il nous invita à partager son repas et me dit qu'Ejnek voulait me voir. Je déclinai sa chaleureuse invitation et ajoutai que je ne voulais voir personne, pas même Ejnek. Personne.

– Dis seulement à Ejnek de ne plus chercher le peuple de Kurszán. Il a disparu.

Il nous quitta à la fois triste et troublé. Après son départ, je restai longtemps assis sur les coussins près de la table basse, jambes croisées comme naguère, quand j'avais passé de longues semaines au village en venant dans ce pays. Les yeux fixés sur la fenêtre obturée d'une vessie, juste sous le plafond, je cherchais en moi les traces de Stephanus.

Jutas nous fit porter du vin et de la nourriture. Je n'avais pas faim. Armand mangea, nous servit du vin, mais il ne parlait toujours pas. J'aimais sa compagnie silencieuse. Je sortis de ma botte la dague que Teremes, le forgeron, m'avait offerte au fort de Keve. Je l'avais toujours sur moi, et le soir, quand j'ôtais mes bottes avant d'aller dormir, elle tombait par terre avec un bruit mat. Je regardai les deux tranchants de la fine lame, la poignée d'os poli, d'un blanc jaune luisant. Elle tenait bien en main. Alors je coupai mes tresses, les trois, l'une après l'autre.

– Nous partirons le plus tôt possible, dis-je à Armand.

Il approuva de la tête.

Il me réveilla avant le lever du jour. Nous partîmes sans dire adieu à personne. La veille au soir, nous avions attaché nos chevaux devant la maison afin de ne pas avoir à les chercher. Le village était encore endormi quand nous le quittâmes.

Armand connaissait le chemin. Nous fîmes un détour vers le sud pour éviter le village des Varègues. Nous forcions nos chevaux, ne faisant que de brèves haltes. C'était le premier jour du printemps, le ciel était radieux, d'un pur azur sans nuages, les dernières plaques de neige se transformaient en flaques.

Parfois l'envie me prenait de parler, de rien, juste pour entendre une voix humaine, je me suis plusieurs fois adressé à Armand, mais curieusement, c'est lui qui cette fois était taciturne. Alors je n'ai pas insisté.

Nous avons gravi des collines, traversé des forêts. Et quand nous avons quitté la Pannonie, les montagnes de l'Ouest s'élevaient de plus en plus haut devant nous. Le soir tomba, Armand proposa d'établir notre camp afin d'aborder la montagne de jour, et non dans l'obscurité. Ayant trouvé une clairière, nous avons fait un feu, et puisé dans les reliefs du dîner que nous avions emportés, puis, enveloppés dans des peaux d'ours, nous nous sommes adossés chacun à un arbre pour nous reposer.

– Demain, à cette heure, nous serons en Bavière, dis-je.

– C'est sûr. Une chouette ulula pour appuyer la réponse d'Armand.

– Tu es impatient de rentrer ?

– Je ne sais pas…

– Moi, oui, dis-je avec une détermination qui me surprit.

– Tu te languis de ton monastère ? Es-tu sûr que c'est encore un endroit pour toi, Stephanus ?

Cela demandait réflexion. Pourquoi pas ? C'est là qu'étaient ma vigne, ma sécurité.

– J'aspire à me retrouver entre ses murs. Entre ses hautes et épaisses murailles.

L'après-midi du lendemain, nous avons aperçu l'Enns. La frontière. Par chance la fonte des neiges n'avait pas encore commencé dans la montagne, les eaux n'étaient pas trop hautes. Dès que je vis la rivière au pied de la colline, je piquai des deux, sans me rendre compte qu'Armand restait en arrière. Je cherchai le gué. Il devait se trouver quelque part, peut-être était-il indiqué. Je longeai la rive, mais quand je me retournai pour demander à Armand où était le gué à son avis, je vis qu'il n'avait pas quitté le sommet de la colline. Dressé sur son cheval, il regardait en contrebas, la rivière, ou moi, je ne sais pas. Ne comprenant pas ce qu'il attendait, je retournai le rejoindre.

– Il faudrait chercher le gué. L'eau n'est pas haute, mais je n'ai pas envie d'y plonger mon cheval jusqu'à la crinière.

– Il est là-bas, dit-il en montrant vers le nord. Là où la rivière est coupée par une bande jaune. On le voit toujours mieux d'en haut.

Je le remerciai pour ce renseignement.

– Alors allons-y.

– Tu y vas seul.

Je ne compris pas.

– Comment, j'y vais seul ? Et toi ?

Il regarda derrière lui, puis de nouveau vers moi.

– Je n'ai nulle part où aller de l'autre côté, Stephanus. Que puis-je faire ? M'engager comme mercenaire, verser mon sang pour de stupides barons pleins de morgue ? Me faire paysan ? Je n'y connais rien…

– Mais que veux-tu ? C'est toi qui as proposé de rentrer, tu as dit que nous n'avions plus rien à faire au pays magyar…

– C'est possible, je pensais à toi. Je croyais aussi penser à moi. Je t'ai vu hier soir, Stephanus, je t'ai vu quand ce petit Jutas t'a avoué que ta femme faisait du feu dans sa maison…

– Si seulement tu pouvais être moins poétique…

– Faut-il que je m'enfuie toujours ? J'ai beaucoup réfléchi la nuit dernière. Je ne pouvais pas dormir. J'ai aimé deux femmes dans ma vie, j'ai fui la première, dois-je fuir aussi la seconde ? Je n'ai pas de tresses à couper, n'est-ce pas ?

– Mais le prince ? Gezüja…

– Gezüja ne peut rien me faire, si Sarolt tient à moi. Et elle tient à moi, Stephanus, je le sens. Il me fallait cette distance pour m'en apercevoir. Je t'ai conduit jusqu'à la frontière. Tu peux rentrer chez toi. Là où tu seras en sécurité. Je t'ai dit un jour que dans ce pays naissait quelque chose de nouveau et qu'il était passionnant d'y prendre part. À présent, je vais me rendre compte si c'est vrai. Si je traverse la rivière, je me retrouverai dans un monde où tout est stable, construit, consolidé. Il n'y a pas de brèche où je puisse me faufiler.

Des corneilles croassèrent au-dessus de la rivière, chassant l'hiver.

– Alors je dois traverser sans toi ?

– Tu es bien obligé.

– Ne puis-je te faire changer d'avis ? Le Pays d'Est est loin d'ici, le chemin a été difficile jusqu'ici, il ne sera pas plus aisé dans l'autre sens.

– Mais j'y retourne comme tu es venu ici, en ayant où aller. Sois heureux, mon ami, et fais attention à toi !

Avant que j'aie pu dire quoi que ce soit, il fit demi-tour et disparut sous les arbres.

En ouvrant le portail du monastère de Passau, notre frère aperçut cet homme appelé Armand de Nouvion, vêtu à la mode tyrque, les cheveux tressés, et en conçut une si grande frayeur qu'il se mit à appeler à l'aide, clamant à qui voulait l'entendre : « Sauve qui peut ! Les Tyrcs sont revenus attaquer le couvent ! » tout en s'efforçant de maintenir l'intrus à l'extérieur. Il fallut du temps à Armand pour convaincre les moines mortellement effrayés qu'il n'était pas un Tyrc, mais un noble Franc qui avait passé de longues années de captivité chez les Tyrcs et était parvenu à s'échapper, et s'il était encore vêtu de hardes païennes, c'est qu'il n'avait pas trouvé le temps ni le lieu pour se changer…

… les moines rendirent ses forces à Armand de Nouvion en le nourrissant de soupe chaude et en l'abreuvant de vin épais. Ils lui donnèrent des vêtements convenables, lui coupèrent les cheveux pour qu'il retrouve figure humaine, ensuite cet homme plein de noblesse et de bravoure qui avait tant souffert raconta qu'il avait voulu fuir le pays des Tyrcs en compagnie d'un moine de Saint-Gall nommé Stephanus de Pannonie, mais que lui seul y était parvenu, tandis que notre cher frère Stephanus avait rendu son âme à Dieu, se sacri-

fiant pour son salut. Ils se dirigeaient tous deux vers l'ouest depuis les hautes montagnes, afin de trouver refuge dans le monde chrétien, mais leurs poursuivants avaient suivi leurs traces jusqu'à l'Enns où ils les avaient rejoints. Voyant qu'il n'y avait point d'issue, frère Stephanus lui ordonna de traverser aussitôt la rivière pendant qu'il tenterait de retenir les païens qui les pourchassaient. Armand de Nouvion protesta avec véhémence, son noble cœur n'aurait pu souffrir de laisser un innocent moine, fidèle serviteur de Dieu, entre les griffes des païens, mais frère Stephanus le poussa violemment dans la rivière dont le courant était rapide et les rives escarpées, si bien qu'il se trouva forcé de nager jusqu'à la rive opposée où il put se hisser au sec. Quand il fut sorti de l'eau, tremblant de froid, Armand de Nouvion vit Stephanus affronter les païens. Celui-ci se planta devant eux, dos à la rivière, et ouvrit les bras en clamant la sainte parole d'Évangile à l'adresse des cavaliers qui approchaient : « Ce n'est pas l'homme en bonne santé qui a besoin du médecin, mais le malade. Je ne suis pas venu chercher les justes, mais les pécheurs », puis cet autre passage : « Allons à Jérusalem, et livrons le Fils de l'homme aux grands prêtres et aux docteurs de la loi. Ils le condamneront à mort et le livreront aux païens. Ils le couvriront d'insultes et de crachats, le flagelleront et le mettront à mort, mais il ressuscitera le troisième jour ! » Les cavaliers païens restèrent un instant figés, admirant le courage avec lequel notre frère osait leur faire face sans autre arme que la puissance de la Sainte Parole. Mais ils sortirent de leurs carquois les flèches criminelles avec lesquelles ils avaient déjà occis tant de chrétiens et en criblèrent frère Stephanus qui rendit alors au Seigneur son âme bénie et, depuis ce moment, attend l'heure glorieuse de la Résurrection où il recevra une place digne de lui dans l'Église des saints…

… mon histoire touche à sa fin, j'aimerais que tu me fasses une promesse. Ce que tu as écrit, promets-moi de le cacher en lieu sûr, afin que nul ne le lise avant que le moment en soit venu. Les morts ne doivent pas se mêler du sort des vivants.

Tu ne peux imaginer quelle joie tu m'as procurée ces dernières semaines en venant écouter mon histoire. Et pourtant, dès que tu as fait irruption dans ma cabane, j'ai su que tu allais de nouveau remuer tout ce que j'avais réglé pour moi-même.

Notes-tu tout ce que je dis, Alberich, ou seulement ce que tu juges bon ? C'est à toi de décider, je ne contesterai pas ton choix de conserver tel détail pour la postérité en le couchant sur le parchemin et de laisser tel autre se volatiliser. Je te confie mes souvenirs, fais-en ce que bon te semble. N'oublie pas, c'est moi qui t'ai jadis appris à écrire, Alberich de Langres, j'ai confiance en toi. Ce n'est pas ma vérité qui compte, mais tu dois consigner sur le parchemin les histoires de mon peuple perdu. Ejnek n'est certainement plus en vie, et avec lui les histoires conservées par les runes se sont dispersées en même temps que le passé.

Je suis triste à l'idée de ne jamais lire ce que tu as écrit. C'est une curieuse grimace du destin, je n'y vois plus de près, mais d'autant mieux de loin. Je suis incapable de lire, mais quand une promenade m'amène à l'orée de la forêt, je distingue nettement le monastère au sommet de la colline, et les vignes qui l'entourent, étagées à flanc de coteau. Je puis voir tout ce dont je ne fais désormais plus partie. C'est un peu la même chose avec le temps, Alberich, plus je remonte dans le passé, plus j'en ai une vision nette.

Vois-tu le mince rai de lumière qui filtre entre les planches près de ton bras ? Le soleil descend derrière les collines, il contourne lentement les murs et illumine un instant l'étroit réduit qui est à présent ma demeure. N'est-ce pas comme si le Seigneur posait sur moi Son regard lumineux avant mon départ définitif ?

Peux-tu imaginer ce que j'ai ressenti en comprenant que je n'avais plus ma place entre les murs du monastère, que j'étais exclu du monde des vivants, et que Virgile envisageait même de m'excommunier pour ne lui avoir pas obéi ? La rumeur courait en effet que j'étais redevenu païen en terre türke, que je sacrifiais à des dieux étrangers, que je portais des hardes païennes et que j'avais renié Notre-Seigneur Jésus-Christ ! J'ai vainement protesté que rien de cela n'était vrai, et que pas un instant je n'avais effacé le Christ de mon cœur…

En regagnant la Bavière, je portais évidemment un costume türk. Le frère qui m'a ouvert la porte de Passau a fait de grands yeux, il s'est cru nez à nez avec un guerrier türk, un païen barbu, et s'est mis à crier sauve qui peut, les Türks sont revenus… La première alarme passée, j'ai enfin pu dire qui j'étais et d'où je venais, et expliquer la raison de mon singulier costume et de ma monture. Quand ils eurent compris, les frères m'accueillirent avec une affection sincère en riant de leur effroi, et m'offrirent l'hospitalité réservée à un frère en voyage, comme le prescrit la Règle. Je suis resté une semaine entière à Passau le temps de me reposer et de reprendre des forces, et les moines m'ont demandé de leur raconter ce qui m'était arrivé en terre türke. Je ne me suis pas fait prier, je l'avoue, car cela me faisait du bien de libérer mon cœur de toute son amertume. Je suis certain que Virgile d'Aquilée, avait des espions à Passau, et ceux-ci s'empressèrent d'annoncer à Saint-Gall qu'un moine du nom de Stephanus était revenu du pays païen. Je me suis mis en route pour Saint-Gall. J'avais échangé mon costume païen contre des vêtements propres que m'avaient donnés les frères de Passau, et j'étais impatient de retrouver l'enceinte de mon cher monastère, de te revoir, ainsi que Jeromos et les autres, de voir comment se portait la vigne, s'il y aurait assez de fûts pour la récolte, bref, mon cœur me ramenait plus vite chez moi que mes jambes ne le pouvaient.

J'étais tout près du monastère quand je tombai sur une troupe de mercenaires. Ils me demandèrent mon nom, et quand je le leur eus dit, ils me lièrent les mains. Je protestai, en vain. Ils m'emmenèrent sur la montagne, au cœur de la forêt, dans cette cabane. Deux jours plus tard, Virgile d'Aquilée en personne vint me voir. Lorsque je vis sa petite silhouette passer le seuil de cette masure délabrée, mon cœur s'emplit d'une joie sincère, n'était-il pas le plus à même de prouver mon identité et de me ramener enfin là où j'avais toujours eu ma place, entre les murs sacrés du couvent ? N'étais-je pas parti sur son ordre ? Mais quelle ne fut pas ma stupeur quand il me demanda si j'étais le renégat à l'âme païenne qui répondait autrefois au nom de Stephanus de Pannonie ! « Bien sûr, c'est moi. Ne te souviens-tu pas de moi, Virgile, nous avons tracé ensemble des lettres à l'abbaye ! C'est moi, Stephanus de Pannonie, ton frère ! » Oubliant un instant son titre d'abbé, je m'étais adressé à lui comme à un simple frère. Mais son visage resta de pierre. Il me fit savoir qu'il me considérait comme mort pour notre Ordre, et que si je voulais diminuer quelque peu ma faute aux yeux de Dieu, je ne devais pas mettre un comble à la honte que j'infligeais à l'Ordre par ma nature de païen, en provoquant un scandale à l'abbaye par ma présence. Mon péché était passible de mort, mais lui, Virgile d'Aquilée ne voulait pas se souiller les mains de mon sang, et me recommandait de me tenir éloigné du monastère, non seulement de Saint-Gall, mais de tous les autres, car si j'étais encore en vie, j'étais mort dans le cœur de mes anciens frères…

J'aurais dû m'attendre à ce que Virgile agisse ainsi dès qu'il aurait eu vent de mon retour, puisque les frères de Passau m'avaient raconté ce dont Gezüja avait également parlé, à savoir que l'empereur avait destitué le pape Jean et que la paix régnait désormais entre l'Empire et notre sainte Mère l'Église. Cela n'avait pas toujours été le cas, j'en avais été témoin. De même, je savais que Virgile d'Aquilée avait largement profité de l'alliance contre l'empereur. Pour dire les choses avec une certaine élégance, je n'étais plus d'actualité.

Il revient à Dieu de tenir compte des années et de juger quand notre heure est venue. Au début, il m'arrivait de croire que j'étais un pécheur, et qu'en étant obligé de vivre comme le dernier des misérables, loin de la compagnie des hommes, je ne faisais qu'expier ma faute. Mais, voyant les années se succéder, le printemps venir après les neiges, puis l'été, l'automne et de nouveau l'hiver, j'ai peu à peu compris que mon bannissement et ma solitude n'étaient pas nécessairement un châtiment, mais pouvaient aussi représenter un état de grâce. Quel présent plus singulier le Tout-Puissant peut-Il faire à l'homme que de le placer face à lui-même et de le laisser juger, lui seul et non les autres, s'il a bien agi au cours de sa vie ?

… cela fait une heure que je suis dans la salle aux hautes fenêtres du scriptorium, ma veilleuse brûle près de moi, je n'ai plus peur, je n'ai plus rien à cacher, je n'ai plus à me cacher de quiconque, et pourtant, il me semble inutile de tracer des mots sur le parchemin, tout est à présent si insignifiant, si fugace, la vie s'écrit elle-même. Or, guidé par une curiosité stupide, je me suis immiscé d'une manière impardonnable dans la marche du monde, en croyant avoir le droit de tout savoir. Mais qui suis-je pour me mêler du sort d'autrui ? Dehors, de l'autre côté de la cour, j'aperçois des torches en mouvement devant la demeure de l'abbé, le monastère est en ébullition, et personne ne se doute que c'est mon œuvre, les frères courent dans tous les sens en poussant des exclamations. À présent j'écris ce que je veux, après avoir achevé mon récit, plus jamais je ne prendrai la plume, car si je n'avais pas commencé d'écrire à mon gré, tout cela ne serait peut-être jamais arrivé. Je relierai les feuillets et les cacherai dans la brèche du mur où je ne dissimulerai plus mon vin, et je n'approcherai plus jamais cet endroit… Peut-être même murerai-je la brèche après y avoir déposé la chronique de Stephanus destinée aux Annales, elle est désormais inutile, et mon maître a encore moins besoin d'être canonisé. Quant à moi, je me demande bien ce que je vais devenir. Je n'ai plus ma place au scriptorium, si j'avais le goût de cultiver la vigne comme mon maître, j'échangerais aussitôt ma plume contre une houe. Peut-être serait-il plus sage de renoncer à l'habit monacal, et de partir dans le monde en emmenant Elsi. Devant moi sur le pupitre, je vois briller à la petite flamme de ma lampe le médaillon représentant un oiseau, le Togrul qui a fait tant de mal à celui qui le portait. Je devrais le renfermer dans son étoffe, le jeter au fond de la rivière, mais je sais que je ne le ferai pas, je l'emmurerai plutôt avec les feuillets, m'en remettant à l'avenir. Stephanus n'est plus, il nous a quittés. Fuyant le monastère, j'ai vainement couru à sa cabane pour lui dire tout ce qu'il devait savoir, tout ce que je savais, ce que m'a dit Virgile d'Aquilée cet après-midi, quand je lui ai remis la fin du chapitre consacré à Stephanus pour les Annales Sanctgallenses Maiores. Je n'ai pu m'empêcher de lui révéler que je connaissais son secret, j'en étais si fier que lorsqu'il s'est mis à critiquer des passages de ma chronique – celui-ci, celui-là étaient ennuyeux, cet autre trop long, un autre encore par trop incroyable, comment pourrait-il envoyer de tels contes à Rome –, la jalousie et la colère s'emparèrent de moi en voyant qu'il se permettait, justement lui, de dénigrer mon ouvrage, alors je lui ai coupé la parole et lui ai suggéré de raconter, car ce serait sans doute plus intéressant, qui avait été tué par les bandits dans la montagne, et comment lui seul en avait réchappé, pourquoi ces cruels assassins lui avaient fait grâce. Son visage devint couleur de cendre, tandis que ses yeux fatigués lançaient des éclairs, mais je n'ai pas pu m'arrêter, je pensais à mon bien-aimé maître Stephanus qu'il avait expédié chez les païens au lieu d'y aller lui-même. Qu'il me dise seulement pourquoi il l'avait fait, quel besoin il avait eu d'envoyer Stephanus à une mort presque certaine. Et alors que personne ne savait mieux que lui que mon cher maître était en vie, qu'il vivait isolé dans une cabane de la forêt où il l'avait lui-même banni, pourquoi faisait-il comme s'il s'agissait d'un mort ? Il voulait tirer profit du sort de Stephanus, de son prétendu martyre, car cela sonnerait bien à Rome, n'est-ce pas, cela ferait oublier à tout le monde que dix ans auparavant lui-même, Virgile, avait fait alliance avec le pape Jean contre l'empereur, et la canonisation de mon maître était le moyen le plus sûr d'obtenir le pardon de ce péché. Je lui répétai ensuite ce que mon maître m'avait raconté pendant des semaines dans sa cabane. L'abbé restait immobile, recroquevillé dans son fauteuil, je le voyais rapetisser comme si la vie le quittait peu à peu, mais je devais bientôt voir quelle erreur c'était. À ce moment-là, il m'écoutait encore calmement tandis que je déversais un flot de paroles à propos de Cursan, d'Oumrosa, d'Arpad, d'Arouna, la jeune Cabare, et des légendes tyrques que Stephanus m'avait racontées. Je bredouillais sans doute dans le plus grand désordre tout ce qui me venait à l'esprit et que j'avais noté sur le parchemin. Comme je le fis remarquer avec arrogance, tout se trouvait au scriptorium, toutes les histoires païennes, ainsi que Stephanus me l'avait demandé, et c'est de cela que j'étais fier, de ce que j'avais écrit pour mon propre plaisir, et non de la chronique destinée aux Annales que j'avais rédigée à son goût, sur son ordre… Il bougea soudain et darda sur moi ses yeux exorbités : Qu'as-tu donc écrit ? L'histoire de Stephanus, répondis-je sur le ton du défi, ce qu'il m'a raconté dans la forêt, tout ce qu'il a vécu en terre tyrque. Alors je lui jetai à la tête qu'il savait parfaitement ce que signifiait la médaille appelée Togrul, ce qu'il avait fait en envoyant Stephanus chez les Tyrcs, et ce qu'il pourrait advenir à Stephanus, mais je ne comprenais pas pourquoi il avait agi ainsi, alors qu'il eût pu faire remettre ce maudit message du pape aux païens par n'importe qui d'autre, pourquoi avait-il justement choisi Stephanus, sinon pour l'envoyer délibérément à la mort. Quant à son bras infirme, n'avait-il pas été blessé il y a très longtemps par l'épée d'un chevalier bavarois alors qu'il voulait porter secours à son père Cursancunde ? Alors, en le regardant droit dans les yeux d'un air furieux, j'ai murmuré son nom : Tchabaour... c'est bien votre nom, mon père, n'est-ce pas, Tchabaour, fils de Cursan... Il poussa un gémissement, comme s'il avait été mordu. Alors je pris peur, car l'homme que je croyais anéanti par mes paroles implacables sembla soudain déployer son corps ratatiné, et tandis qu'il se levait lentement, je le vis grandir, sombre et menaçant, comme s'il allait toucher le plafond, tel un démon païen. Puis mon sang se glaça en l'entendant, car contrairement aux miennes, ses paroles avaient véritablement le pouvoir de tuer, et je fus obligé d'écouter sa voix tonitruante tandis qu'il hurlait, telle la tempête : « Païens ! Maudits païens ! Ne serai-je donc jamais débarrassé de vous ? Oui, je suis Tchabaour, le Cunde, oui, je suis le fils aîné de Cursan, et toi, vermine aux doigts tachés d'encre, misérable insecte qui fouille la fiente, tu le sais bien, Stephanus n'est que l'enfant de l'amour de Cursan. Maudits ! Maudits soient tous ceux qui ne m'ont pas laissé en paix ! Stephanus, le bâtard de mon père, n'a pas su disparaître quand je l'ai envoyé là où il devait être, parmi les païens, mais non, il a survécu, il est revenu rôder autour de moi. Et moi, j'ai toujours su, déjà à Passau, que Tahas était vivant, qu'il se trouvait à Saint-Gall, je n'étais pas si jeune quand les Bavarois m'ont emmené, et je me souvenais de tout sans pouvoir me libérer du passé. Je voulais devenir quelqu'un, mais à Passau on m'a dit : Johannes Pannonius, sache qu'un rejeton de païens ne peut rien devenir chez nous. On ne m'a pas accepté, on s'est moqué de moi, on m'a rejeté, moi, le fils d'un prince, d'un demi-dieu !... » Les murs se fendaient presque sous l'effet de cette voix terrible. Bon, pensai-je, en voilà assez, et je lui coupai la parole : Tu l'as tué ! Tu as tué Virgile d'Aquilée avec qui on t'avait envoyé ici ! Il répliqua en hurlant : « Stupide animal ! Que sais-tu de ce qui s'est passé ? C'était un accident, il a glissé sur la roche et s'est rompu le cou. Quand j'ai vu cela, j'ai pensé que c'était pour moi l'occasion de commencer une nouvelle vie, de me débarrasser enfin de mon passé de païen. Le Dieu des chrétiens me faisait peut-être signe qu'il m'acceptait, qu'il me permettait de choisir mon destin... Alors j'ai pris le nom de Virgile. Et après ? Il était mort, il n'en avait plus besoin. Mais ensuite, ici, à Saint-Gall, ce maudit Stephanus, tel un fantôme du passé, me rappelait sans cesse qui j'étais, et avec le regard perçant qu'il posait constamment sur moi, il incarnait le païen invétéré, en vain l'avait-on aspergé d'eau bénite, je voyais toujours le monde païen dans ses yeux, et tout ce que je m'efforçais d'oublier depuis des années me revenait à l'esprit, hantait mes rêves, mon enfance, mon père, le monde sauvage et débridé des Tyrcs. Le passé comme le présent me rendaient malade. Je l'ai chassé du scriptorium pour l'envoyer à la vigne, afin de ne plus le voir… Puis il y eut le complot, et le message du pape nous demandant d'envoyer un émissaire aux Tyrcs à l'insu d'Othon. J'ai été soulagé, enfin, ai-je pensé, je vais être débarrassé de ce maudit Stephanus, il remportera ma qualité de païen là où elle doit être… Je lui ai donné le Togrul, je l'avais apporté de Passau, tout comme la blessure de mon bras, je l'avais depuis l'enfance, et même si j'en souffrais, le Togrul était à moi, je l'avais arraché au cou de mon père quand on m'avait séparé de lui. Oui, je le lui ai remis, c'était une raison de plus pour qu'il ne revienne jamais, si les Tyrcs le trouvaient sur lui j'étais certain qu'ils le tueraient. Mais les païens ne l'ont pas tué, il est revenu, comme un péché irrémissible, alors je l'ai banni dans la forêt, parmi les bêtes sauvages, en pensant qu'il finirait bien par crever dans la neige et le froid, mais non, il a vécu, comme s'il était immortel, comme si la mort n'avait pas prise sur lui, et voilà qu'au bout de bien des années, il t'a trouvé pour le venger, son âme païenne enragée ne peut se résigner à son sort. Et toi, petit imbécile, chacune de tes lignes est à l'évidence emplie des paroles de Stephanus, croyais-tu pouvoir me tromper ? Je sais que tu vas le voir dans la forêt, sinon comment aurais-tu appris que quelqu'un l'attendait près de la rivière quand il s'est rendu en terre tyrque ? Tu n'as pas assez d'imagination pour l'inventer, j'étais le seul à connaître l'existence de ce chasseur car c'est moi qui l'avais envoyé, mais tu as été assez bête pour donner son nom exact. Et tous les noms tyrcs, tu les as trouvés au fond de ta poche ? Tu voulais me duper ? Que cherches-tu à présent, espèce d'ivrogne, fornicateur, crois-tu que j'ignore ce que tu fais nuitamment au scriptorium avec ta petite catin ?

Qu'est-ce que tu imagines ? Que tu vas me faire chanter ? Ou bien veux-tu devenir abbé, toi, un moins que rien ? Disparais de ma vue, espèce de vaurien ! Et rapporte-moi tout de suite les feuillets où tu as noté les sottises de Stephanus, tu les déchireras devant moi, ces ordures païennes que tu as introduites dans l'enceinte sacrée du monastère… » Non ! m'écriai-je, si fort que je fus effrayé par ma propre voix. Non, je ne te donnerai pas mes manuscrits, les souvenirs de mon cher maître. Ils sont à moi, c'est moi qui les ai écrits, ce sont mes mots, mes phrases… J'étais cloué au sol, incapable de bouger, mais soudain, à ma grande stupeur, je vis le petit vieillard soulever le lourd fauteuil comme si son bras infirme avait soudain retrouvé sa force d'antan, le lever au-dessus de sa tête et le lancer dans ma direction… « Je vais te tuer, hurla-t-il, t'écraser ! Tu oses me résister ? » Je fis alors demi-tour et me précipitai au-dehors, traversai la cour et franchis le porche en courant à perdre haleine vers la forêt, vers le seul lieu où j'espérais être en sécurité. Il ne pourrait m'arriver aucun mal auprès de mon cher Stephanus, je le savais, il m'avait toujours protégé. Je gravis la colline, pénétrai dans le bois, courant de toutes mes forces entre les branchages et les buissons, jusqu'à la cabane dont j'arrachai presque la porte, pressé de tout lui dire, de le supplier qu'il me sorte de la situation désespérée où j'avais été assez stupide pour me mettre… Je le trouvai étendu sur le lit, le visage apaisé, il était mort, je le sus dès le premier regard. D'étranges senteurs emplissaient la cabane, mon maître s'était sans doute préparé quelque potion, son gobelet vide se trouvait par terre à côté du lit, je n'osai pas penser qu'il avait mis fin à ses jours. Je tombai à genoux en pleurant et dis une prière pour son âme, ensuite je lui reprochai presque avec colère de m'avoir abandonné au moment où j'avais le plus besoin de lui. Que vais-je faire ? demandais-je en secouant son corps sans vie, aide-moi ! lui criais-je, tu as dit que les morts ne devaient pas se mêler des affaires des vivants, mais à présent, je t'en supplie, aide-moi, Stephanus ! Virgile va détruire tes légendes païennes, il n'en restera pas une, il va déchirer les parchemins et peut-être fera-t-il ensuite de même avec moi ! criais-je en pleurant, penché sur lui. Puis je m'effondrai sur le sol, c'est fini, pensai-je, désormais c'est moi qui occuperai cette cabane, je ne puis retourner au monastère, Virgile me ferait mon affaire, il me chassera hors des murs s'il ne m'a pas auparavant fait mettre à mort par des mercenaires, tout comme il en a jadis chassé Stephanus. J'aperçus auprès du lit la petite sacoche que les Tyrcs portaient toujours à la ceinture, ainsi que mon maître me l'avait dit. Je la pris sans savoir pourquoi, ouvris le rabat renforcé d'une plaque de cuivre gravé d'un motif de fleurs, et la retournai pour la vider. D'abord le Togrul en tomba, puis un paquet de chiffons, enfin trois tresses de cheveux. Ô, pauvre Stephanus, pensai-je, ses tresses tyrques, je les enterrerai avec lui. Le médaillon du Togrul était beau, brillant comme s'il était fait d'argent, et l'oiseau en bas-relief, un aigle à la tête baissée et aux ailes déployées, comme une âme implorant le pardon, attirait irrésistiblement le regard. J'ouvris le paquet d'étoffe et ne reconnus pas tout de suite ce qui s'en échappa, quelque chose qui s'émietta, tomba presque en poussière, et s'envola comme si on avait soufflé sur ma main. Je me rendis alors compte que cela ne pouvait être que le rosier, les restes desséchés du Rosier de Cunde qu'Armand avait remis à mon maître quand ils avaient pris le chemin du retour. J'inhumai mon bon Stephanus sous les arbres de la forêt, et si je l'avais pu, j'aurais peut-être sacrifié un cheval à ses côtés comme c'était la coutume là-bas, afin qu'il l'emporte vers l'Orient lointain, mais faute de mieux, je déposai ses tresses dans sa tombe. Je n'osai pas revenir au monastère avant la nuit, et encore le fis-je avec prudence, je traversai la cour en longeant les murs, mais en approchant de l'aile où habitait l'abbé, je fus surpris car il y régnait une grande agitation, des torches brûlaient partout, des frères couraient en tous sens, on eût dit une fourmilière, je ne comprenais pas ce qui se passait... Des moines pleuraient au pied de l'escalier : il est mort, notre bon père Virgile d'Aquilée est mort, le Seigneur bénisse son âme. Partout des visages attristés apparaissaient dans la clarté des torches. C'est terrible, disaient-ils, épouvantable, une telle mort... d'autres suggéraient qu'il avait peut-être lui-même... non, c'est impossible, pourquoi aurait-il fait une telle chose ? Les médecins se lamentaient en se tordant les mains d'impuissance. Je me frayai un chemin en les bousculant sans ménagement, alors je le vis, Virgile d'Aquilée, ou Tchabaour, fils de Cursan, étendu à terre bras écartés, comme le Christ en croix, les yeux ouverts, son regard sans vie fixant le ciel... Le vertige l'aura pris, et il est tombé par la fenêtre, dit quelqu'un près de moi, d'une telle hauteur, il n'a pas survécu... Tournant le dos, je montai en courant l'escalier qui menait à la chambre de l'abbé. Il n'y avait plus personne, seule une ombre bougea devant la fenêtre quand j'entrai, j'aperçus un grand corbeau et entendis aussitôt un battement d'ailes, il s'était envolé par la fenêtre. Je ramassai par terre les feuillets destinés aux Annales et les glissai sous ma bure, puis quittai précipitamment la chambre de l'abbé. Je te remercie, Stephanus, murmurai-je en tremblant, tandis que je traversais la cour en direction du scriptorium…

CET OUVRAGE
A ÉTÉ ACHEVÉ D'IMPRIMER
PAR L'IMPRIMERIE FLOCH
À MAYENNE EN AOÛT 2007

N° d'éd. 189. N° d'impr. 68440
D.L. septembre 2007
(Imprimé en France)